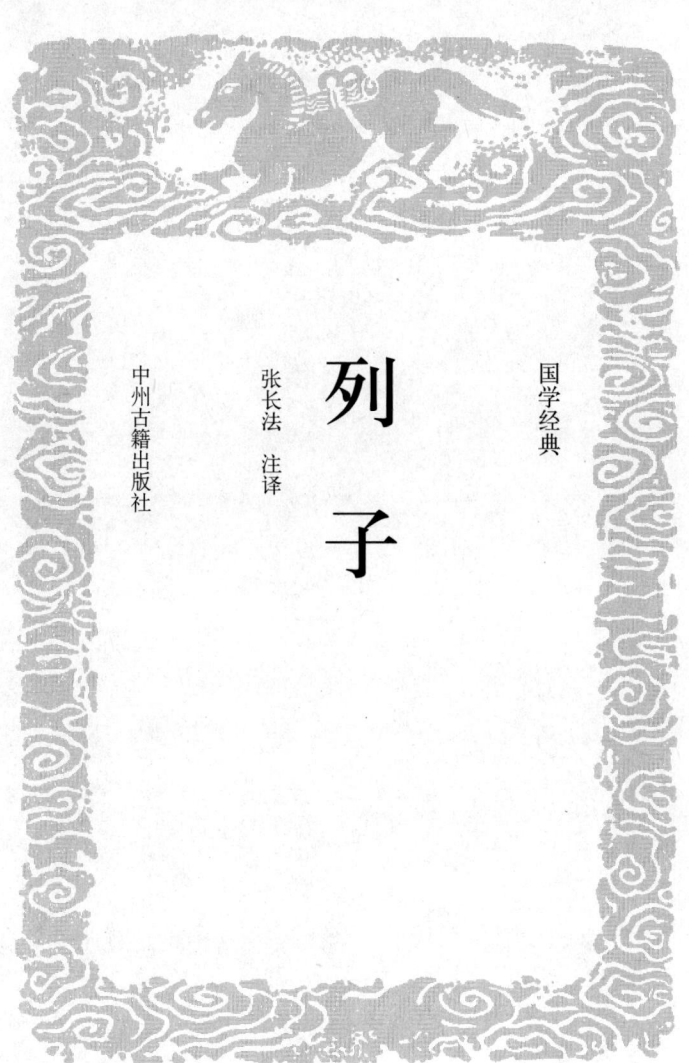

列 子

张长法 注译

中州古籍出版社

国学经典

列　子

前 言

列子名御寇，又写作圉寇、圄寇，郑州圃田人。著有《列子》一书。其学说属于道家学派。作为我国先秦时期的重要哲学家、思想家，1999年郑州市旅游局把他与黄帝、杜甫、白居易等共同公布为郑州市十大历史名人。列子的贡献在中华民族文明发展史上举足轻重。据不完全统计，仅《北堂书钞》、《艺文类聚》、《群书治要》等唐宋类书就摘引《列子》正文两三千条。其寓言《愚公移山》时至今日仍在鼓舞着我们要有改善环境的顽强意志，《杞人忧天》中表现出来的忧患意识，对促使人类进一步重视环境保护、防止各种自然灾异的发生，也具有重大的现实意义。

列御寇和《列子》一书在历史上曾经辉煌过。西汉初颇行于世，汉武帝罢黜百家之后，散落民间，西晋又有所发展，唐宋时期达到顶峰。唐高宗乾封二年（667）李治尊奉老子为太上玄元皇帝。玄宗开元二十五年（737）李隆基立玄学博士，指定《老子》、《列子》、《庄子》、《文子》为必读之书，时号四玄。天宝四年（745）追封列御寇为冲虚真人，《列子》一书为《冲虚真经》。到了宋代，真宗赵恒在"冲虚"二字后面又加"至德"二字，书名又成了《冲虚至德真经》。徽宗政和六年（1116）赵佶诏立《内经》、《道德经》、《列子》、《庄子》博士。

关于列御寇是否存在，《列子》一书是否系魏晋人所作的伪书，乃是古今争论的焦点。唐代柳宗元、宋人高似孙提出这个问题之后，至今学术界依然是歧见纷纭，聚讼不已。梁启超、郭沫若、杨伯峻、严北溟诸学者均支持这一观点，但这些学者的说法也多是推测，缺乏确凿证据。一些当代学者如岑仲勉、李养正、严灵峰、陈鼓应以及日本的武义内雄等提出了有力的反驳。本书作者认为：如果说《列子》真的是伪书，那么就应该找到真正作伪的人。如果找不到真正作伪的人，时而说是注《老子》的王弼，时而又说是注《列子》的张湛，最终因缺乏证据，又不得不笼统地说成是出自魏晋人之手，这种说法是缺乏说服力的。现在，就《列子》一书是否伪书以及《列子》一书的借鉴价值诸问题谈谈自己的看法。

一、《列子》不是伪书

要想弄清这个问题，我们从典籍记载和相关作品的比较研究中来寻找答案也许是一种比较科学的方法。

典籍中较早记载列御寇及其著作《列子》一书的有《战国策》、《吕氏春秋》、《尸子》、《韩非子》、《汉书·艺文志》等。直接记载《列子》一书的，是西汉成帝时刘向亲自撰写的《列子书录·序》。在汉武帝罢黜百家、独尊儒术之后的一百多年，国家的形势发生了一定程度的变化。汉成帝一方面下令广开献书之路，专设写书官抄写、整理佚书，同时又命刘向总校诸书。刘向校经传、诸子、诗赋，任宏校兵书，尹咸校数术（占卜之类），李柱国校方技（医药之类）。当时收集图书数量很多，每一书校毕，都由刘向整理成篇目，写出提要，呈给皇上。刘向的儿子刘歆继承父业，完成《七略》一书。共收书一万三千二百九十九卷，乃是中国最早的一部目录书。该书所录书目一般都保存在《汉书·艺文志》中。这是一次国家行为，决不是任何意义上的杜撰和虚构。中华书局版《诸子集成·列子》所附

《列子书录·序》就是在这样的背景下产生的。据该序所说，刘向所校的《列子》不仅篇目和今世所传的《列子》一书完全一致，而且所依版本亦确凿有据。据统计，刘向所校中书《列子》五篇、太常《列子》三篇、太史《列子》四篇，另外再加刘向自己所藏《列子》六篇和杜参个人所藏《列子》二篇，宫内宫外合在一起共二十篇。通过校阅，去掉重复的十二篇，定著八篇。这是信史，值得信赖。至于有人因为《序》中有"列子者郑人也，与郑穆公同时以及《穆王》、《汤问》二篇迂诞恢诡，非君子之言也"之语，就断定《列子》是伪书，实在不能令人信服。

历史的长河不断流逝，又过了三百多年，东晋时期有一个叫张湛的学者为《列子》一书作注。在这本书中张湛写了一个《序》刊在书首。在这篇《序》中，注释者详细说明了自己所注《列子》一书的版本来源。他听他的父亲说，他（张湛）的祖父同刘向的后代刘正舆，傅玄与傅咸的后代傅颖根以及王灿的后代王弼是表亲，童年时代常在一起于外舅家抄录古书。公元309年，遭遇永嘉之乱，携书南渡，与傅颖根一起避难。因路途遥远，为减轻车辆所载，只得挑选世上稀有而珍贵者，各自保录，勿令遗弃。傅颖根于是只带其祖父傅玄、父亲傅咸的有关子集书籍。在傅玄、傅咸亲手抄录的书籍中发现了《列子》八篇。在历尽艰辛到达扬州刺史刘正舆处后，发现该书只剩《杨朱》、《说符》和《目录》三卷，其余全部丢失。后在刘正舆家找到四卷，不久又从王弼女婿家找到六卷，参校有无，始得全备。现在看来，张湛的父亲向张湛述说张湛祖父整理《列子》一书的情况是可信的。因为该《序》真实地说出了《列子》一书在永嘉之乱中的遭遇，以及它重新得以整理和校阅的经过。张湛的个人文化素质很高，不仅写过《养生要集》，而且做过中书侍郎、光禄勋。他所注的《列子》一书分为原文和注文两个部分。原文同刘向所校的列子八篇在内容上是一致的，现在尚没有学者发现张湛篡改刘向所校列子八篇的证据。至于注文，那是张湛自己的创作，他用什么观点注，引用谁的观点注，是何晏的，还是王弼的、郭象的、向秀的，则完全是张湛个人的事情。仔细推敲刘向对《列子》一书中有关《周穆王》、《汤问》、《力命》、《杨朱》诸篇的评论，同张湛所注的《列子》一书的原文，不仅没有发现二者的乖背现象，而且完全一致。

刘向的《列子书录·序》和张湛的《列子注·序》在说明《列子》一书不是伪书的同时也提出了一个学术界应该重视的问题，即刘向《序》中所说的《列子》一书"且多寓言，与庄周相类"，张湛《序》中所说的《列子》一书"属辞引类，特与庄子相似"的问题。这两个《序》中所说的"相类"或"相似"是非常多的。为了用事实说明问题，先从《庄子》一书的首篇《逍遥游》说起。

本篇之所以会以《逍遥游》命题，恰好是因为这个名字能体现出庄子哲学思想的出发点和归宿。也就是在以《逍遥游》命名的章节里竟有几处和《列子》惊人的"相类"或"相似"。《庄子·逍遥游》开宗明义写道：

北冥有鱼，其名为鲲。鲲之大，不知其几千里也。化而为鸟，其名为鹏。鹏之背，不知其几千里也。怒而飞，其翼若垂天之云。是鸟也，海运将徙于南冥。南冥者，天池也。

除此段之外还有：

楚之南有冥灵者，以五百岁为春，五百春为秋；上古有大椿者，以八千岁为春，八千岁为秋，此大年也。

还有一段文字：

汤之问棘也是已。穷发之北，有冥海者，天池也。有鱼焉，其广数千里，未有知其修者，其名为鲲。有鸟焉，其名为鹏，背若太山，翼若垂天之云。抟扶摇羊角而上者九万里，绝云气，负青天，然后图南，且适南冥也。

以上所引三段文字，皆与《列子·汤问》篇中"终发北之北有溟海者,天池也。有鱼焉,其广数千里,其长称焉,其名为鲲。有鸟焉,其名为鹏,翼若垂天之云,世岂知有此物哉"以及"荆之南有冥灵者,以五百岁为春,五百岁为秋。上古有大椿者,以八千岁为春,八千岁为秋"相类或相似。按理说,列子不管生活在郑穆公时代或郑缪公时代,总是早于庄子,因此《列子》成书的时间也应早于《庄子》;而且从布局谋篇的角度看,《列子》要比《庄子》严谨得多。显然,这三段文字是庄子从《列子》一书中摘录过来的,其中"楚之南有冥灵者"段则表现得更为明显。张湛的《列子注》原文没有一处提及庄周,而《庄子》则有"夫列子御风而行,泠然善也,旬五日而后反"之类提及列子的有数十处之多。可见是列子影响了庄子,而不是庄子影响了列子。在《逍遥游》篇中除上面提及的三段外,还有一处《庄子》摘录《列子》的现象值得注意。如在《逍遥游》中的第二段"肩吾问于连叔曰"中有:"曰藐姑射之山,有神人居焉。肌肤若冰雪,绰约如处子;不食五谷,吸风饮露;乘云气,御飞龙而游乎四海之外;其神凝,使物不疵疠而年谷熟。吾是以狂而不信也。"这段文字便是从《列子》一书《黄帝》篇中的"列姑射山在海河洲中,山上有神人焉,吸风饮露,不食五谷,心如渊泉,形如处女"段中摘引而来的。类似这样的情况还有很多。诸如:《齐物论》中的"狙公赋芧";《人间世》中的"养虎者言";《应帝王》中的"郑有神巫";《至乐》中的"列子行食于道"、"种有几";《达生》中的"子列子问关尹"、"佝偻承蜩"、"吾尝济乎觞深之渊"、"纪渻子为王养斗鸡"、"孔子观于吕梁";《山木》中的"逆旅有妾二人";《田子方》中的"列御寇为伯昏瞀人射";《知北游》中的"舜问乎丞曰";《徐无鬼》中的"管仲有病";《让王》中的"列子拒粟"、"孔子穷于陈蔡之间";《列御寇》中的"列御寇之齐中道而反";《寓言》中的"阳子居南之沛"等二十多处均是如此。

目前看来,《庄子》与《列子》两书相互重复的作品约占《列子》102个寓言故事的四分之一，这不是一个小数目。在列子先于庄子的前提不变的条件下，从两人著作重复的事实出发，同时依据重复作品的具体环境以及篇章段落的结构和布局综合分析，庄子摘录《列子》一书的可能性大，从而也可以从另一个角度证明《列子》一书在战国时期就已经成书，并非出自魏晋人之手。

二、《列子》一书的借鉴价值

列子属于道家，其著作《列子》一书的理论价值很高。他在老子道的基础上，主要是在道生宇宙万物方面不仅有所继承，而且有所创新有所发展，把我国古代的唯物主义学说和辩证法思想推向一个崭新的阶段，并且能够用它们解释社会阐释人生，具有宝贵的借鉴价值。

（一）独特的唯物自然观

老子《道德经》开头的第一个字就是"道"，原文是"道可道，非常道"，意思是说"道"这个概念是无法用语言表达的，如果能用语言表达，那就不是真正的"道"。真正的"道"是不可道，不可名的。"无，名天地之始；有，名万物之母。"这就告诉人们，凡"有"都是从"无"产生的，可见老子把物分为"有"、"无"两种。而《列子》一书，开始就提出"有生不生，有化不化"的著名论点。这里所说的第一种物，即有生、有化。所谓有生、有化即是指有生命、有形状、有颜色的具体事物，它们无时无刻不在运动、发展、变化。第二种物叫不生、不化，即没有生命、没有颜色、看不见、摸不着的事物。它们自身没有生命，但却能使第一种物具有生命，自己没有形体，却能使第一种物具有形体，自己没有颜色，却能使第一种物具有颜色，自身不会运动、发展、变化，却能使第一种物运动、发展、变化。如果换个说法，具体的物叫万物，抽象的物叫做"道"，这样万物和"道"这两个概念就有了明确的规定性。至于两者之间的关系，也说得更加明白，即"不生者能生生，不化者能化化"。也就是说"道"这种抽象物，自己不会生，没有生命，没有形体，然而却能使具体的万物获得自己的生命和形体。所以，"道"就成了万物之母、天地之根，成了宇宙、天地、万物的主宰。正如《列子·天瑞》篇中所说的"生者不能不生，化者不能不化"。因此，"常生常化"，无时不生，无时不化，就成为宇宙万物的必然规律和普遍现象。

"道"是什么？既不是耶稣，也不是上帝，而是一种物质。这种物质玄妙至极，本其所由与极同体。说它有吧，不见其形；说它无吧，万物以之而生。也可以说这种称作"道"的物质，就是宇宙的本体。这种本体就是可分为阴阳的气。列御寇指出："昔者圣人因阴阳以统天地，夫有形者生于无形。"气是一种物质，万物源于气的理论同万物源于神、源于心的学说有着本质的区别。源于气的学说属于唯物主义范畴，源于神和源于心的学说则属于唯心主义范畴。

列御寇指出物质的道是世界的本原后，又具体地阐述了"道"即阴阳二气如何使天地万物产生的过程。他在《列子·天瑞》篇中指出天地万物的形成大体经过太易、太初、太始、太素四个阶段。这四个阶段都是以气的变化为转移的。一开始，即太易阶段。在这个阶段里气虽已形成，只是暂时凝寂于太虚之境、虚无之域，依然无形无体，《易经》称这个阶段为太极，《老子》称这个阶段为浑成。第二个阶段即太初阶段。在这个阶段里，气已经开始出现，只是阴阳未判，天地尚未形成，宇宙仍然处于混沌状态。不过，阴阳二气已经开始运动、变化。第三个阶段，即太始阶段。在这个阶段里，阴阳二气已经分离，天地形成，品物流形。即具体的天地万物已有了自己的形状、颜色、声音。第四个阶段，即太素阶段。在这个阶段里，天地万物不仅有了自己的形体，而且进一步有了自己的质性。在这四个阶段里，易乃是气、形、质的宗主。当气、形、质而未相离时，称作浑成。这时，视之不见，听之不闻，循之不得。因此，易乃冥一而不变，故能为万物之宗主。易变为一后，一再从少到多地逐渐演变，一变为七、七变为九。一者形变的开始。清轻者上为天，浊重者下为地，冲和气者为人，于是天地形成，万物化生。

（二）辩证的运动发展观

在列子的学说中，道是"玄牝之门"、"天地之根"。在它的主宰下，天地万物都是自生自化、自形自色、自智自力、自消自息。也就是说道有一种抽象的力量，它可以赋予天地万物自生自灭、自形自色的能力，一切运动变化都是天地万物在独立进行，道从不干预，也不越俎代庖。只有这样，天地万物的运动和变化才有可能成为永不停歇的绝对规律。

列御寇还指出，由于道是天地万物的主宰，所以作为天地万物，它们之间是普遍联系着的。每一个具体的物，即使是一棵草、一匹马、一个人都不是孤立的存在，都是按照对立统一的规律生活在自然或社会的共同体中。既互相对立又相互依存、转化。在《天瑞》"种有几"段中，列子阐述得非常详尽。如说车前草这种植物如生在粪土中就成为乌足草，乌足草的根可以变为小动物蛴螬，叶子变成蝴蝶，蝴蝶又化为昆虫。总之，天地万物的相互转化是无穷的。正如《列子》一书中所说的那样："运转亡已，天地密移。"故物损于彼者盈于此，成乎此者亏于彼。

前面已经提到天地万物变化的规律是易变而为一、一变而为七、七变而为九，这只是一个周期。然后由九再回到一、一再到七、七再变九。这样无穷地往复循环，构成辩证法的一条著名规律。这条规律体现在变化的方式和变化的过程两个方面。其变化的方式是"密移"。所谓"密移"，即指人们不易察觉的变移，如《天瑞》篇说："亦如人自世至老，貌色智态，亡日不异；皮肤爪发，随世随落，非婴孩时有停而不易也。间不可觉，俟至后知。"这里说明"天地密移"的渐变思想同现代辩证法中有关从量变到质变的规律是一致的。

表现在过程方面的是从肯定到否定。一般地说，在事物发展的链条中，经过两次否定，三个阶段就构成一个周期。如认识论的实践——认识——实践；动物界的卵——成虫——卵；植物界的种子——苗株——种子。其公式为肯定——否定——否定之否定。否定之否定也是事物发展的一条著名规律。《黄帝》篇中的"杨朱南之沛"，老子认为杨朱可教为肯定阶段；见杨朱后，认为不可教，为否定阶段；同杨朱谈话后，又认为可教为否定之否定阶段。其中老子对杨朱的认识过程，正好符合这一公式。人的一生也是如此，即一个人有形之前为无，有形之后为有，然后经过成长、衰老、死亡再变为无。这也是一条不变的规律。只有不断地往复循环，万物才能持久。当齐景公游览牛山，想人必有死亡的结局而大为伤感时，晏子告诉他："如果让贤明的君主永远掌管这个国家，只有生，没有死，那将永远轮不到您来做君主，您只能去做农夫了。正因为历代君主一个接一个地登位，一个接一个地死去，才能轮到您来作君主呀！"想一想晏子的话里面确实隐含着否定之否定的生死轮回的哲理。然而轮回只是对人类整体而言的，对于具体的个人来说，轮回则是不能实现的梦想。

（三）列子的政治观和人生观

《列子》一书中，有关列御寇政治治理思想的记载很多。如《黄帝》篇中的"梦游华胥"、《汤问》篇中的"终北之国"都体现了列子所宣扬的也是老子所主张的无为而治的政治理想。在他们的理想国里，一般都是"其国无帅长，自然而已"，然而却能做到"不治而不乱，不言而自信，不化而自行"，最终达到大治的目的。同时，列子反对绝对权威以及个人迷信的思想在《列子》一书中也表现得非常明显。如《仲尼》篇记载孔子与商太宰的一次谈话，作者利用孔子之口说出三王、五帝、三皇全都不是圣人之后，公然提出"西方之人有圣者"。毫无疑问，列御寇能说出这样的话，除了有深邃的思想之外，还需要有巨大的勇气。《说符》中有一段文字叫"晋国苦盗"，其中写到一个叫郤雍的人善于识别盗贼，深得晋君信任。当郤雍被盗贼杀死后，晋君愁眉不展，问左右大臣，今后用什么办法捉拿盗贼，赵文子回答说："君欲无盗，莫若举贤而任之。使教明于上，化行于下，民有耻心，则何盗之为？"显然，这和周公、孔子的以修身为本、用贤人治国的思想完全相符。

列御寇的人生观，是建立在人类整体或具体的个人都应该受到尊重和爱护的思想之上的。《天瑞》篇"孔子游于太山"段中说"天生万物唯人为贵"，对于每一个人来说，生命只有一次，应该倍加珍视。可以说这是人本主义思想在战国时代的产生与萌芽。

《列子·杨朱》篇有关人"有生便有死"、"生难遇，死易及"的观点是人人皆知的道理，所以，列子同意杨朱贵己乐生的理论。这种理论的核心就是以存我为贵。个人的生命贵于黄金珍宝，贵于地位名声，贵于财富权力。为了证明这种理论的正确，杨朱才说出了"伯成子高不以一毫利物，舍国而隐耕。大禹不以一身自利，一体偏枯。古之人，损一毫利天下不与也，悉天下奉一身不取也"这段话。就因为这段话，有人把列御寇、杨朱定性为极端的利己主义者、享乐主义者、纵欲主义者是有失公正的。因为这里谈的是如何贵身乐生，根本不是自私与大公的问题。如果是自私自利，那么就只存在"损一毫利天下不与人"，决不会同时存在"悉天下奉一身不取"的说法。只有围绕贵身、乐生这一主题，才能理解"损一毫利天下不与人，悉天下奉一身不取"这两句话的真正含义。要提倡贵身，就得注意养生，就得承认个体生命所需的物质生活资料的合理性。在这里，决不能把列子或杨朱批判禁欲主义的言论当成纵欲主义和享乐主义的证据而加以反对和抵制。因为在对待自己个体生命以及满足自己个体生命所需生活资料问题上，他们的观点既理智又辩证。如杨朱曾经说过自身固然是生命的主体，他物也是供养生命的主体。虽然保全了生命但不可据有自己的身体；虽然不必舍去他物，但不可据有那些外物，主张做一个化个体生命为天下公有，不把物质生活资料据为己有的高尚的人。这种人顺乎自然本性，不羡富贵、权势、钱财。他们不为私欲束缚，自己的命运自己支配。列子的人生观大致如此。一个真正懂得生命可贵的人，应该是从心而动但不违自然所好；当身之娱非去，不为名所劝；从性而游，不逆万物所好。《杨朱》篇谈起一个人怎样对待贫富时，说得非常明确。原话是："原宪窭于鲁，子贡殖于卫。原宪之窭损生，子贡之殖累身。""然则窭亦不可，殖亦不可，其可焉在？"曰："可在乐生，可在逸身。故善乐生者不窭，善逸身者不殖。"

　　笔者这次对《列子》进行整理、注译，是以中华书局1986年版《诸子集成》本作为底本的。在长达三年的整理中体会颇多。最重要的一点是：《列子》一书，犹若一座玉璞堆积的大山，只有和氏的执着和文王的明智才能荡涤两千多年来蒙于其上的尘土和污垢，把一块块晶莹的美玉，原原本本地敬献于世人面前。

张长法
2010年3月

目 录

天瑞第一 —————————————————————— 17
黄帝第二 —————————————————————— 44
周穆王第三 ————————————————————— 80
仲尼第四 —————————————————————— 97
汤问第五 —————————————————————— 120
力命第六 —————————————————————— 152
杨朱第七 —————————————————————— 173
说符第八 —————————————————————— 200

卷 一

天瑞第一①

子列子居郑圃②，四十年人无识者。国君、卿大夫视之，犹众庶③也。国不足④，将嫁⑤于卫。弟子曰："先生往无反期，弟子敢有所谒⑥，先生将何以教⑦？先生不闻壶丘子林⑧之言乎？"子列子笑曰："壶子何言哉？虽然，夫子尝语伯昏瞀人⑨，吾侧闻之，试以告女⑩。其言曰：'有生不生⑪，有化不化⑫。不生者能生生⑬，不化者能化化⑭。生者不能不生⑮，化者不能不化⑯。故常生常化⑰。常生常化者，无时不生，无时不化。阴阳尔，四时尔。不生者疑独⑱，不化者往复⑲。其际不可终，疑独，其道不可穷。'"

[注释]

①天瑞：自然之符信。天，自然。瑞，符节、符信。晋张湛注曰："虽天地之大，群品之众，涉于有生之分，关于动用之域者，存亡变化之自然之符。夫唯寂然至虚，凝一而不变者，非阴阳之所终始，四时之所迁革。"这段注文，说明宇宙万物为有形之物，可以看得见，摸得着，感知得到，而且时时刻

刻都在变化、迁革；而另一种事物则是生成宇宙万物的事物，它看不见，摸不着，感知不到，而且凝一不变。这种事物抽象无形，在老子的《道德经》中称为"道"。列子发展了老子的思想，把道和气的概念紧密联系在一起，从而把意识形态领域中的道改变成为物质领域中的气。以此作为篇名，说明此篇主旨是探讨宇宙万物形成的原理及其过程。②子列子：前一"子"字，学生称老师时，前面加"子"表示尊重。郑圃：指郑国圃田。③众庶：平民、普通人。④国不足：国用不足，即国家不富裕。此处指发生灾荒，粮食缺乏。⑤嫁：此处指出走，即离开郑州，躲避灾荒，到卫国去。⑥反：同"返"，即返回。谒：拜谒，拜见，谒见。⑦何以教：在古汉语句式中，如果疑问代词做介词宾语，那么疑问代词则置介词之前。何以教，即"以何教"，即用什么知识教我。⑧壶丘子林：列子的老师，古代的道家传人。⑨伯昏瞀（mào）人：列子的学兄。从后文中看，他的学问功底深厚，两人经常探讨问题，列子相当崇敬他。⑩女：同"汝"。⑪有生：指有形、有色、有体的天地万物。不生：即不能自己生成自己。⑫有化：指存亡变革的有形之物。不化：即存亡变革的有形之物不能自己存亡变革。⑬不生者能生生：自己不生的事物却能使别的事物生成。自己无形、无色、无体却能使别的事物有形、有色、有体，故为万物之宗。⑭不化者能化化：自己不能存亡变革的事物却能使别的事物存亡变革，故为万物之主。⑮生者不能不生：有形、有色、有体的具体事物，不能自己生成自己，而是被动地不得不生。⑯化者不能不化：存亡变革着的事物，不是自己存亡变革，而是受一种外物的制约，不得不存亡变革。⑰常生常化：宇宙间天地万物经常生出新的事物，并且时时刻刻都在不断变化。⑱疑独：即凝结独立。疑，同"凝"。不生之宗是抽象的，想去看，去听，去触摸，去实而验之，是不可能的。怀疑它是一种神秘的力量，亦称道、气等。⑲不化者往复：指不会变化之主，来来去去，反反复复，无形无踪，永远不可穷尽。

[译文]

列御寇是郑国人，在圃田住了四十多年，竟然没有一个人了解他。国君、卿士、大夫把他当成一个普通的百姓看待。有一年，郑国发生饥荒，粮食短缺，列御寇准备离开郑国到卫国去。弟子们知道后，对他说："老师这次去卫国，什么时候回来也不知道，因此，大胆向老师请教，请老师再教给我们这群学生一些知识吧！老师不是亲自聆听过您的老师壶丘子林的话吗？"列子笑着回答说："壶丘子林没有直接给我说过什么，只是老师在告诉我的师兄伯昏瞀人的时候，我从旁边听说过几句，恐怕表达不好，现在让我试着告诉你们。他的话主要有这么一段：'天地间凡是有形、有色、有声、有体的事物都不能自己生成自己，凡是天地间能存亡变化的事物不能自己存亡变化；自己不生的事物，却能使别的事物生成，自己不能迁革变化的事物，却能使别的事物迁革变化。这种事物无形、无色、无声、无体，为万物之宗、万物之主。有形、有色、有声、有体的事物，不能自己生成自己，而是被动地不得不生；天天都在变化着的事物，不是自己在变化，而是被动地不得不变化。因此，常生常化即不断地生，不断地死，不断地成长，不断地衰老，不断地运动，不断地变化乃是宇宙万物的客观规律。它没有一刻不在出生，没有一刻不在死亡，没有一刻不在运动，没有一刻不在变化。如天地之间阴阳二气，一年四季春夏秋冬的变化，都是如此。不生之主无形无色，抽象为一，看不见，摸不着；不变之主来去往复，代谢不停，形气转续永远不止。凝独即自凝结，其独立不改，周行不殆，既没有始，也没有终，永远不能穷尽。'"

黄帝书①曰："谷神不死②，是谓玄牝③。玄牝之门，是谓天地之根。绵绵若存④，用之不勤⑤。故生物者不生，化物者不化。自生自化，自形自色，自智自力，自消自息。谓之生化、形色、智力、消息者非也。"

[注释]

①黄帝书，乃指黄帝所写之书，早已失传。今老子《道德经》第六章中尚存其关键部分。②谷神：谷中空虚之处，有虚怀深藏之意。王弼注谓："谷神，谷中央无谷也，无形无影……谷以之成，而不见其形。"③玄牝（pìn）：

道家指衍生万物的本原。牝，指雌性动物。下文"之门"，指万物必经之路。玄牝与太极同体，因此玄牝乃是天地的根本，同时亦为万物产生的本原。④绵绵若存：因为玄牝无形无色，无声无体，不可感知，说它存在，好像存在，然而却看不见，摸不着。⑤用之不勤：因为玄牝是道、是气，它有一种不可捉摸的神秘力量。你说它不存在吧，万物却凭借着它不断产生、不断运动、不断变化，不用劳累，自然生成，自然变化，而且没有始终，没有尽头。

[译文]

黄帝书中说："谷神无形无踪，它既然不会生，也就没有死。这就叫做玄牝。玄牝与太极同体，是天地万物的本原和根本。玄牝无形无色，说它存在，好像存在，实际却不可以感知，看不见，摸不到；说它不存在吧，万物却凭借着它不断产生、发展、变化，而且没有尽头。所以有形的事物不能自生，使别的事物变化的事物自身不能变化。只有不生不化的道，才能推动天地万物自生自化、自形自色、自智自力、自消知息。一切顺乎自然，道是不会有意识地去主使的。万物总是自然而然地产生和发展，自然而然地消亡，如果把事物的形状、颜色、智慧、成长、消失看成道有意识地变化则是错误的。"

子列子曰："昔者圣人因阴阳①以统天地。夫有形者生于无形②，则天地安从生？故曰：有太易③，有太初④，有太始⑤，有太素⑥。太易者，未见气也；太初者，气之始也；太始者，形之始也；太素者，质之始也。气形质具，而未相离，故曰浑沦⑦。浑沦者，言万物相浑沦而未相离也。视之不见，听之不闻，循之不得，故曰易也。易无形埒⑧。易变而为一⑨，一变而为七，七变而为九。九变者，究也⑩，乃复变而为一。一者，形变之始也，清轻者上为天，浊重者下为地，冲和气者为人⑪。故天地含精⑫，万物化生。"

[注释]

①阴阳：古代以阴阳解释万物化生。凡天地、日月、昼夜、男女以至腑脏、气血皆分属阴阳，为古代哲学领域一对最为重要的概念。②夫有形者生于无形：夫，乃发语辞，用于句首，表示议论的开端。有形生于无形，是说有形的事物是从无形的事物中产生出来的。这与道、气生出天地万物的论点吻合。③太易：此指天地形成过程中最早的一个阶段。易指变易、变化之类的概念。因为运动变化是物质运动的必然的绝对规律，所以它在时间上无始无终，在空间上无际无涯。易道凝滞于太虚之境，这时称作人们不能感知、听不到、看不到的浑沌状态。④太初：指天地形成中的第二个阶段。即天地未分以前的元气已经开始出现。元气又分阴阳。天地已经开始由无形向有形转化。另外又指道的本原。唐成玄英疏《庄子·知北游》说："太初，道本也。"形成万物的出现的条件亦属道本的范围。⑤太始：古代指形成物质原始状态，在天地万物形成过程中属第三阶段。这个阶段的特点正如《易·乾凿度》说的："太始者，形之始也。"《汉书·律历志》也说"乾知太始，坤知成物"，可见古代哲人都把"太始"和"成物"紧密联系在一起。一个有形的物质世界已经出现，并且形成。⑥太素：古代指构成宇宙的物质。在天地万物形成过程中属第四阶段，即最后阶段。这个阶段的特点正如班固在《白虎通·天地》篇中说的："始有太初，后有太始，形兆既成，名曰太素。"《易·乾凿度》说："太素者，质之始也。"这里所说的质，与形相对。形指物形，质指物性，即方圆、刚柔、静躁、沉浮等。⑦浑沦：义同浑沌，指宇宙形成之前的迷濛状态。张湛《列子》注文以"沦"为语助词，未是。浑沦与浑沌、混沌当为同义词。⑧埒(liè)：短墙、界限，又称界埒。这里的"易无形埒"是说太易从无形到有形的转化过程中，是没有什么界限的，因为它本身无形、无体，故能不生不化，又因它不生不化，故能为万物宗主，冥一而不变。⑨易变而为一：易道的变化，无始无终，无穷无尽。这里的易变而为一，是说易的变化轨迹是往复循环的，然而中间有一个相对的止点，即又回到"一"这个起点的数字。这里的"一"又叫太一、太乙。太一，指天地没有形成之前存在的浑沌物质，即元气，又是道的别称。《礼记·礼运》篇说："必本于太一，分而为天地，转而为阴阳，变而为四时。"《庄子·天下》篇说："建之以常有，主立以太一。"

都可以作为印证。⑩九变者，究也：天下数字共有九个。如果由一变到九，那么数字就已经穷尽了。究就是穷的意思。然而事物变化是往复的方式，即每次数变到九的时候，就又回复到一，然后再依一生二、二生三的轨迹去做。往复，决不是简单的重复，每往复一次，不仅每一事物都有新的变化，而且还会有新的事物产生。⑪冲和气者为人：太易是不断变化的。以一至九为一周期，在不断的往复循环中，清而轻者，上升为天；浊而重者，下沉为地。天为阳，地为阴，阴、阳二气交会和合，如能及时冲而化之，凝而造之，则一种新物应时出现，这就是《云笈七籤·服气精义论》中说的"乃生二焉"。这时由一生出的二中间，自然包括万物之灵的人。⑫天地含精：精，指充盈天地之间而生成万物的灵气。这种气乃是阴阳元气中的精华，因此又名精气。《易经·系辞上》说："精气为物，游魂为变。"《楚辞》宋玉《九辩》中亦有"乘精气之搏搏兮，骛诸神之湛人"这样的句子。可见，在古人心目中，精气这个概念在万物形成过程中占据重要的位置。

[译文]

列子说："以前，那些知识丰富、品德高尚的圣人用阴阳元气的理论作为指导，对天地的形成以及万物的产生和变化进行了阐述和论证。总的说来是有形的物质，即天地万物，是从无形的道、太一元气产生出来的。那么天地到底是怎么产生的呢？要回答这个问题也不算太难。大约经过太易、太初、太始、太素四个阶段。易道的运行和变化是无穷的。在太易阶段，生成天地万物的元气还没有出现，它凝寂于太虚之境，什么也看不见、听不到，尝之无味，循之不得，到处都是虚静和空寂。在太初阶段，形成天地万物的元气已经出现，只是阴阳未判，但已从无形向有形的物质世界转化。在太始阶段，天地万物的形状、颜色、躯体已经出现，为天地宇宙形成的第三阶段。在这个阶段，物质的原始状态已经形成，从而客观世界成为可以感知的东西。在太素阶段，在天地万物形成过程中为第四个阶段，即最后一个阶段。在这个阶段中，构成宇宙天地的物质的质量和物性已经出现，即方圆、刚柔、静躁、沉浮已经形成。

这时，天地万物的元气、形状、质量已经具备，然而还没有相互离散，因此天地仍处于浑沌状态。所谓浑沌，是指万物已经形成，但是它们仍然浑沦在一起，没有相互分离开来。处于浑沌状态的天地万物，什么也看不到，听不到，仍然不可感知，因此我们把它叫做易。易道的变化，运行没有始终，没有穷尽，周而复始，永不停歇。从一至九，从九至一。每次都是从一开始，一变而为七，七变而为九。每次变化到九这个数字时，好像已经穷尽了。其实不然，易的运行再回到一，从一到九，一个新的周期又开始了。其往复循环，没有止期。这里的一，乃是形变的开始，清而轻的元气上升为天，浊而重的元气沉落聚集为地。天为阳，地为阴。阴阳二气和合交会。如能及时冲而化之，凝而造之，则产生了人。正因为天地之间存在着精气，才能够化生出万物，并且有所依赖而立足。"

子列子曰："天地无全功[1]，圣人无全能[2]，万物无全用[3]。故天职生覆[4]，地职形载[5]，圣职教化[6]，物职所宜[7]。然则天有所短[8]，地有所长[9]，圣有所否[10]，物有所通[11]。何则？生覆者，不能形载；形载者，不能教化；教化者，不能违所宜；宜定者，不出所位[12]。故天地之道，非阴则阳；圣人之教，非仁则义；万物之宜，非柔则刚：此皆随所宜而不能出所位者也。故有生者[13]，有生生者[14]；有形者，有形形者；有声者，有声声者；有色者，有色色者；有味者，有味味者。生之所生者[15]死矣，而生生者未尝终[16]；形之所形者实矣，而形形者未尝有；声之所声者闻矣，而声声者未尝发；色之所色者彰矣，而色色者未尝显；味之所味者尝矣，而味味者未尝呈：皆无为之职也。能阴能阳[17]，能柔能刚，能短能长，能圆能方，能生能死，能暑能凉，能浮能沉，能宫能商[18]，能出能没，能玄能黄[19]，能甘能苦，能膻能香。无知也，无能也；而无不知也，而无不能也[20]。"

[注释]

①全功：什么功能都有。全，完备，齐全。②全能：在一定的范围内样样都行。③全用：在一定的范围内处处有用。④生覆：上天的职能之一。生，指生者，即万物以及人类。覆，遮盖，掩蔽，有保护之意。如《诗经·大雅·生民》："诞寘之寒冰，鸟覆翼之。"⑤形载：大地的主要职能之一。形，指宇宙万物的形体。载，承载，装载。如《礼记·中庸》说："（大地）博厚所以载物也，（上天）高明所以覆物也。"⑥教化：政教风化。这是圣人的主要责任。《荀子·臣道》："政令教化，刑下如影。"⑦所宜：指不逆其性，用到所该用的地方。这是天地万物的主要职能之一。宜，合适，应当，相称。⑧所短：不足的地方。⑨所长：优势的地方。⑩所否：做不到的事情或不愿意做的事情。否，不，不然。⑪所通：通，流通，交换，会通。所通即万物必有所交会、流通的机会。⑫位：身份、地位。《易·艮》："君子以思不出其位。"另一义为：使安于其所。《礼记·中庸》："天地位焉。"所位，即说话办事，不能超越自己的身份、地位。⑬生者：指天间有形、有色、有声、有体，可以看得见、摸得着的具体事物。⑭生生者：指抽象的能使生者出生，而自身却无形无色看不见、摸不着，不可以被人感知的道、气。以下的"形者"、"形形者"，"声者"、"声声者"，"色者"、"色色者"，"味者"、"味味者"均可以这样理解。⑮生之所生者：指有形、有色、有声、有体的具体事物。即道、气生出的个体，有生命的动植物。⑯终：与"死"同义。未尝终，即不会死，或没有死。因为生生者是抽象的道和气。下面的"形之所形者"与"形形者"，"声之所声者"与"声声者"，"色之所色者"与"色色者"，"味之所味者"与"味味者"皆可以这样理解。有形的事物的这些变化，都是顺乎物性而自然进行的。对于道来说却可以通过"无为"来实现，可以说都是不需要付出力量的职能。⑰能阴能阳：道能支配天地万物按照一定的规律运动、变化。虽寂然虚静，无形无色，暗中却能主宰一切。道、气自身的本领亦无穷无尽。不仅能阴能阳，而且能柔能刚，能短能长，能圆能方。即能把各种相对立的不同功夫和性格、品德协调于自身，统一掌握。⑱能宫能商：指宫调和商调两种不同的音调。宫调乃曲调的总称。依十二律高下的次序，定宫、商、角、徵、羽、变宫、变徵为七声（即 1 2 3 4 5 6 7），乃乐律之本。能宫

能商,即各种音律全都精通。⑲能玄能黄:能使万物变出各种颜色。玄,黑色;黄,黄色。⑳无知也:什么知识都没有,什么也不知道。连下句的"无能也",即什么能力也没有,什么本事都不会,这大智若愚的道和气的表象,体现了道家老子、列子的"无为而无不为"的思想。接着"无知也,无能也",就说"而无不知也,而无不能也",这样就把"无知"、"无能"和"无不知"、"无不能"两种相对立的品格紧密地统一在一起了。

[译文]

列子说:"天地是万物生存的环境,但它也不是什么功能都有;圣人虽然知识最丰富,品德最高尚,但也不是什么本事都有,样样都行;宇宙万物的品种虽多,但没有一种放在哪里都有用处。因此,天的主要职能是覆盖宇宙,用以保护人类和万物;地的主要职能是承载人类和万物;圣人的主要职责是主管政教风化;万物的职能是不违其性,顺乎自然,发育成长。然而,上天有不足之处,大地亦有自己所长,圣人也有不对的时候,万物会有流通交换的机遇。为什么呢?覆盖人类和万物的天不能承载人类以及万物,博厚载物的大地不能覆盖人类以及万物,能承载人类以及万物的大地不能对人类进行教化,能教化的圣人,不能违背万物之所宜:上天、大地、圣人、万物各有自己明确的功能和职分,这些功能和职分一旦确定,就不能轻易超越,随便违逆。所以,天地之道,不是阴就是阳,因为阴阳二气的运转变化而形成天地;圣人的教化,不是仁就是义,因为仁义的教化可以使人类高尚,和睦相处;万物之宜,不是柔就是刚,因为刚柔相济,物性才能正常得以展示。以上这些,都是随天地、圣人、万物之所宜,没有超越它们位置和职分。因此,可以把天地万物分为两类:即有形有色的生者和无形无色的道、气之类,亦称生生者;有有形的事物,有使有形的事物获得形状的事物;有有声的事物,有使事物有声的事物;有有色的事物,有使事物有色的事物;有有味的事物,有使事物有味的事物。有形有色的具体事物死掉了，而无形无色的抽象事物道、气之类却仍然活着；呈现着各种形状的事物实实在在存在了，而使事物获得形状的事物却未尝存在；能发出声音的事物已经发出声音，外面已能听到，而能使事物发声的事物却没有发出任何声响；能生成各种色彩的事物已经非常明显了，而能使事物生成色彩的事物，却一点颜色也没有；能发出味道的事物已经发出味道，而能使事物发出味道的事物却没有任何味道。可见这些都是万变之主的无为之职能而促使的。万变之主的素质极高，不仅能阴，而且能阳；不仅能柔，而且能刚；不仅能短，而且能长；不仅能圆，而且能方；不仅能生，而且能死；不仅能热，而且能凉；不仅能浮，而且能沉；不仅能奏出宫调，而且能奏出商调；不仅能够现身，而且还能潜藏；不仅能把颜色改变为黑，而且能及时把颜色变黄；生活不仅能甘，而且能苦；不仅能吃膻腥，而且能吃馨香。表面看，它既无知，又无能；实际上，没有一种它不知道的知识和道理，没有一件它做不到的事情、完不成的功业。"

　　子列子适①卫，食于道，从者见百岁髑髅②。攓③蓬而指，顾谓弟子百丰曰："唯予与彼知而未尝生未尝死④也。此过养⑤乎？此过欢⑥乎？

　　"种有几⑦。若蛙为鹑。得水为㜽⑧，得水土之际，则为蛙蠙之衣⑨。生于陵屯，则为陵舄⑩。陵舄得郁栖⑪，则为乌足。乌足之根为蛴螬，其叶为胡蝶。胡蝶胥⑫也，化而为虫，生灶下，其状若脱，其名曰'鸲掇'⑬。鸲掇千日化而为鸟，其名曰干余骨。干余骨之沫为斯弥。斯弥为食醯颐辂。食醯颐辂生乎食醯黄轵，食醯黄轵生乎九猷，九猷生乎瞀芮，瞀芮生乎腐蠸⑭，羊肝化为地皋⑮。马血之为转燐也，人血之为野火也。鹞之为鹯⑯，鹯之为布谷。布谷久，复为鹞也。燕之为蛤⑰也，田鼠之为鹑也，朽瓜之为鱼也，老韭之为苋⑱也。老羭之为猨⑲也，鱼卵之为虫。亶爰之兽⑳，自孕而生，曰类。河泽之鸟，视而生，曰鶂㉑。纯雌其名大腰，纯雄其名稚蜂。思士不妻而感，思女不夫而孕。后稷生乎巨迹，伊尹生乎空桑。厥昭生乎湿，醯鸡㉒生乎酒。羊奚㉓比乎不笋，久竹生青宁，青宁生程㉔，程生马，马生人㉕。人久入于机㉖。万物皆出于机，皆入于机。"

[注释]

①适：到。②髑髅（dú lóu）：人死后干枯无肉的头盖骨或全部骨骼。③攓（qiān）：拔取。④未尝生未尝死：生和死涉及有形之物的变化问题。现在的状况是彼死我生。如从往复循环无穷无尽的规律看，生是死的开始，死亦是生的开始，生死相互转化，因此，推之至极则理既无生亦无死。⑤过养：万物之灵的人既然有形，则不能不养。有人把"过"视为"果"，把"养"理解为"忧"，似乎亦有道理。⑥过欢：即人既然获得了生命，则不能不享受人生的欢乐。有人认为"过"乃"果"之误。⑦种有几：种，指物种。几，应理解为几微。《易·系辞传》说："几者，动之微，吉凶之先见者也。""几"字当指物种演变开始时最小最早，人们看不见、感知不到的细胞之类的物质。⑧得水为㡭：㡭，当为继，言物种得水之后继续繁衍、生长。有人认为㡭是一种水草，又名水舄。寸寸有节，拔之可复。⑨蛙蠙之衣：青苔。成玄英注说："在水中若张锦，俗谓虾蟆衣。"⑩陵舄：又名泽舄、车前草，生于高阜之处。⑪郁栖：虫名。成玄英说："郁栖，粪壤也。陵舄既老，变为粪土也。粪壤复化为乌足之草根也。"⑫胡蝶胥：胥，乃蝴蝶的别名，也有人谓老，亦有人谓速、谓少，皆可。⑬鸲掇（qú duō）：虫名。⑭斯弥、食醯（xī）、颐辂、黄軦、九猷、瞀芮、腐蠸：皆为虫名。斯弥，为米虫。造醯以米，故列子以为斯弥化为食醯。食醯，同"蚀醯"，若酒上蠛蠓。颐辂，为朝生暮死的蜉游虫。黄軦，又称黄軿。黄軿，即螃蚚，大如虎豆、绿豆之甲虫。九猷，乃食木叶之虫。猷，过时的酒。瞀，即蟊。瞀芮，又称蠑螏（ruì）、蠛蠓，小虫似蚋，喜乱飞。蠸（quán），虫名。《尔雅·释虫》："蠸，舆父、守瓜。"今瓜中黄甲小虫，喜食瓜叶，故曰守瓜。⑮地皋（gǎo）：皋禽，即鹤。《文选》谢希逸

《月赋》有"聆皋禽之夕闻,听朔管之秋引"之句。地皋,即沼泽中的鸟。⑯鹯(zhān):古代典籍中的一种猛禽。⑰蛤(gé):蛤蜊之类的软体动物。⑱苋(xiàn):苋菜。⑲䍺(yǔ):黑色的羊。猨(yuán):"猿"的异体字,指猿猴。⑳亶(dǎn)爰:传说中的山名。《山海经》说:"亶爰之山,多水,无草木,不可以上。山上有兽,其状如狸,其名曰类。"㉑鹥(yì):亦写作鷖。水鸟。也可以指鹅。㉒醯鸡:小虫名,生于酒中。㉓羊奚:草名。羊奚草缠绕竹子,时间太长了,竹子就会生笋,而生出像青宁之类的虫子。㉔程:虫名。㉕马:草名。另又有"为"字之说。即文中的"程生马,马生人"的两个"马"字,皆是"为"字误。"为"的繁体字为"爲","猴"字之意。㉖机:同"幾",已简化为几。几,指最微小的万物的实体。"几"借为"虮"。虮之为物,其体合为大虮,其体碎为小虮。盖以细胞为生存单位,故能不死,而繁殖成万物。又有一说认为"机"乃气或造化运转之机。此言万物因一气而有形,有变化而无死生也。人们称出者为生,入者为死,以辨生死的区别。一出一入,一生一死,皆经玄牝之门,皆是阴阳二气推动的结果。

[译文]

列子在去卫国的旅途中,有一天在路旁吃饭的时候,他的弟子们发现草丛中有一具百年的骷髅。列子扒开杂草,指着骷髅,回头对他的弟子百丰说:"现在,只有我和它懂得世界上既没有生也没有死。生与死只是万物的往复转化,欢乐和悲伤都不符合自然之理。你可以询问一下,骷髅已经死去很多年了,它有过什么样的悲伤和忧愁呢?我现在仍然活着,我有过什么样的欢喜和快乐呢?

"世界上原来没有什么生命,然而却有一种极其微小的物质叫做几。几可以生成万物,如青蛙可以变为鹑鸟。得水土之气后,还可以继续生成别的物种。几在水土之中,可以长成蛙蟆之衣,像美丽的锦缎覆盖水面。如果它生活在陆地高洁之处,即可长成碧绿的车前草。如果再得到粪土的滋养,车前草又会长成更青嫩的乌足草,它布满河岸堤防,与水天一色。乌足之根变成金龟子的幼虫蛴螬,乌足的叶子变成蝴蝶。蝴蝶再变成小虫,生长灶下,其状像是皮被剥掉一样，名叫鸲掇。千日之后，鸲掇变化成飞鸟，其名叫干余骨。干余骨吐出酸水叫斯弥。斯弥就是食醯颐辂。食醯颐辂生于食醯黄䡇。食醯黄䡇生于放了很久的老酒。九猷又生蠛蠓，蠛蠓又生于腐蠸，即喜欢吃瓜叶的甲虫。羊肝化为地上的鹤，马血化为转动的燐火，人血可以变化成野火。鹞子可以变成猛禽鹯鸟，鹯鸟可以变成布谷，时间久了，布谷可再变为鹞子。燕子变为蛤蜊，田鼠变为鹌鹑，腐烂的瓜变为鱼，长老的韭菜变成苋菜，老黑羊变成类人猿，鱼卵可以变成小虫。亶爰山上有一种野兽，其状似狸，自为牝牡，不交而生，其名曰类。河泽之鸟，雌雄无需交媾，互相对视而受孕，其名曰鹣。雌性的叫做大腰，雄性的称为小蜂。人类也是这样。思念女人的男人没有娶妻就对妻子感爱，思念男人的女人没有嫁夫就会怀孕。后稷的母亲踩了别人的脚印而生后稷；有女子于空桑得婴儿而献之君，此儿即伊尹，长而为汤相。厥昭出生于湿润的地方，醯鸡小虫生于酒中。羊奚草缠绕竹子而使竹子不能再生竹笋而生青宁虫，青宁生出虫子名程。程虫生出猴子，猴子演变而成人。人老了会死掉，死掉之后，化为烟尘而从有到无，入于机。万物同人类一样，都是从无到有，或从有到无，往复不停地出于机，入于机。"

黄帝书曰："形动不生形而生影①，声动不生声而生响②，无动不生无而生有③。"形必终者也，天地终乎？与我偕终。终进乎不知④也。

道终乎本无始，进乎本不久⑤。有生则复于不生，有形则复于无形⑥。不生者，非本不生者⑦也；无形者，非本无形者也。生者，理之必终者⑧也。终者不得不终，亦如生者之不得不生。而欲恒其生，画其终，惑于数也。精神者天之分，骨骸者地之分⑨。属天，清而散；属地，浊而聚。精神离形，各归其真⑩。

故谓之鬼。鬼，归也，归其真宅。黄帝曰："精神入其门，骨骸反其根，我尚何存？"

[注释]

①形动：指有形的事物开始运动变化，其结果必然是有影子相随。说明有形必有影。②声动：指有声的事物只要发出声音，其结果必然是有响声传布。说明有声必有响。③无动：这里的"无"在《列子》一书中指"虚"与"静"，与"道"同义。即指道开始运动、变化，其结果不是产生无而是产生有。说明有之为有，是恃道而生的，言生必由无，而无不生有。这一点必须引起特别注意。前面已经说过"谷神不死，是谓玄牝。玄牝之门，是谓天地之根"，有形的万物只有依赖无，通过玄牝之门而转化为有。因此，不能说生动不生有而生无。这一命题只能因事而立。④终进乎不知：这一句承上面"形必终"和"天地与我偕终"二句而来。在列子的理论中，凡是有形体的东西都有终结的一天。青天和大地也是形体，所以它也会同我的形体一起消亡。这里"终进乎不知"的"进"字当为"尽"。意思是终到尽头时，是否就是始是很难说清楚的。一般的理解是聚则成形，散则为终，那么聚是始，散是终。但是，聚者以形实为始，以离散为终，而散者以虚无为始，以形实为终。这样迭相为终始，而到底谁是终，谁是始，什么时候是终，什么时候是始，也就说不清楚了。因此才说"终进乎不知也"。⑤进乎本不久：久当为"有"。不久，即不再有形有体。与上句"道终乎本无始"相对应。无始故不终，不有故无尽。⑥有形则复于无形：同上句的"有生则复于不生"说明生者反终，形者反虚的自然规律谁也不能改变。⑦不生者，非本不生者：这里所说的不生是指先有其生而归之于死灭的事物，它不同于本不生的事物。下文的"无形者，非本无形者"句式和含义均相同。即这里所说的无形的事物是先有其形而归之于离散的事物，它不同于本无形的事物。本不生与本无形的事物即是道，本不自生、自形、无声、无色，它当然无生无灭，无聚无散。生生物者不生，形形物者无形，所以生生、形形的道能使万物变化无穷，而道本身却始终不变。今天所说的既生既形复反于无声无形的事物，就是存亡的往复之数的具体体现，它同始终不变的道有着本质的区别。⑧生者，理之必终：凡是有生命，有形体存在的事物，从大自然运行的规律来看，都必然会有生命终结、形体离散

的那一天，这叫终。所以，终同始一样也是被迫的，终不得不终，始不得不始。即对有生命的事物，尤其是对人来说，生时是不得不生，死时是不得不死。因此，一个人总想如何长生不老，如何才能不死，这是不理解自然命数至理而形成的糊涂想法。⑨骨骸者地之分：列子把一个具体的人分解成精神和形体两个部分，精神即思想意识属于上天，肉体骨骸属于大地。⑩精神离形，各归其真：天分归天，地分归地，即属于天的回到天上，属于地的回到地下。接着下文说："鬼，归也，归其真宅。"在这里，真宅就是太虚之境。

[译文]

　　黄帝书中说："有形的万物只要运动，就必有影子产生，形影相随，有形必有影；有声的万物，只要发声，就必有响传布，有声必有响；无形无声的道开始运动，结果必然产生有，有必由无而生。"有即万物，万物有形，形必有终结的一天。这样说来，天地也有终结的时候吗？肯定的，天地将会和我一起走到生命的尽头，一起离散或消失。如果有一天有形的物到了尽头，这时什么是终，什么是始也就不知道了。

　　虚无的道，终止于本根时，就没有开始，进入本根时，就不会产生"有"，不会产生有也就没有终。有形世界的演变往复无穷，循环不止。有生复于不生，有形复于无形。这里所说的不生，是指先有其生而归之于死灭的物，它不是本不生的道；这里所说的无形，是指先有其形而归之于离散的事物，它不是本无形的道。凡是有形体、有生命的事物，一律会有形神离散、生命终结的一天。如果把它叫做终，它就同"开始"一样也是自己不能做主的。终时不得不终，始时不得不开始。人是有生命的，诞生时，不得不生；死亡时，不得不死。所以，一个人总考虑自己如何长生，筹划怎样才能不死的行为是糊涂而且愚蠢的！一个人活着时由精神和肉体两部分组成，即精神和形体相聚结合在一起。精神清而轻，属于天；骨骸肉体浊而重，属于地。人死之后，精神离开形体,各自回到自己原来居住的地方。世上把死人称做鬼,鬼即是归的意思。归到真空就是道,就是无,就是虚。黄帝说:"精神进入道之玄牝之门,骨骸肉体返回大地,那么我还存在于什么地方呢?"

人自生至终大化有四。婴孩也,少壮也,老耄①也,死亡也。其在婴孩,气专志一,和之至也;物不伤焉,德莫加焉。其在少壮,则血气飘溢,欲虑充起;物所攻焉,德故衰焉。其在老耄,则欲虑柔焉,体将休焉,物莫先焉。虽未及婴孩之全,方于少、壮间②矣。其在死亡也,则之③于息焉,反其极④矣。

[注释]

①耄(mào):年老,八九十岁称耄。②间:区别、差别。③之:相当于到、去、往。之于息焉,即人死亡之后才到了休息的场所。④极:尽处,即道所在的地方。

[译文]

人从出生到死亡,有四个大的变化阶段:婴孩、少壮、老耄、死亡。婴孩阶段,神气专注,心志专一,身心最为和谐;外物不能伤害,德行达于理想境地。少壮阶段,血气从体内飘溢而出,欲念充盈于体内;外物便加以侵害,德行因此减退。老耄阶段,欲念不强,身体将以休息,对于外物的诱惑有很强的识别和抵御能力。虽然不如婴孩时其身心完善,比之于少壮时期则是有区别的。死亡阶段,这时的人已经到达安息的地方,返回到极尽之处,与道同在,这也是人生的归宿。

孔子游于太山,见荣启期①行乎郕②之野,鹿裘带索,鼓琴而歌。孔子问曰:"先生所以乐,何也?"对曰:"吾乐甚多。天生万物,唯人为贵,而吾得为人,是一乐也。男女之别,男尊女卑，故以男为贵，吾既得为男矣，是二乐也。人生有不见日月，不免襁褓③者，吾既已行年九十矣，是三乐也。贫者士之常也，死者人之终也，处常得终，当何忧哉？"孔子曰："善乎，能自宽者也！"

[注释]

①荣启期：寓言中人名，多为虚构。②郕（chéng）：周武王弟叔武封地。在今范县。③襁褓（qiǎng bǎo）：背负小儿的背带和布兜。不免襁褓，即在襁褓中就死去。

[译文]

孔子在泰山游玩，在郕邑郊外见到了隐士荣启期。他身穿鹿皮大衣，腰间系着一根绳子，正在聚精会神地弹琴唱歌。孔子望着他那高兴的样子发问说："你之所以高兴的原因是什么？"荣启期回答说："我快乐高兴的原因很多。天地之间物类成千上万，其中人是最可贵的，而我能成为一个人，这是第一个可以称得上快乐的原因吧！人又分为男人、女人，男女是有区别的，男尊女卑，以男为贵，我又是一位男人，这是第二个可称得上快乐的原因吧。人的寿命是可贵的，有的人生下后，不见日月，或不出满月就死掉了，我现在活到九十岁了，这是第三个可以称得上快乐的原因吧。至于贫穷，那是有知识的圣人经常遇到的，死亡乃是人生的终点。一个人能够处常得终，那还有什么值得忧愁的呢？"孔子赞叹说："好啊！算得上一位能宽慰自己的人了。"

林类①年且百岁，底春被裘②，拾遗穗于故畦，并歌并进。孔子适卫，望之于野。顾谓弟子曰："彼叟可与言者，试往讯之！"子贡请行。逆之垅端，面之③而叹曰："先生曾不悔乎，而行歌拾穗？"林类行不留，歌不辍。子贡叩之不已④，乃仰而应曰："吾何悔邪？"子贡曰："先生少不勤行⑤，长不竞时⑥，老无妻子，死期将至，亦有何乐？而拾穗行歌乎？"林类笑曰："吾之所以为乐，人皆有之，而反以为忧。少不勤行，长不竞时，故能寿若此。老无妻子，死期将至，故能乐若此。"子贡曰："寿者人之情，死者人之恶。子以死为乐，何也？"林类曰："死之与生，一往一反。故死于是者，安知不生于彼？故吾知其不相若矣，吾又安知营营而求生非惑乎？亦又安知吾今之死不愈昔之生乎？"子贡闻之，不喻其意，还以告夫子。夫子曰："吾知其可与言，果然；然，彼得之而不尽⑦者也。"

[注释]

①林类：经传无闻，古之隐士。②底春：即暮春，立春之后第三个月。③逆：迎。面：此处作动词用。面之，即对看他的脸。④叩：叩问。已：止。叩之不已，即不停地叩问。⑤少不勤行：指年少时行为不勤奋，即不努力求学。⑥长不竞时：指长大以后，不与人竞进。即不追求个人利益和个人地位，做到了无私欲，无杂念。⑦不尽：没有达到尽头。此指林类既然心无杂念，行无利欲，但是还没达到道我融合为一、彼我两忘的高度。

[译文]

林类快到一百岁了，身体还很健康。暮春，依然披着皮祆，在人家收割过的田野捡拾庄稼。一边走，一边唱，一副无忧无虑、怡然自得的样子。孔子到卫国去，正好走到这里，看得非常清楚。回头看看弟子们说："那个老人值得一谈，谁去访问一下呢？"子贡主动请求前去。于是在田垅边上迎上了林类，当着他的面说："请问先生，您没有后悔过吗？"林类好像没有听见似的，继续唱着歌曲前行。子贡紧紧跟着他，不停地发问。林类无法躲避，仰着头回答说："我有什么可后悔的呢？"子贡说："你年少时不勤奋，长大后不上进，现在那么大年纪了，还没老婆和孩子，快要死了，还有什么快乐的事，使您一边捡拾庄稼，一边高兴地唱歌呢？"林类笑着说："其实，我感到快乐的事情，别人也都经历过。只是他们不把这些当成快乐，反而当做忧愁罢了。正是因为我年少不勤奋，长大时不上进，不求名，不求利，与世无争，才能活到这么大的岁数。正因为老无妻子，一无牵挂，所以将要离开这个世界时，才能快乐到这种地步。"子贡继续发问："想活是人之常情，死去是人不愿意的，而您把死当成快乐，这到底是什么原因呢？"林类说："死生这两件事对于一个人来说，只是一往一返，也就是去和来的问题。因此，死在这个地方的，怎知不在另一个地方出生呢？虽然生和死是不相同的，但我又怎么知道一辈子只知营营求生，它不是一种糊涂观念呢？又怎么知道我现在死去一定不比我活着时候过得好呢？"子贡听了老人的话，一时想不明白，回去告诉孔子。孔子说："我一看见这个人，就知道他是个很有头脑的老人，值得交谈，果然是这样的！但是，他对生死的理解还未达到道我合一、生死两忘的高度。"

子贡倦于学，告仲尼曰："愿有所息。"仲尼曰："生无所息。"子贡曰："然则赐息无所乎？"仲尼曰："有焉耳，望其圹①，睪②如也，宰③如也，坟如也，鬲④如也，则知所息矣。"子贡曰："大哉死乎！君子息焉，小人伏焉。"仲尼曰："赐⑤，汝知之矣。人胥知生之乐，未知生之苦；知老之惫，未知老之佚；知死之恶，未知死之息也。"

[注释]

①圹（kuàng）：墓穴。②睪（gāo）：此处指高的样子。③宰：亦指坟墓。④鬲（lì）：鼎一类的东西。⑤赐：子贡，名端木赐。

[译文]

子贡厌倦读书，告诉孔子说："老师，我很想休息一下。"孔子说："你只要活着，就找不到一块儿可以休息的地方。"子贡说：

"这么说来,我在这个世界上就找不到一块儿可以休息的地方了?"孔子说:"休息的地方还是有的。你看见那些向高处突起的东西了吗?你看见那土堆上长着树木,荒丘上长满青草的坟头,那如同方鼎一样的墓道装饰品了吗?你只要看到了这些,就知道哪里是你能够休息的地方了。"子贡说:"老师,我明白了,死的意义是很大的。对于君子来说离开忧苦是一种彻底的休息。对于小人来说死是躲开罪责,是一种安全的藏匿。"孔子说:"赐呀,你明白了吧!人人都知道活着的快乐,不知道活着的忧愁和苦恼;人人都知道老年身体的疲惫,不知道老年的忧闲和安逸;人人都有厌恶死的感情,而不知道死是永久的休息。"

晏子^①曰:"善哉,古之有死也!仁者息焉,不仁者伏焉。死也者,德之徼^②也。古者谓死人为归人。夫言死人为归人,则生人为行人矣。行而不知归,失家者也。一人失家,一世非之;天下失家,莫知非焉。有人去乡土、离六亲、废家业、游于四方而不归者,何人哉?世必谓之为狂荡之人矣。又有人钟贤世^③,矜巧能,修名誉,夸张于世而不知已者,亦何人哉?世必以为智谋之士。此二者,胥失者也。而世与一,不与一,唯圣人知所与,知所去。"

[注释]

①晏子:指晏婴,字平仲,春秋时齐国正卿,夷维(今山东高密)人。一生以节俭力行、谦恭下士著称。有《晏子春秋》一书传世。②德:即"得"字。徼(jiào):指归。德之徼,得归的意思。③钟贤世:即钟情于世俗,追求名声,放纵私欲。

[译文]

晏子说:"好啊!古人不乐生、不恶死的观点是很对的。死很平常,对仁者来说是一种休息,对不仁者来说是一种躲藏的方式。

因此，对生来说，死是得以回归的表现。所以，古人称死人为归人。既然称死人为归人，那么活着的人就一定是行人了。出行不知道回归肯定就是一个失去家庭的人。一个人把家丢掉，世上所有的人都会对他非议。现在天下有些大人物把家丢掉，却没有人对他非议。有人离开乡土，告别亲人，游历四方不知回去的人，是什么人呢？大家必然会称他是狂荡之人。又有人钟情于世俗，不停夸耀自己的技巧和能力，无休无止地这样做，这是一种什么人呢？大家称他为智谋之士。以上两种人都是把家丢掉的人，为什么世俗却要赞成一种，而反对另一种呢？恐怕只有圣人才知道其中反对和赞成的道理。"

或谓子列子曰："子奚贵虚？"列子曰："虚者无贵也。"子列子曰："非其名①也，莫如静，莫如虚。静也，虚也，得其居矣；取也，与也，失其所矣。事之破砽②而后有舞仁义者，弗能复也。"

[注释]

①非其名：列子认为，要弄清物之真相，仅循其名，实是不易得到的。因为有一个物而多名的，又有一名指多物的。名与实之间有时一致，有时不一致。要想做到名实一致，寻名责实，不虚不静是难以做到的。这里的虚，指心无私虑，实是什么样子就是什么样子，不因成见而扭曲；这里的静，指心平气和、谨慎冷静，不因急躁而误解。②破砽（huǐ）：即破毁。砽，毁，败。

[译文]

有人询问列子说："您为什么如此看重'虚'并且以它为贵呢？"列子回答说："虚本身就是万异冥一，物我两忘，既然如此，还有什么贵与不贵可谈的呢？"列子接着又说："名与实是两回事。实是客观存在的事实，名是事实的符号。名与实有时一致，有时不一致。要想弄清名实是否一致，是非常复杂的事。为了不被虚假的名称所迷惑，没有比静与虚更好的了。只要能做到静与虚，就可以找到真实的所在；反之，每天处在取、与、躁动、私虑纷然之中，就找不到真实的存在了。等到事情破毁之后，再有舞动仁义的人把它恢复起来则是水中捞月，缘木求鱼，是根本办不到的。"

粥熊①曰："运转亡已②，天地密移③，畴④觉之哉？故物损于彼者盈于此，成于此者亏于彼。损盈成亏，随世⑤随死。往来相接，间不可省⑥，畴觉之哉？凡一气不顿进⑦，一形不顿亏；不觉其成，亦不觉其亏。亦如人自世至老，貌色智态，亡日不异；皮肤爪发，随世随落，非婴孩时有停而不易也。间不可觉，俟至后知。"

[注释]

①粥（yù）熊：乃周文王之师，后封于楚，有《粥子》一书二十二篇传世。②亡（wú）：同"无"。无已，即没有停止之时。③密移：人不能察觉的变化。④畴（chóu）：畴昔，过去，以前。⑤世：此处指生。⑥间：即两段时间或两种事物相接的地方。⑦顿：立刻，忽然，一下子。列子认为天地万物的变化都是密移，即人们不易察觉的渐变。也就是现在所说的量变。密移、渐变、量变都是缓慢的，渐进的；而顿进，却是一下子骤变，即从量变到质变。只要气不顿进，形不顿亏，人们就难以察觉。

[译文]

粥熊说："万物的运动和变化永远没有停止的时候，天地的变化悄然进行，谁察觉了呢？因此它的变化规律是物一旦在彼处有损失，那么它一定会在此处补偿过来；如果万物在此处成为完整，那么它一定会在彼处受到损失。因此损、盈、成、亏，随生随死，往来相互连接，其中的间隙是不可省去的，从前有没有察觉呢？只要一气不一下子急剧变化，形体不一下子突然亏损，它成，人们感觉不到；它亏，人们也是感觉不到的。就像一个人从出生到年老，他的容貌、颜色、智力、体态没有一天不变化的，其中皮肤、指甲、头发，随生随落，不像婴孩时期有暂时停顿而不变的。变与不变之间有个间隙，当时察觉不了，过一段时间之后就会知道的。"

杞国①有人忧天地崩坠身无所寄废寝食者。又有忧彼之所忧者，因往晓之，曰："天，积气耳，亡处亡气。若屈伸呼吸，终日在天中行止，奈何忧崩坠乎？"其人曰："天果积气，日月星宿不当坠邪？"晓之者曰："日月星宿，亦积气中之有光耀者；只使坠亦不能有所中伤。"其人曰："奈地坏何？"晓者曰："地，积块②耳，充塞四虚，亡处无块。若躇步跐蹈③，终日在地上行止，奈何忧其坏？"其人舍然大喜，晓之者亦舍然大喜。

长庐子④闻而笑之曰："虹蜺也，云雾也，风雨也，四时也，此积气之成乎天者也。山岳也，河海也，金石也，火木也，此积形之成乎地者也。知积气也，知积块也，奚谓不坏？夫天地，空中之一细物，有中之最巨者。难终难穷，此固然矣；难测难识，此固然矣。忧其坏者，诚其太远；言其不坏者，亦为未是。天地不得不坏，则会归于坏。遇其坏时，奚为不忧哉？"

子列子闻而笑曰："言天地坏者亦谬，言天地不坏者亦谬。坏与不坏，吾所不能知也。虽然彼一也，此一也。故生不知死，死不知生，来不知去，去不知来。坏与不坏，吾何容心哉？"

[注释]

①杞国：周代诸侯国名，在今河南杞县。②块：大自然，又专指大地。清俞樾《诸子平议》注"块"为大地。《礼记·中庸》所谓"一撮土为之多"者，积而至于广大，则成为地。③躇（chú）：与"跱"连用，跱躇，拿不定主意或自得的样子。躇步，即跱躇踱步。跐（cǐ）：脚踩，跐踏之意。④长庐子：寓言中虚构人物，依据他对自然天地的解释，乃属于道家思想体系。

天瑞第一

[译文]

杞国有一个人，整天为天地将会崩塌而发愁。害怕以后无处安身，为此吃不下饭，睡不好觉。又有一个人，为杞人的忧愁而忧愁，于是找到杞人并对他解释说："天地是不会坏的。因为天是由大气聚集而成，没有一个地方没有气。它像人的屈伸呼吸一样，日夜在天空飘动、静止，你怎么发愁它会崩坏呢？"杞人又说："天果真由大气聚成，那么天上的日月星辰也不会坠落吗？"晓之者说："日月星辰只是大气中会发光的物体，即便是坠落也是不会砸伤人的。"杞人又问："那么，大地坏了怎么办？"晓之者说："大地是由很多土块集成的，四面八方，上下左右，没有一个地方没有土块，到处都填得满满的。你和别人在大地上踌躇踱步，日夜走动、停止，你怎么发愁它会坏呢？"于是杞人顾虑顿消非常高兴，晓之者亦喜出望外。

长庐子听说后大笑说："虹霓、云雾、风雨、四时，这些是积气在天空形成的物象；山岳、河海、金石、火木，这些是积块在地面上形成的形体。它们既是有形的，那么它们一定是要坏的！高空中哪怕是一个极小的物体，只要砸向人间，就会给人们带来巨大损失。这种灾难没有开始，没有尽头，难以预测，难以认识。但是为此发愁得吃不下饭、睡不着觉也是没有必要的。说天地会坏，是考虑得太远；说天地不会坏，不符合实际。天地既然是积气积块，那么就一定有形。凡是有形的东西哪怕是天地也不得不坏，最后都得归于坏。倘若遇到坏的时候怎么办？人们怎么会不因此而发愁呢？"

列子听说长庐子的观点后，也笑着说："认为天地会坏不对，认为天地不会坏也不对！认为会坏的，什么时候坏？认为不会坏的，究竟还能维持多久？这些人们是无法知道的。虽然如此，毕竟是两种说法。说坏的是一种，说不会坏的则是另外一种。因此，活着的人不知什么时候死，死了的人不知什么时候再生；来到人世上不知什么时候离去，离去的人不知什么时候再来。天地会坏与不会坏这样的问题，我们有什么必要把它放在心上呢？"

舜问乎烝①曰："道可得而有乎？"曰："汝身非汝有也，汝何得有夫道？"舜曰："吾身非吾有，孰有之哉？"曰："是天地之委形②也。生非汝有，是天地之委和③也。性命非汝有，是天地之委顺④也。孙子非汝有，是天地之委蜕⑤也。故行不知所往，处不知所持，食不知所以。天地强阳气也，又胡得而有邪？"

[注释]

①烝：《庄子》中为"丞"。②委形：即寄形，赋予形体。委，即委托。③委和：即把和合之气寄托在你身上。④委顺：指无为而自然安排，又指随遇而安。⑤委蜕：虫子蛹化而脱掉的外皮。此处指生命遗传的后代。又引申为死亡。如元杨宏道诗："同胞陷涂泥，委蜕化黄土。"

[译文]

舜问他的丞相："道可以得到并占有吗？"丞相回答："你的身体尚且非你所有，怎么能占有道，并且让它属于你呢？"舜问："我的身体不属于我，那么它属于谁呢？"回答说："身体不属于你，是天地真气赋形予你；生命不属于你，是天地真气和合于你；死活不属于你，是天地真气凝聚于你；子孙不属于你，是天地真气衍蜕于你。所以，出行不知到哪里去，居住不知身在何处，饮食不知什么滋味。这都是天地真气运行的结果，又怎么能得到并占有它呢？"

齐之国氏大富，宋之向氏大贫，自宋之齐请其术。国氏告之曰："吾善为盗。始我为盗也，一年而给①，二年而足②，三年大壤③。自此以往，施及州闾。"向氏大喜，喻其为盗之言，而不喻其为盗之道，遂逾垣凿室④，手目所及，亡不探⑤也。未及时，以赃获罪，没其先居之财。向氏以国氏之谬己⑥也，往而怨之。

国氏曰："若为盗若何？"向氏言其状。国氏曰："嘻！若失为盗之道至此乎？今将告若矣。吾闻天有时，地有利。吾盗天地之时利，云雨之滂润，山泽之产育，以生吾禾，殖吾稼，筑吾垣，建吾舍，陆盗禽兽，水盗鱼鳖，亡非盗也。夫禾稼、土木、禽兽、鱼鳖，皆天之所生，岂吾之所有？然吾盗天而亡殃。夫金玉珍宝，谷帛财货，人之所聚，岂天之所与？若盗之而获罪，孰怨哉？"向氏大惑，以为国氏之重罔⑦己也，过东郭先生问焉。东郭先生曰："若一身庸非盗乎？盗阴阳之和以成若生，载若形，况外物而非盗哉？诚然，天地万物不相离也，认而有之皆惑也。国氏之盗，公道也，故亡殃；若之盗，私心也，故得罪。有公私者亦盗也，亡公私者亦盗也。公公私私，天地之德。知天地之德者，孰为盗邪？孰为不盗邪？"

[注释]

①给（jǐ）：供应，指粮食、布匹等生活必需品基本上能满足要求。②足：充分，富裕，充足。此处指富裕。③壤：张湛注"应为攘"，不妥，因与"给"、"足"义不合。此处的"壤"应为"穰"，"壤"与"穰"同音，形似而误。穰者，大富也。④逾：越过，跨过。凿室：即在屋墙上打洞。⑤探：此处有寻求、搜索之意，即窃取。⑥谬：此处为使动用法，谬己：即"使己谬"，指责国氏教他做出荒谬的事情。⑦罔（wǎng）：蒙蔽，欺罔，哄骗。

[译文]

齐国姓国的一家，人称国氏，非常富有；宋国姓向的一家，人称向氏，非常贫穷。向氏从宋国跑到齐国向国氏请教致富的方法。国氏告诉他说："我善于偷盗。一年后生活自给，两年后富足起来，三年后大富，家里应有尽有。自此以后，经常向州、县、乡里施舍。"向氏听了，心中非常高兴。但他只知国氏所说的"为盗"这一词语的一般含义，不懂"为盗"一词在国氏心中的特定含义，回去后，果真做了盗贼。翻人家的院墙，凿人家的房屋，凡是他手能所及、眼睛能看到的地方，无一不是窥测、盗窃的对象。没过多久，因被发现家里有赃物而获罪，连先人留下的财产也被没收。向氏认为国氏在欺骗自己，就找到国氏埋怨。国氏问："你是怎么偷盗的？"向氏把他逾垣凿屋的情况述说一遍。国氏说："你怎么不遵守做盗贼的规则，违反为盗之道，而到了如此地步呢？现在我告诉你吧！我听说天有春夏秋冬四个季节，往复不断；地有五谷矿产山泽林木，取之不尽。我所谓的为盗，就是盗取这些属于天地之时利，即属于大自然所有的财富。如天上云彩降下的水，山上水泽所产的众物。种好我自己田里的庄稼，建好我家的房舍，垒好我家的院墙。从陆地盗取禽兽，从水中盗取鱼鳖，没有不是盗来的。而我们所吃的庄稼，建筑所用的林木、土石，陆上的禽兽，水中的鱼鳖都是大自然生成的，难道是我所有的吗？然而，我盗取的对象是大自然，所以没有灾祸。而那些金银财宝、粮食布匹、金钱财物，属于人们自己所有，不是天地赐予你的，你因为盗人家的私有财物而获罪，现在你能埋怨谁呢？"向氏听后，更加糊涂，以为国氏是在继续欺骗自己。

　　向氏到东郭先生那里请教，东郭先生告诉他说："就拿你自己的身体来说，有哪个部分不是盗取来的呢？盗取阴阳二气之和，成就了你的生命，大地又承载着你的形体，何况你身外的物体有不是盗取来的吗？的确，天地万物是不能分割开来的。然而把这些东西看成是自己所有，则是极为糊涂的想法。国氏所盗，盗取的是天地自然所有的财富，是公盗，所以没有罪；你盗取东西出于私心，盗取的是别人的私有财产，所以有罪。因此，能区分公私的是盗，不能区分公私的也是盗。公公私私是天地间都应该遵守的道德法则。你只要懂得了这一点，还用说清谁是盗贼，谁不是盗贼吗？"

卷 二

黄帝第二①

黄帝即位十有五年，喜天下戴己，养正命②，娱耳目，供口鼻，燋③然肌色皯黣④，昏然五情爽惑⑤。又十有五年，忧天下之不治，竭聪明，进智力，营百姓，焦然肌色皯黣，昏然五情爽惑。黄帝乃喟然赞⑥曰："朕之过淫⑦矣。养一己其患如此，治万物其患如此。"于是放万机舍宫寝，去直侍，彻⑧钟悬，减厨膳，退而闲居大庭之馆，斋心服形，三月不亲政事。昼寝而梦，游于华胥氏之国。华胥氏之国在弇州之西⑨，台州之北，不知斯齐国几千万里；盖非舟车足力之所及，神游而已。其国无帅长，自然而已。其民无嗜欲，自然而已。不知乐生，不知恶死，故无夭殇；不知亲己，不知疏物，故无爱憎；不知背逆，不知向顺，故无利害：都无所爱惜，都无所畏忌。入水不溺，入火不热。斫挞无伤痛，指擿⑩无痟痒。乘空如履实，寝虚若处床。云雾不硋其视，雷霆不乱其听，美恶不滑其心，山谷不踬其步，神行而已。黄帝既寤，怡然自得，召天老、力牧、太山稽告之曰："朕闲居三月，斋心服形，思有以养身治物之道，弗获其术。疲而睡，所梦若此。今知至道不可以情求矣。朕知之矣！朕得之矣！而不能以告若矣。"又二十有八年，天下大治，几若华胥氏之国，而帝登假⑪，百姓号之二百余年不辍。

[注释]

①黄帝：姓姬，又称轩辕氏或有熊氏，部落首领，后为炎黄部落联盟的组织者、领导者。《列子》一书的第二篇以他的名字作为篇名，亦可见证他在中华民族心目中的崇高地位。②正命：盖修身之道以寿终者为正命，桎梏而死者为非命。③燋（jiāo）：同"焦"。火力过猛，使东西成为炭黑。④矸黣（gǎn méi）：即颜色枯槁焦黑。⑤五情爽惑：即人的爱、恶、喜、怒、欲失去常性。爽，过失，乖乱。惑，迷惑而失常道。⑥赞：疑为"叹"字。⑦淫：此处作"深"字用。⑧彻：同"撤"。⑨弇（yǎn）州：州名。《淮南子》以为在中国西部。下文的台州，指浙江省临海县，这与华胥氏之国的地望不符。浙江临海县在东部，弇州在甘肃西面，地域也无法连接。⑩指擿（zhì）：用指头搔抓。擿，抓搔。⑪登假：即"登遐"，指去世，离开人世。

[译文]

黄帝即位十五年后，为天下百姓拥戴自己而高兴。为了把自己的身体保养好，听音乐，赏美景，闻香的，吃好的，结果不仅没有达到健康的目的，体质反而愈来愈弱，骨瘦如柴，脸色焦黑。喜怒无常，性格乖僻，难以使人理解。再过十五年，又常常为治理天下而发愁。绞尽脑汁，用尽智力，千方百计地经营百姓的生活，并设法提高他们的生活水平。结果不仅没有把天下治理好，而且自己的身体一天不如一天，骨瘦如柴，枯槁焦黑。喜怒无常，性格乖僻，难以使人理解。黄帝感叹说："唉！我犯的错误是非常严重的。养护自己一个人的灾难如此，治理天下的万物也如此。看来治理的方法是应该改变的。"黄帝于是放弃繁忙的政事，离开皇宫，摒去侍从，撤掉钟鼓，减少厨膳，退居一般官员居住的地方，修身养性，除奢去欲，三个月不过问政事。有一次白天休息，竟然在梦中游历一个理想的国家。这个国家的名字叫华胥氏。华胥氏之国在弇州的西面，台州的北面，其面积之大不知有几千万里。恐怕乘车、坐船、步行都是无法到达的。只有借助于梦境恍惚的神游，才能走遍各地。这里没有官长，但有靠自然形成的各种秩序。这里的民众没有自己的嗜欲，但却有大自然提供的各种生活必需品。他们不知道为活着而感到快乐，也不知道为死亡而感到痛苦。因此，这里没有不到成年就死去的人。他们不知道亲近自己，也不知道疏远别人；他们既没有什么个人的爱憎，也不知道什么是背叛，什么是顺从。因此，这里没有什么人与人之间的利害冲突。相互之间没有什么特殊感情，既没有爱怜，也没有畏忌。掉进水里不会溺死，跳进火中不感到灼热。遭到棒打石击不感到伤痛，有人抓搔不知痛痒。空中飞行如走平地，躺在空中如卧在床。云雾隔不断视线，雷声乱不了听觉，山谷挡不住脚步，美丑乱不了内心。一切都是神行，只要做到至顺，就能做到物莫能逆。黄帝醒后，豁然开朗，明白了许多以前不明白的道理，立刻把他的心腹大臣天老、力牧以及他的老师太山稽召到跟前，告诉他们说："我抛开所有政事，闲居三个月，去掉杂念，消除私欲，专门思考养身治物问题，可是总也理不出一个头绪。今天疲倦，睡后做梦，梦到一个国家如此和谐，如此美丽！现在我才明白，天下最美的道理，仅凭感情是无法得到的。这个道理我明白了，把握了，然而是不能把它告诉你们的！"又过了二十八年，天下大治。黎民百姓，安居乐业，生活富裕。黄帝治理下的国家，几乎同华胥氏之国没有什么两样。这时黄帝去世，百姓们号哭二百多年，还没有停止。

列姑射山[①]在海河洲中，山上有神人焉，吸风饮露，不食五谷；心[②]如渊泉，形如处女；不偎[③]不爱，仙圣为之臣；不畏不怒，愿悫[④]为之使；不施不惠，而物自足；不聚不敛，而己无愆⑤。阴阳常调，日月常明，四时常若，风雨常均，字育常时，年谷常丰；而土无札伤，人无夭恶，物无疵厉⑥，鬼无灵响⑦焉。

[注释]

①列姑射（yé）山：北海中的神山。《山海经·海内北经》："列姑射山在北海洲中。"晋郭璞注认为就是《庄子·逍遥游》篇中的"藐姑射山"。后人争论很多。②心：当为"深"。③偎：亲近，紧贴，亦爱之意。④愿悫（què）：谨慎朴实。⑤愆（qiān）：罪过，过错，过失。⑥疵（cī）厉：灾患疫病。⑦灵响：犹"灵应"。鬼无灵响，意为使鬼神也不再灵应。

[译文]

在北海的河洲上有一座山，名叫列姑射，有一位神人住在这里。她从来不吃粮食，一年四季靠吸风饮露维持生命。为人极其谨慎，心境凝寂，像深渊一样深；皮肤如冰雪，晶莹光润，相貌如十七八的处女一样美丽。她不亲近谁，也不爱慕谁，而仙圣们都愿意听她使唤；她不发脾气，不威吓，一些忠诚朴实的人都愿听她差遣。她对别人不施舍，不救济，而生活都能得到满足；平时清心寡欲，对财富不聚不敛，而自己从来没有过失。这里的自然环境极好，一年到头阴阳调和，一天到晚日月经常发射出明亮的光；春夏秋冬，风调雨顺，不旱不涝，总是保持均衡。由于上天及时保护培育，年年都是五谷丰登，丰衣足食。土地不用犁耙、浇灌，没有开沟、耕耘之伤，人也没有夭亡的灾难。天下没有疾疫发生，从而鬼神也不再有什么灵应了。

列子师老商氏，友伯高子，进二子之道，乘风而归。尹生①闻之，从列子居，数月不省舍。因间请蕲②其术者，十反而十不告。尹生怼③而请辞，列子又不命。尹生退，数月意不已，又往从之。列子曰："汝何去来之频？"尹生曰："曩章戴有请于子，子不我告，固有憾于子。今复脱然，是以又来。"列子曰："曩吾以汝为达,今汝之鄙④至此乎。姬:将告汝所学于夫子者矣⑤。自吾之事夫子友若人⑥也,三年之后,心不敢念是非,口不敢言利害,始得夫子一眄⑦而已。五年之后,心庚⑧念是非,口庚言利害,夫子始一解颜而笑。七年之后,从心之所念,庚无是非;从口之所言,庚无利害,夫子始一引吾并席而坐。九年之后,横心之所念,横口之所言,亦不知我之是非利害欤,亦不知彼之是非利害欤;亦不知夫子之为我师,若人之为我友:内外进矣。而后眼如耳,耳如鼻,鼻如口,无不同也。心凝形释,骨肉都融;不觉形之所倚,足之所履,随风东西,犹木叶干壳。竟不知风乘我邪?我乘风乎?今居先生之门,会未浃时⑨,而怼憾者再三。汝之片体将气所不受,汝之一节将地所不载,履虚乘风其可几乎?"尹生甚怍,屏息良久,不敢复言。

[注释]

①尹生:对年轻人的称乎。此人姓尹,为列子学生,故称尹生。其人名戴或章戴。②蕲(qí):求的意思。在这一点上同"乞"、"祈"同义。③怼(duì):怨恨,恼火,生气。④鄙(bǐ):鄙陋,浅薄。⑤姬:此处招呼的语气词,音jū,意为来、过来、喂等。夫子:指列子的老师商氏。⑥若人:指列子的学兄伯高子。⑦眄(miǎn):斜着眼睛看。一眄,即看一下。⑧庚:此处通"更"。⑨浃(jiā):"浃"与"时"连用。浃时,分浃日、浃旬、浃月、浃辰等。其中浃辰为十二日,浃旬为十日,浃月为两个月。会未浃时,指尹生拜师学道的时间短,还没有超过两个月。

[译文]

列子拜老商氏为师,与伯高子为友,认真学习他们的品德和道术。学成之后,乘着清风回到圃田故里。一个姓尹的年轻人听说后非常惊奇,跑到列子家里,请求当列子的学生。列子不搭理他,他也不走。尹生看列子有空,就去请教。前后有十几次,列子都拒绝回答。尹生心里生气,向列子提出回家的请求。列子听后不吱声，不说同意，也不说不同意。尹生回家之后，心里的气逐渐散去，还是想当列子的学生，不久又回到列子的身边。列子问他："你为什么一会儿来，一会儿去？"尹生回答说："以前，我想向您学习本领，您不告诉我，我心里很气，离开你走了。现在，不生气了，还想当您的学生，所以又回到老师这里！"列子说："以前，我以为你很豁达，现在才知道你心胸狭窄、鄙陋浅薄到如此的地步！喂，过来，现在告诉你我当年是如何向老商氏学习本领的。我给老商氏当学生，同伯高做朋友，在三年多的时间里，心里不敢想什么是是，什么是非，什么是利，什么是害，匿怨藏情，老师只是斜着瞟我一眼罢了。又过了五年，不再把自己的想法藏在肚子里，心里想的是非更多，口中所言利害更频繁，做到表里一致、内外如一，这时老师才看着我笑一下罢了！七年之后，把心放开，让它随便去想，也想不出哪些是是，哪些是非。让嘴随便去说，也说不出哪些是利，哪些是害。道契师友，同位比肩，这时，老师才允许我并席和他坐在一起。九年之后，纵心去想，纵口去说，也不知道哪些是我的是非利害，哪些是彼的是非利害，也不知道老商氏是我的老师，伯高子是我的朋友。做到心中无杂念，口出无违忌；做到体道穷宗，无私无欲。这时，我视听不资眼耳，嗅味不资口鼻。六脏七孔，四肢百节，块然无觉，同为一物，心如凝固的木石，体如散去的云烟，骨头和血肉像是融于流动的大气，根本不知道自己的身躯依靠的是什么，双脚踩着什么。随风飘动，如同树叶和枝干，竟然不知是我乘风呢？还是风乘我呢？现在，你到这里求学时间非常短暂，却一再产生怨恨情绪，如此的浅薄、浮躁，你能学会什么呢？你那片身躯将不会被天上的大气所容纳，被大地所承载，你怎么能履虚乘风呢？"尹生听后，非常惭愧，屏息良久，不敢再说一句话。

列子问关尹①曰："至人潜行不空，蹈火不热，行乎万物之上而不栗。请问何以至于此？"关尹曰："是纯气之守②也，非智巧果敢之列。姬！鱼③语汝。凡有貌像声色者皆物也。物与物何以相远也？夫奚足以至乎先④？是色而已！则物之造乎不形，而止乎无所化。夫得是而穷之者焉，得为正焉？彼将处乎不深之度⑤，而藏乎无端之纪，游乎万物之所终始。壹其性，养其气，含其德，以通乎物之所造。夫若是者，其天守全，其神无郤⑥，物奚自入焉？

"夫醉者之坠于车也，虽疾不死。骨节与人同，而犯害与人异，其神全也。乘亦弗知也，坠亦弗知也。死生惊惧不入乎其胸，是故迕物而不慑⑦。彼得全于酒，而犹若是，而况得全于天乎？圣人藏于天，故物莫之能伤也。"

[注释]

①关尹：亦称关令尹，即守关门之吏，又称关令，周代又叫司关，掌四方宾客。《史记·老子列传》曰："至关，关令尹喜曰'子将隐矣，强为我著书'。"②纯气之守：得阴阳二气之和而生为人，气聚而生，气散则死。至纯至真乃是人的基本性分。人之所以能够潜行不空、蹈火不热，全凭人的天性，不是凭着个人的智计果敢就能做到的。③鱼：此处同音假借，同"予"、"余"。④至乎先：这里指的是既然物都有貌像声色，因此物与物差别不大。为什么有的人却超出了别的人呢？当然首先在于形貌。同时更要纯洁本性，调养精神，保持气的平和、协调，穷理尽性，这样的人外物是不能伤害的。⑤不深之度：其中的深当作"淫"字。淫，有过分、过度的意思。中国的古代哲学很讲究适中的道理。即每做一件事，分析一个问题都要掌握适中，既不能过，也不能不及，而要做到恰到好处。俗称中庸之道。⑥郤（xì）：同"隙"，间隙。⑦迕（wù）：遇、相遇。

[译文]

列子问关尹说："至人潜入水中而不觉窒息，脚踏火上而不知灼热，行走物上而不知害怕，请问怎样才能达到这种地步？"关尹说："这是由于保守纯正平和之气，而不是凭着智力果敢所能做到的。现在，我来告诉你吧！凡是有形象、有声音、有色彩的都叫做物，物与物的差别是很小的。为什么有的人会超出一般人？当然首先是在形象方面。假如一个不暴露自己的外貌，并处十分虚静的状态中，而且深通其妙，又能究理尽性，修养道德，这样的人，是无法对他干扰的。至人处于适中的程度，藏心于循环往复之中，神游于万物生死变化的无为之境，纯洁本性，调养精神，使德行符合于道，与天地化为一体。精神凝聚，天性真全，外物怎么能侵害他呢？

"喝醉的人从车上掉下，虽会受伤，却不会摔死；骨节与别人一样，而遇到伤害时，却有明显不同的后果，这是什么原因呢？完全是精气凝聚造成的。他上车时不知道，摔下时也不知道，死生惊惧不入于心，所以触外物而不伤。因喝醉酒而得以保全的人尚能如此，何况是融于自然之道而精神真全的人呢？圣人化藏于自然之中，外物对他是伤害不了的。"

列御寇为伯昏瞀人射，引之盈贯①，措杯水其肘上发之，镝矢复沓，方矢复寓②。当是时也，犹象人③也。伯昏瞀人曰："是射之射，非不射之射也。当与汝登高山，履危石，临百仞之渊，若能射乎？"于是瞀人遂登高山，履危石，临百仞之渊背逡巡，足二分垂在外。揖御寇而进之。御寇伏地，汗流至踵。伯昏瞀人曰："夫至人者，上窥④青天，下潜黄泉，挥拆八极，神气不变。今汝怵然有恂目⑤之志，尔于中也，殆矣夫！"

[注释]

①盈贯（wān）："贯"如果和"弓"连用即"贯弓"时，"贯"音wān，即把弓拉满，此处正含此义。②复寓：再放在肘上。列子肘上放一杯水

然后将箭射出,未达目的,再换一杯水,在极短的时间内,完成这一动作,技术精湛至极。③象人:指用泥巴、木材、石头、玉石、金属制成的人形器物。此处指木偶。用以形容列子精神的专一。④窥(kuī):意为从缝隙、小孔中窥视、偷看。⑤恂(xún):诚信,相信,通达,恐惧等。此处取恐惧义。恂目,即眨眼。

[译文]

列御寇为伯昏瞀人表演射箭。弓拉得非常满,一杯水放在拿弓的左肘上,发射时箭锋一支连着一支,复沓飞出,后衔前尾,直线悬空,绝妙之极。前后发出未中的刹那间,放在肘上的水杯一箭一换,从不溢出半点。这个时候列御寇全神贯注,完全像是一个木偶。伯昏瞀人评论说:"只是一个会射箭的人在表演,根本没有达到不射之射的境界。当我和你登上陡峻的高山,踩着悬崖峭壁,面对着百丈深渊,你还能射吗?"于是伯昏瞀人就登上高山,踩着悬崖,面对百丈深渊,脊背蹭着山体向前挪动,两只脚有一少半悬在空中,向下作揖请列子上来射箭。列御寇见状,趴在地上不动,汗珠从头流到脚跟。伯昏瞀人说:"真正得道的人向上窥视青天,对下密测黄泉,奋迅八极,神色不变,德充于内,神满于外,无论遇到什么样的艰难和危险都不会畏惧和退缩。现在看你害怕得魂不守舍的样子,不停眨眼的怯懦姿态,可以看出你现在心中私念尚多,这是非常危险的呀!"

范氏有子,曰子华,善养私名,举国服之;有宠于晋君,不仕而居三卿之右。目所偏视,晋国爵之;口所偏肥①,晋国黜之。游其庭者侔于朝。子华使其侠客以智鄙相攻,强弱相凌。虽伤破于前,不用介意。终日夜以此为戏乐,国殆成俗。

禾生、子伯,范氏之上客。出行经垌外②,宿于田更③商丘开之舍。中夜,禾生、子伯二人相与言子华之名势,能使存者亡，亡者存，富者贫，贫者富。商丘开先窘于饥寒，潜于牖北听之。因假粮荷畚④之子华之门。子华之门徒皆世族也，缟⑤衣乘轩，缓步阔视，顾见商丘开年老力弱，面目黎黑，衣冠不检，莫不眲之⑥。既而狎侮欺诒⑦，攩、挱、挨、抌，⑧亡所不为。商丘开常无愠容，而诸客之技单，怠于戏笑。遂与商丘开俱乘高台，于众中漫言⑨曰："有能自投下者，赏百金。"众皆竞应。商丘开以为信然，遂先投下，形若飞鸟，扬于地，骪骨无砒。范氏之党以为偶然，未讵怪也。因复指河曲之淫隈⑩曰："彼中有宝珠，泳可得也。"商丘开复从而泳之，既出，果得珠焉。众眆⑪同疑，子华眆令豫肉食衣帛之次。俄而范氏之藏大火，子华曰："若能入火取锦者，从所得多少赏若。"商丘开往，无难色，入火往还，埃不漫，身不焦。范氏之党以为有道，乃共谢之曰："吾不知子之有道而诞子，吾不知子之神人而辱子。子其愚我也？子其聋我也？子其盲我也？敢问其道？"商丘开曰："吾亡道。虽吾之心，亦不知所以。虽然，有一于此，试与子言之。曩子二客之宿吾舍也，闻誉范氏之势能使存者亡，亡者存；富者贫，贫者富。吾诚之无二心，故不远而来。及来，以子党之言皆实也，唯恐诚之不至，行之之不及，不知形体之所措，利害之所存也，心一而已。物亡迕者，如斯而已。今眆知子党之诞我，我内藏猜虑，外矜观听，追幸昔日之不焦溺也，怛⑫然内热，惕然震悸矣。水火岂复可近哉？"

自此之后，范氏门徒路遇乞儿、马医，弗敢辱也，必下车而揖之。宰我闻之，以告仲尼。仲尼曰："汝弗知乎？夫至信之人，可以感物也。动天地，感鬼神，横六合而无逆者，岂但履危险，入水火而已哉？商丘开信伪物犹不逆，况彼我皆诚哉？小子识之！"

[注释]

①偏肥:"肥"字用在这里有诋毁、鄙薄之义。口所偏肥,即嘴里说谁不好,谁就要倒霉。②坰(jiōng)外:郊野之处。③更:应为"叟"字。④畚(běn):古代用草绳或竹木编成的筐子。荷畚,即挑或担着筐子。⑤缟(gǎo):丝绸或绢。⑥眲(nè):轻视。以对方无知而辱之,以为眲,即耳目互不相信。⑦诒(dài):欺骗。⑧搷(tǎng):槌打。下文的扺(bǐ)、挨(ái)、抌(dǎn)分别为推拉、追击、捶击背部。⑨漫言:诳哄。⑩隈(wěi):山或河水拐弯的地方。淫隈:水很深的拐弯处,亦指深潭。⑪昉(fǎng):开始。⑫怛(dá):惊愕,恐惧。

[译文]

范氏有个儿子名叫子华,这个人很注重宣扬自己的名声,成为全国都很敬佩的游侠。晋国国君也很喜欢他。他虽然没有进入仕途,而位置却在三卿之上。凡是他所看重的,朝廷就给以爵位;他所不赞成的,朝廷就立即罢黜。总之,在他的家里供职,同在朝廷供职没有什么两样。子华让他的门客凭着个人知识多少和力量的大小相互凌辱,即使打得头破血流、遍体鳞伤也不放在心上。一天到晚用这种方法玩耍、戏乐,几乎成了都城的风俗。

禾生、子伯这两个人是范家的上宾,有一次外出,晚上住在郊野一个老农商丘开的家里。夜间两人谈论子华的声望和权势,说他能使活人死,死人活;富变穷,穷变富。商丘开此时正为生活所困,躲在窗户北边偷听。然后就带着干粮挑着筐子投奔子华。

子华的门徒大多出身世族,穿戴豪华,出门有车,缓步阔视,盛气凌人。这些人看到商丘开年老体弱,又黑又瘦,穿戴不整,没有一个人不轻看他的!不久,大家拿商丘开开玩笑,甚至狎侮欺负,推搡捶打,没有一样不干的。面对这样的门客,商丘开处之泰然,从来没有产生过不满情绪。时间长了,这些人的伎俩已经用尽,不再因捉弄商丘开而感到满足和快乐时,就约商丘开一起登上极高的台子,对着众人诳哄说:"谁能从这里跳下去,赏赐黄金百两。"大家争着答应。商丘开信以为真，第一个跳下，姿势优美，像飞鸟一样轻盈快捷。着地后，肌骨没有一点伤损。范氏的门徒们以为这是偶然，没有什么值得吃惊的。又指着一条河的拐弯处的深潭说："里边有宝珠，会潜水的就可以得到。"商丘开按他们说的潜入水中，出水时果然得到宝珠一颗。众门客开始怀疑商丘开不是一般人。子华知道后，让他参加吃肉衣帛的序列。不久，范氏的仓库着了大火。子华高喊道："谁能从火中把锦缎拖出来，我按拖出数目的多少进行奖励！"商丘开没有任何畏难的表情，在火中往还自如。火苗不烧他的身子，尘埃不往他身上落，直到把该抢出来的物品全都抢出来为止，轻松愉快，像个没事人似的。这时，子华的门徒们才认识到商丘开是一个有道术的人，于是一起向他道歉请罪。有的说："您有这么高深的道术，我全然不知，过去欺负您，实在对不起。不知道您是个神人，侮辱您，真是罪该万死。您有那么大的本事，却一点不露，是想愚弄我们吗？是把我们当聋子了吗？是把我们当瞎子了吗？请您给我们讲讲您的道术。"商丘开说："道术我是没有的。我所做的，连我自己也不知道是怎么回事。只是有一点感受，现在给大家说说。从前，您这里二位门客在我家住的时候，听说范家的声望很高，势力很大，能使富人变穷，穷人变富；能使死人变活，活人变死。从此，对范氏不存二心，不惜远途来到这里。来后，发现我原来听说的全都实实在在，我就决心诚信到底。平时唯恐行为有过失，甚至连自己的形体也不知道怎么摆放措置。心中根本没有自己的利害，只有'诚'这一个字罢了！所以对这里的一切都觉得顺畅，任何时候都没有不满情绪。现在才知道你们这些门徒在欺负我，内心充满猜忌和忧虑，外在言行尽量保持忍耐和克制。想到过去潜水、入火之事，内心惊愕发热，浑身颤栗发抖。水火难道可以再去接近吗？"

从此以后，范氏门徒的行为作风发生了很大变化。即使路上遇到乞儿、马医这些地位低贱的人也不敢轻视，必然下车行礼致意。孔子的学生宰我听说这些事，告诉给孔子，孔子说："你们不知道吗？最讲诚信的人，是可以感动一切外物的！动天地，泣鬼神，横越六合，东西南北，天上地下而不会遇到阻力，难道脚踩危险、出入水火会做不到吗？商丘开相信的是一些虚假的东西还没有遇到阻力，况且你和我始终坚持'诚信'二字呢？你们一定要记住它呀！"

周宣王之牧正有役人梁鸯者，能养野禽兽，委食于园庭之内，虽虎狼雕鹗之类①，无不柔驯者。雄雌在前，孳尾成群②，异类杂居，不相搏噬也。王虑其术终于其身，令毛丘园传之。梁鸯曰："鸯，贱役也，何术以告尔？惧王之谓隐于尔也，且一言我养虎之法。

"凡顺之则喜，逆之则怒，此有血气者之性也。然喜怒岂妄发哉？皆逆之所犯也。夫食虎者，不敢以生物③与之，为其杀之之怒也；不敢以全物④与之，为其碎之之怒也。时其饥饱，达其怒心⑤。虎之与人异类，而媚养己者，顺也；故其杀之，逆也。然则吾岂敢逆之使怒哉？亦不顺之使喜也。夫喜之复也，必怒，怒之复也，常喜，皆不中⑥也。今吾心无逆顺者也，则鸟兽之视吾犹其侪也。故游吾园者，不思高林旷泽；寝吾庭者，不愿深山幽谷，理使然也。"

[注释]

①雕：又称鹫（jiù）鸟，羽毛褐色，上嘴下曲。性格凶猛异常，经常捕食山羊、野兔等。鹗（è）：性凶猛，又称鱼鹰。②孳（zī）：滋生，繁殖。孳尾成群，指动物园内新出生的幼虎、狼崽、小雕、小鹗很多，紧随生它们的父母之后，悠然在园中转悠、跑跳、戏乐。③生物：即活着的动物。老虎为什么吃活着的动物时，容易发怒呢？因为吃活的动物很麻烦：一是为把它杀死而烦恼，二是被吃的动物的反抗和挣扎也会给老虎带来伤害和不快。④全物：囫囵

东西。因整个体积大，一时吞不下去，也会使老虎发怒。⑤达：通达，明白。达其怒心，即了解老虎发怒的原因，顺乎其性，使之感到欲望满足，从而使之喜。⑥中：指做事按照规律，既不超过，亦不不及。不能使老虎发怒，是养虎方法中的一个方面。但喜怒是可以相互转化的。如果经常使它高兴，高兴可以转变成愤怒。那么究竟怎么办才好呢？做到"心无逆顺，鸟兽视吾为同侪"才能从根本上解决问题。

[译文]

　　周宣王的时候，有一位做牧正的官员，手下有个非常擅长驯养虎狼的人，他的名字叫梁鸯。平时，只要把食物放在庭院里，即使是再凶猛的禽兽也都自动去吃，公母在前引路，小崽成群在后跟随，无不柔驯，井然有序。异类杂居，从不互相厮打咬噬。宣王害怕梁鸯的技术随其死亡而失传，于是派一位叫毛丘园的年轻人给他当徒弟。梁鸯对毛丘园说："我是一位低贱的役夫，哪有什么技术可以传授给你呢？只是怕君王怀疑我对您隐瞒，现在对您说一说我的养虎方法。

　　"凡是顺其性，满足其欲望，它就高兴；凡是不顺其性，不满足其欲望，它就发怒，这是一般有生命、有血气的动物的天性。就感情来说，欢喜发怒不是无来由的。它们之所以会发怒，都是饲养它的人不顺其性，不满足其欲望造成的。养虎，不要给它活的东西吃，因为这会使虎把要吃的东西杀死而发怒；不要把囫囵的东西给它吃，因为这会使老虎需把它弄碎而发怒。时时懂得老虎的饥饿，及时给它东西吃才行。知道老虎发怒的原因，从而以顺其性，化解老虎发怒的情绪，转怒为喜。老虎和人是两种不同的物类，它为什么会喜欢喂养它的人呢？因为喂养它的人能顺其性，时时满足其欲望。因此给它活的东西或者给它囫囵东西吃，就是逆，逆就是不顺其性，这是使老虎发怒的主要原因之一。在不敢逆之使其发怒的同时，也不能总顺其性使之常喜。因为喜怒是一个事物的两个方面，喜可以转化为怒，怒也可以转化为喜，两者均不是恰到好处，都不能算是中的。现在，我的心里已经不存在什么是逆，什么是顺了。鸟兽们已经把我看成它们的同类和知己。因此，生活在我园子里的鸟兽，不再思念密林大泽，不再愿回深山幽谷。这是为什么呢？是依据和顺其性、陶冶万物的哲理，从而使凶猛鸟兽亦能和谐相处的呀！"

颜回问乎仲尼曰："吾尝济乎觞深①之渊矣，津人操舟若神。吾问焉，曰：'操舟可学邪？'曰：'可；能游者可教也，善游者数能②。乃若夫没人，则未尝见舟而谡③操之者也。'吾问焉，而不告。敢问何谓也？"仲尼曰：'譺④！吾与若玩其文也久矣，而未达其实，而固且道与？能游者可教也，轻水也；善游者之数能也，忘水也。乃若夫没人之未尝见舟也，而谡操之也，彼视渊若陵，视舟之覆犹其车郤也。覆郤⑤万物方陈乎前，而不得入其舍。恶往而不暇。以瓦抠⑥者巧，以钩抠者惮，以黄金抠者惛。巧一也，而有所矜则重外也。凡重外者拙内。"

[注释]

①觞深：指水很深的河名。在宋地。②数能：很快就能学会。数，此处可解为"速"、"多"之意。③谡（sù）：这里作副词用，随即、便。④譺（yī）：叹息，同"噫"。⑤覆郤：《庄子》本为"覆却"，即颠覆、翻车翻船之意。⑥抠：投，掷。

[译文]

颜回问孔子说："我曾经经过一条水很深的河，名叫觞深之渊。摆渡人的驾船技术出神入化。我问他：'驾船可以学会吗？'他回答说：'可以，不过，会游泳的人可以教，游得好的人学得更快，练习几次就会了。若会潜水，就可以不用学了，即使没有见过船也能驾船！'我问他为什么，他不告诉我，这是怎么回事呢？"孔子说：

"噫！我与你研习文章的道理已经很久了，而没有达到用事实验证的地步，现在我姑且议论一下吧。能游泳的人可以教他撑船，因为他能轻浮于水面；善游者几次能学会，是因为在他的心目中不觉有水的存在；会潜水的不见船会驾船，是因为他眼中的深渊就是陆地，他看待翻船就像翻车，所以即使翻船他也不会心慌意乱，即使万物覆却于他面前，他也会镇定自若，覆却之忧从不入于心，始终从容不迫。你没见过民间的一种有趣的游戏吧！用瓦片作赌注的心就灵巧；用银钩作赌注的心就糊涂；用黄金作赌注的必然昏乱。赌技没有改变，只是赌注不同而使人的心情不同。越是怕输，内心才越紧张。越紧张越重外，越重外，而内心则越慌乱。越慌乱，则内心更加拙笨。"

孔子观于吕梁①，悬水三十仞，流沫三十里，鼋鼍鱼鳖之所不能游也。见一丈夫游之，以为有苦而欲死者也，使弟子并流而承②之。数百步而出，被发行歌，而游于棠行③。孔子从而问之曰："吕梁悬水三十仞，流沫三十里，鼋鼍鱼鳖所不能游，向吾见子道之，以为有苦而欲死者，使弟子并流将承子。子出而被发行歌，吾以子为鬼也，察子则人也。请问蹈水有道乎？"曰："亡，吾无道。吾始乎故④，长乎性，成乎命，与齌俱入⑤，与汩偕出⑥。从水之道而不为私焉，此吾所以道之也。"孔子曰："何谓始乎故，长乎性，成乎命也？"曰："我生于陵，安于陵故也；长于水，安于水，性也；不知吾所以然而然，命也。"

[注释]

①吕梁：水名，其说不一。有的说在彭城，有的说在山西龙门黄河悬绝处。②承：同"拯"，救助。③棠行：即塘下。④始乎故：指因习而成。下文的"长乎性"，指习久而成自然。"成乎命"，指与水相忘，不知所以然而然，是谓得全于天者。因此故、性、命三者实质上没有什么分别，皆谓自然之理。

⑤与齌俱入：即指游者在水漩处跳下。齌，此处同"脐"，因水漩的形状似脐。
⑥与汩偕出：即与涌出激流一起出来。汩，指水流涌出的样子。

[译文]

　　孔子在黄河悬绝处龙门游赏，看到一道高悬的瀑布，从二十多丈的空中跌下，飞沫随之奔流三十多里而不消失，鱼鳖鼋鼍无法游动，只见一个男子在水中出没，随波涛上下，情况十分危急。孔子以为此人一定是遇到什么难事而要自杀，忙派弟子营救。谁知那人潜入水中百步，却又浮出水面，披发行歌，悠闲地来到岸边休息。孔子过去问他："这个地方水流太险，瀑布从二十多丈的高空跌下，飞溅的水沫就有三十多里，连鱼鳖之类都不敢游，刚才我却看见只有你一人敢于跳下，以为你是有什么苦处而想自杀，于是派我的弟子在岸上紧随，准备随时救助。可是你出水之后却披发行歌，我以为你是个鬼呢！仔细看了之后，才知道你是一个人。那么我要请教您，游水的绝妙道术是什么？"那人回答说："绝妙的方法道术是没有的。我不过是'始乎故'，'长乎性'，'成乎命'罢了。之所以能和漩涡一同卷进水底，又随涌流一齐冲出水面，我顺着河水的自然水性而不凭个人的主观意原，这就是我能自由出没水中的原因。"孔子又问："什么叫'始乎故'、'长乎性'、'成乎命'呢？"那人回答说："一个人出生在陆地就习惯于陆地，这就是从自然生成的素质开始，所以叫做'故'；一个人长在水边就习惯于水边，这是自身的本性，所以叫做'性'；我不知道为什么会游水却自然而然地能游水，所以叫做'命'。"

　　仲尼适楚，出于林中，见佝偻①者承蜩②，犹掇③之也。仲尼曰："子巧乎！有道邪？"曰："我有道也。五六月累垸④二而不坠，则失者锱铢⑤；累三而不坠，则失者十一；累五而不坠，犹掇之也。吾处也若橛株驹⑥，吾执臂若槁木之枝。虽天地之大，万物之多,而唯蜩翼之知。吾不反不侧,不以万物易蜩之翼,何为而不得?"

孔子顾谓弟子曰:"用志不分,乃凝于神。其佝偻丈人之谓乎!"丈人曰:"汝逢衣徒也,亦何知问是乎?修汝所以,而后载言其上。"

[注释]

①佝偻(gōu lóu):亦为伛偻,指驼背、腿弯的残疾人。②承蜩(tiáo):指用粘蝉翼的办法捕蝉。因为蝉肉可食,夏天的乡间,儿童有捕蝉、捉蝉的习惯。这则寓言就是借佝偻丈人高超的粘蝉技艺来阐发只有用志不分、精神专注才能取得成功的道理。③掇(duō):拾取。④垸(wàn):与"丸"字同。累丸,即把泥丸累在竿头之上,然后举而丸不掉下。用以训练手臂的稳定和准确。⑤锱铢(zī zhū):此指琐碎的事和少量的钱。⑥橛株驹:皆指桩、橛之类。株驹,《庄子》中为"株枸",亦指枯树、断木。喻佝偻丈人由于意念集中而成为直立地上的断木、枯树。

[译文]

孔子去楚国的路上经过一片很大的树林,看到一位弯腰驼背的老人在里边粘蝉。他举着竿子往树上粘,速度很快,一只连着一只,就像在平地上捡拾一样容易。孔子说:"你的技术太巧妙了,其中有什么深奥的道理吗?"老人自信地回答说:"当然有的!每年都要用五六个月的时间练习累丸。如在竿子上头累两个而不掉,那么蝉就很少能逃去的;累三个而不掉,十个蝉中逃去一个;累五个而不掉,那就像在平地上用手捡一样容易。你们没有发现吗?我不管站在哪里,都像一个木头橛子;抬起的手臂不管从哪个角度看,都像是两根干枯的树枝。虽然天是那么大,万物那么多,两眼看到的只有蝉的翅膀。我不回头,不转身,绝不因外物的诱惑而分散对蝉翼的注意力。我能这样做,怎么会得不到蝉呢?"

孔子回头看着他的弟子们说:"只要用志不分,集中注意力,就能做到精神凝聚不散。这个驼背老人算是做到了吧？"驼背老人对孔子说："您是穿着儒服的先生，怎么也想起提出这个问题？以后您应该进一步研究您所奉行的仁义，并把它写在您所穿的宽大的衣服上，以传播到整个天下。"

海上之人有好沤鸟①者，每旦之海上从沤鸟游，沤鸟之至者，百住而不止②。其父曰："吾闻沤鸟皆从汝游，汝取来，吾玩之。"明日之海上，沤鸟舞而不下也。

故曰：至言去言，至为无为；齐智之所知③，则浅矣。

[注释]

①沤（ōu）：通"鸥"。鸥鸟即海鸥。生活在湖海之上的白色水鸟，捕食小鱼虾等。②住：应读为数。百数而不止，数上百遍也没有数完，故言其多。③齐：整治。齐智，凭借个人智力推知，而不是凭心、凭悟而自知。

[译文]

住在海边上的一个小孩非常喜欢鸥鸟，天天早晨都去同它们一块玩耍。后来，鸥鸟越来越多，估计有一百多只。有一天，他的父亲说："我听说这里的鸥鸟都是你的好朋友，你和它们每天早晨都在一起。明天你捉一只带回，让我也玩赏一下。"第二天早上，这个孩子又到了海边，看到鸥鸟只在天空飞翔，就是不往地面上停落。

因此说，最高深的言论，最好不去用语言表达；最高尚的行为是无为而无不为。如果只限于智巧之所能知，则是非常肤浅的！

赵襄子率徒十万，狩于中山。藉芿①燔林，扇赫百里。有一人从石壁中出，随烟烬②上下，众谓鬼物。火过，徐行而出，若无所经涉者。襄子怪而留之，徐而察之：形色七窍，人也；气息音声，人也。问："奚道而处石？奚道而入火？"其人曰："奚物而谓石？奚物而谓火？"襄子曰："而向之所出者，石也；而向之所涉者，火也。"其人曰："不知也。"魏文侯闻之，问子夏曰："彼何人哉？"子夏曰："以商所闻夫子之言，和者大同于物，物无得伤阂者，游金石，蹈水火，皆可也。"文侯曰："吾子奚不为之？"子夏曰："刳心去智，商未之能。虽然，试语之有暇矣。"文侯曰："夫子奚不为之？"子夏曰："夫子能之而能不为者也。"文侯大说。

[注释]

①芿（rèng）：地上草丛茂密。藉芿，即借着茂密的草丛，先点燃枯草，然后烧及树林，因而下文有"扇赫百里"之说。②烬（jìn）：物体燃烧后剩下的东西，称灰或灰烬。

[译文]

赵襄子率领十万徒众到中山这个地方打猎。他凭借田泽中的枯草焚烧树林，火势极盛，百里上下烟雾弥漫。有一人从石缝中跳出，跟烟尘一起飘动，众人以为是鬼怪。等大火过后，那人从容地慢慢走出来，好像一切都没有发生过似的。襄子觉得奇怪，把他留在自己身边。仔细观察，发现他的形状、相貌、眼、耳、口、鼻等器官以及他的呼吸、说话的声音同一般人没有什么两样。于是问他说："你凭什么道术在石缝中生存，又凭什么能随烟尘一起飘动，而不怕火烧？"那人反问说："什么东西是石头？什么东西是大火？"襄子给他解释说："刚才你走出来的地方就是石头，刚才你经过的地方就是大火。"那人说："你说的石头和大火，我是一点也不知道的。"魏文侯听说了，问子夏说："那是一个什么样的人呀？"子夏回答说："我听夫子说过，一个人只要能抛却私心杂念就能做到中和。能做到中和就能和万物融合到一起，从而什么外物也不会同你隔开，更不会对你造成伤害。有了这种境界，你出入金石，行走于水火都是无碍的！"文侯说："那么，你为什么不自己去试一下呢？"

子夏回答说:"抛心去智,我没有做到,然而同你说一说其中的道理,还是可以的。"文侯又问:"那么,你的老师为什么不自己去试一下呢?"子夏回答说:"夫子有这种能力,然而也有不去做不夸耀自己的能力啊!"文侯听了,心里非常高兴。

有神巫自齐来处于郑,命曰季咸,知人死生存亡祸福寿夭,期以岁、月、旬、日如神。郑人见之,皆避而走。列子见之而心醉,而归以告壶丘子,曰:"始吾以夫子之道为至矣,则又有至焉者矣。"壶子曰:"吾与汝无其文,未既其实,而固得道与?众雌而无雄,而又奚卵焉①?而以道与世抗,必信②矣夫,故使人得而相汝。尝试与来,以予示之。"

明日,列子与之见壶子。出而谓列子曰:"谙!子之先生死矣,弗活矣,不可以旬数矣。吾见怪焉,见湿灰焉。"列子入,涕泣沾衿,以告壶子。壶子曰:"向吾示之以地文③,罪乎不诊不止④,是殆见吾杜德机⑤也。尝又与来!"

明日,又与之见壶子,出而谓列子曰:"幸矣,子之先生遇我也,有瘳矣。灰然有生矣,吾见杜权⑥矣。"列子入告壶子。壶子曰:"向吾示之以天壤⑦,名实不入,而机发于踵,此为杜权。是殆见吾善者机⑧也。尝又与来!"

明日,又与之见壶子,出而谓列子曰:"子之先生坐不齐⑨,吾无得而相焉。试齐,将且复相之。"列子入告壶子。壶子曰:"向吾示之以太冲莫眹⑩,是殆见吾衡气机⑪也。鲵旋之潘为渊⑫,止水之潘为渊,流水之潘为渊,滥水之潘为渊,沃水之潘为渊,汧⑬水之潘为渊,雍水之潘为渊,汧⑭水之潘为渊,肥水之潘为渊,是为九渊焉。尝又与来!"

明日,又与之见壶子。立未定,自失而走。壶子曰:"追之!"列子追之而不及,反以报壶子,曰:"已灭矣,已失矣,吾不及也。"壶子曰:"向吾示之以未始出吾宗⑮。吾与之虚而猗移⑯,不知其谁何,因以为茅靡⑰,因以为波流,故逃也。"然后列子自以为未始学而归,三年不出,为其妻爨,食豨如食人⑱,于事无亲,雕琢复朴,块然独以其形立;纷然而封戎⑲,壹以是终⑳。

[注释]

①"众雌而无雄"句:喻列子尚未得道。因为就像雌雄两性缺一即有雌无雄不会成卵那样,有文无实或有实无文都是无法检验一个人是否得道这个问题的。就看相来说,也需看相和被看相者两个方面。如果被看的不显露自己的一点心机,不示以看相者任何迹兆,那就像众雌无雄不会成卵那样,看相者也是无法看的。②信:信从,相信。指未真正得道的人必无大智,无大智的人必然妄信。列子被小巫迷惑,故使季咸得到给列子看相的机会。③地文:谓不动的样子。地以无心为宁静,故以不动、静止为地文。地之文即山川草木之类。④不诊不止:此句的解释分歧很大。罪乎不诊不止,不少人认为"罪"应为"萌","止"应为"正"。这是《庄子》一书的文字。也有人认为《列子》中的文字更合理。"罪"当为"靠"(zuì),靠乃山体高峻的意思,"诊"同"震",这句话的意思是至人寂然不动。"罪乎不诊不止"即像山体那样不动不止。⑤德机:德机指地文的迹兆。杜德机,即德机不发,因此,季咸以为壶子将死,不以旬数。⑥杜权:权,指机。谓见其所闭的德机即见其杜权,故谓壶子将死。⑦天壤:指天下地上,游心于无边无际的天地之间。天与壤合,乃生物之本。有人以为壶子示以天壤乃是示以应动之容,所以季咸第二次见壶子说:"灰然有生矣。"⑧善者机:乃生之兆相。机发于踵是知有生,而为善者机。地文则阴胜阳,天壤则阳胜阴,太冲莫眹则平,故衡气机。⑨不齐:情态不一致。始壶子杜机于至寂之中而季咸则以为将死,次则发机于踵则相者又疑其生,已而不动不静,非死非生,参差不齐,不得而相。⑩太冲莫眹:眹,通"朕",征兆,迹象。莫朕,意思是没有一点形迹。谓太冲之极,浩然泊心,玄同万方,莫见其迹。⑪衡气机:乃静动均衡、半动半静、死生不定的兆相。

处于地文、天壤之间，动静各得其半也。⑫鲵（ní）：俗称娃娃鱼，此处泛指大鱼，如鲸之类。鲵旋之潘为渊，其中的"潘"指波浪涌起的水沫。整句的意思是，大鱼盘旋之处形成深渊，深渊的表面必有泡沫。喻水为一，然遇各种外物的推动如巨风、地震、暴雨决堤、曲直等，水亦变化无穷，不论是下文说的止水、流水、滥水、沃水都可以有自己的形貌，归结为一点，都可积聚成渊。由于激荡洄漩，而在水面上形成一层白沫。水不能静默，人心亦是如此。⑬沈（guǐ）：水泉从旁边流出的水。⑭汧（qiān）：水决为泽为汧。⑮未始出吾宗：指藏于天，而示以无所示，深根冥寂，应变无穷。⑯猗（yǐ）移：委曲顺从。⑰茅靡：草伏，即草随风倒伏。跟下文的波流，即随波逐流相呼应。猗移、茅靡、水流均壶子应对季咸之法。季咸以其心相人亡心，我无心则彼所以相者亦不能独立。其止也，因以为茅靡，则不知其靡；其动也，因以为波流，则莫知其流。求我于动止之间皆不可得，这是季咸之所以逃走的根本原因。⑱豨（xī）：同"豨"，大猪。有的版本作"豕"。有的版本把"食豨如人"的"豨"当为"我"字之误。食我如人，说明忘我。⑲封戎：当作散乱解，浑无端绪。⑳壹以是终：一乃道之本体。世界万物不管怎么变化，自己总是不离真朴，专心守一，以此终生。

[译文]

有个会看相的神巫从齐国来到郑国居住，名字叫季咸。能占卜人的生死存亡，祸福寿夭，并能预测哪年、哪月、哪日发生，灵验得很，如同神人。郑国人见了他，都匆忙躲开。而列子见了他之后，却佩服得五体投地，回去告诉壶子说："原来以为您的道术最高了，没想到我又见到了比您更高的。"壶子听了，不以为然地说："我只给你讲些表面的东西，关于道的实质我从来没有教过你，现在你浅尝辄止，就以为自己得到了道吗？雌鸟没有雄鸟，哪能生出会生小鸟的卵？你用那些肤浅的东西与人周旋，必然暴露了自己，使人看破你的心灵秘密。去！你把那位高人请来，让他给我看看相。"

第二天，季咸应邀给壶子看相。出来以后对列子说："你的先生面如死灰，一副怪相，活不了多久了，不会超过十天。"列子听后，放声大哭，泪湿衣衫，然后把看相人说的话原原本本地告诉了壶子。壶子说："刚才我处于入静状态，心息相依，虚无恬淡，他只看到我生气闭塞，才这样说的吧！明天请他再来看看。"

次日，季咸又来给壶子看相。看了之后，出来对列子说："幸运啊！先生遇见了我，现在有救了。完全有救了！我看到他那闭塞的生机开始活动了！"列子把这些话告诉了壶子。壶子说："刚才我给他看的是运气的情形，杂念不入，意与气和，一线生机从脚跟慢慢升起，他可能是看到了这线生机。请他再来试试。"

次日，列子再约季咸去见壶子。季咸一见壶子，立即出来对列子说："先生今天神态恍惚，半动半静，我无法给他看相。等他心神安定之后再来看。"列子见壶子，又把这些话告诉了他。壶子说："我刚才处于太冲莫胜，即阴阳相合的太虚之境。他只看到我守气不动，却看不到我脸上还有别的征兆。达到气机平衡的情况有九种，这九种情况犹如水因各种情势积成九种深渊一样，由动到静，动静各半。鲵旋之潘为渊，止水之潘为渊，流水之潘为渊，滥水之潘为渊，沃水之潘为渊，氿水之潘为渊，雍水之潘为渊，汧水之潘为渊，肥水之潘为渊，都是如此！还是请他再来看一下吧！"

于是，列子又邀季咸来给壶子看相。季咸来到壶子面前，脚还没有站稳，就大惊失色，扭头就跑。壶子说："赶快去追！"列子急忙出门，但是没有追上。回来对壶子说："不见踪影，不知去向，我是追不上了！"壶子说："刚才我给他看的也没脱离大道，我对他随机而变，他不知道是怎么回事，时而如随风披靡，时而如随波逐流，于是他就逃跑了。"列子这才认识到自己知识浅薄，没有真正掌握大道，于是返回家乡，三年不出大门，认真反省自己。后来，列子直接替妻子做饭，喂猪像对待家人一样，天真烂漫，不染红尘，摒弃浮华，返璞归真，恪守虚静，直到终身。

子列子之齐，中道而反，遇伯昏瞀人。伯昏瞀人曰："奚方而反？"曰："吾惊焉。""恶乎惊？""吾食于十浆，而五浆先馈。"伯昏瞀人曰："若是，则汝何为惊已？"曰："夫内诚不解①，形谍成光②，以外镇人心，使人轻乎贵老，而虀③其所患。夫浆人特为食羹之货，多余之赢；其为利也薄，其为权也轻，而犹若是。而况万乘之主，身劳于国，而智尽于事；彼将任我以事，而效我以功，吾是以惊。"伯昏瞀人曰："善哉观乎！汝处己，人将保汝矣。"

无几何而往，则户外之屦满矣。伯昏瞀人北面而立，敦杖蹙之乎颐④，立有间，不言而出。宾者以告列子。列子提屦徒跣⑤而走，暨乎门，问曰："先生既来，曾不废药乎？"曰："已矣。吾固告汝曰：人将保汝，果保汝矣。非汝能使人保汝，而汝不能使人无汝保也，而焉用之感也？感豫出异。且必有感也，摇而本身，又无谓也。与汝游者，莫汝告也。彼所小言，尽人毒也。莫觉莫悟，何相孰也。"

[注释]

①内诚不解：诚信积于心中而未化解。解，化释。②形谍成光：形迹宣泄于外，而成光仪，从而得到人们尊敬。谍，同渫、泄。③虀（jī）：同"齎"，聚的意思。一说为虀粉的，又一说为捣碎。④敦杖蹙乎颐（yí），即把下巴放在直立的拐杖上看望而思考。敦，直立、竖起。颐，下巴，腮。⑤跣（xiǎn）：跣足，光着脚。

[译文]

列子到齐国去，中途返回，碰到了他的大师兄伯昏瞀人。伯昏瞀人问："你刚刚离开，现在为什么又返回？"列子说："我感到吃惊。"伯昏瞀人又问："吃惊什么？"列子回答说："我曾去十家饭馆就餐，其中有五家不收饭钱！"伯昏瞀人说："原来这样，这有什么值得奇怪的?"列子说:"大概是由于外出后控制不住自己,情溢言表,或者有什么故意炫耀的行为发生,于是赢得人心,受人尊重,胜过别人,我想这会招来灾患的。开饭馆供人吃饭,目的都是盈利,而且利润很少很少,我位低权轻,他们尚且如此,要是一个大国的君主,又会怎么样呢?如果他把国家大事委任给我,让我去立功效力我该怎么办呢?人们将怎样对待我,我能不吃惊吗?"伯昏瞀人说:"你的想法很好!看来你就是不到齐国做官,即使隐居民间,也会有人去投奔你的。"

时隔不久,伯昏瞀人去看望列子,发现列子门前摆满了来访者的鞋子。伯昏瞀人便面北而立,手拄拐杖,支着下巴,静观一阵,无言无语,退回来就走。有人把这事告诉了列子,列子来不及穿鞋,提着鞋子光着脚追到门口,大声说:"先生既然来了,为什么不赐教就走呢?"伯昏瞀人说:"我早就告诉过你了。世人是会投奔到你这里来的,现在果然应验了。不过这也不是你的能力使人投奔,也不是你的能力使人不投奔。你为什么为此感到兴奋而与众不同呢?你的心灵必然有所感应,从而就会动摇你的本性,这又成了无所谓的事。这些事难道真是无所谓的小事吗?不是的。如果你真的以为世人归附你、投奔你而动摇了你的天性,那可是无法弥补的损失。那些归附你的人不会告诉你这些话。他们所说的话,都是毒害人的。你既然认识不到这一点,你们怎么能相互理解,从而相互支持,以成就应有的功业呢?"

杨朱南之沛,老聃西游于秦。邀于郊,至梁而遇老子。老子中道仰天而叹曰:"始以汝为可教,今不可教也。"杨朱不答。至舍,进涫漱巾栉[①],脱履户外,膝行而前曰:"向者夫子仰天而叹曰:'始以汝为可教,今不可教!'弟子欲请,夫子辞行不闲,是以不敢。今夫子闲矣,请问其过。"老子曰:"而睢睢[②],

而盱盱③,而谁与居?大白若辱,盛德若不足。"杨朱蹴然变容曰:"敬闻命矣!"其往也,舍者迎将家,公执席,妻执巾栉,舍者避席,炀者避灶。其反也,舍者与之争席矣。

[注释]

①涫(guàn)漱巾栉(zhì):指洗脸漱口用的水和梳子、篦子等梳头用具。涫,通"盥",盥洗。栉,梳子一类。②睢:恣意,恣睢。③盱(xū):眼睛向上,张目直视。睢盱,为仰视的样子。睢睢盱盱,天地未开辟前的混沌样子。此处作横暴解。

[译文]

杨朱南去沛地,老子西到关中,两人相约准备途中相见,后来在梁地相遇。老子一看见杨朱,就仰天长叹说:"开始我还认为你是可以教育的,现在知道了你是不可教育的!"杨朱听后,没有回答,等住进客舍,待奉老子梳洗完毕,脱下鞋子摆放门外,跪在地上膝行来到老子面前,说:"先前您仰天长叹说:'开始我还认为你是可教育的,现在知道了你是不可教育的!'刚才弟子就想请教,先生忙于赶路,没有打搅。现在先生有了空闲,请问我有什么过失?"老子回答说:"你看上去趾高气扬,傲慢无礼,睢睢盱盱,不可一世,谁还愿意和你相处,与你亲近?你没有听说过吗?最纯洁的东西好像也有污点,品德越是高尚的人,待人接物越是谦虚!"杨朱听了,愧然失色,诚恳地对老子说:"我一定把您的教诲牢牢地铭记在心里!"杨朱刚来的时候还是一副盛气凌人的样子,客舍主人恭敬迎接,男人安排坐席,女人侍候梳洗,客人们让出座位,烤火的让出最暖的位置。等他返回的时候,情况有了很大变化,客舍的人无拘无束,甚至敢和他争抢席位了。

杨朱过宋,东之于逆旅①。逆旅人有妾二人,其一人美,其一人恶。恶者贵而美者贱。杨子问其故,逆旅小子对曰:"其美者自美②，吾不知其美也；其恶者自恶，吾不知其恶也。"杨子曰："弟子记之：行贤而去自贤之行③，安往而不爱哉？"

[注释]

①逆旅：客舍，旅店。②自美：自己以为自己长得好看。③行贤而去自贤之行：行为高尚，但绝对不能有轻物之心。亦为有贤者之德而无自矜之行。行贤，言行高尚。

[译文]

杨朱路过宋地，向东走，找到一个旅社。这个旅社主人娶了两个老婆，一人很丑，一人很美。丑的尊贵，美的低贱。杨朱询问其中的原因，旅店主人说："美者自以为美，我不觉得她美；丑者自以为丑，我不觉得她丑。"杨朱说："弟子们要记住，行为高尚而无自以为高尚的骄人之心，到哪里而不受到爱戴呢？"

天下有常胜之道①，有不常胜之道。常胜之道曰柔，常不胜之道曰强。二者亦知②，而人未之知。故上古之言，强，先不己若者，柔，先出于己者③。先不己若者，至于若己则殆矣。先出于己者，亡所殆矣。以此胜一身若徒，以此任天下若徒。谓不胜而自胜，不任而自任也。

[注释]

①道：此处指道家的处世方法，亦称道术。其核心内容为"清虚以自守，卑弱以自持"。②亦：当为"易"，音同而误。③强：指体力、智力均超过别人，与弱相对。二者相比较而存在。与体力、智力均不如自己的人比为强，反之则为弱，而强弱是相互转化的。总以强自居，则可以由强变弱；总以弱自居，则可以由弱变强。由强变弱，本来在物力和智力方面不如自己而逐渐赶上自己或超过自己时，自己则由强变弱，人家则由弱变强，这是非常危险的。

[译文]

天下有一种道术，叫常胜之道；天下还有一种道术，叫不常胜之道。常胜之道叫柔，不常胜之道叫强。柔、强的道理并不难懂，也容易了解，但是很多人还是不知道这个道理的。因此上古的人曾经说过这样的话：所谓强，是先与不如自己的人相比而言的；所谓柔，是先出于不与物竞的虚静之心而待人接物的。开始时不如自己，可是，当人家自强不息，逐渐赶上自己时，那么自己就危险了。而先出于柔的人则是没有这种危险的。以柔待人接物想取得个人功业徒手可得，是很容易的；即使治理整个天下也是徒手可得，也是很容易的。这就叫做不胜自胜（即不想取得胜利，而自然胜利），不任而自任（即不想治理而自然得到治理）的道理。

鬻子①曰："欲刚则必以柔守之，欲强必以弱保之②。积于柔必刚，积于弱必强。观其所积，以知祸福之乡③。强胜不若己，至于若己者刚；柔胜出于己者，其力不可量。"老聃曰："兵强则灭，木强则折。柔弱者生之徒，坚强者死之徒。"状不必童而智童④；智不必童而状童。圣人取童智而遗童状，众人近童状而疏童智。状与我童者，近而爱之；状与我异者，疏而畏之。有七尺之骸，手足之异，戴发含齿，倚而趣者，谓之人；而人未必无兽心。虽有兽心，以状而见亲矣。傅翼戴角，分牙布爪，仰飞伏走，谓之禽兽；而禽兽未必无人心。虽有人心，以状而见疏矣。庖牺氏⑤、女娲氏⑥、神农氏⑦、夏后氏⑧，蛇身人面，牛首虎鼻：此有非人之状，而有大圣之德；夏桀⑨、殷纣⑩、鲁桓⑪、楚穆⑫状貌七窍，皆同于人而有禽兽之心，而众人守一状以求至智，未可几也。

黄帝与炎帝战于阪泉⑬之野，帅熊、罴⑭、狼、豹、䝙⑮、虎为前驱，雕、鹖⑯、鹰、鸢为旗帜，此以力使禽兽者也；尧使夔⑰典乐，击石拊石，百兽率舞；箫韶九成，凤皇来仪，此以声致禽兽者也。然则禽兽之心，奚为异人？形音与人异，而不知接之之道焉。圣人无所不知，无所不通，故得引而使之焉。禽兽之智有自然与人童者，其齐欲摄生，亦不假智于人也。牝牡相偶，母子相亲，避平依险，违寒就温；居则有群，行则有列；小者居内，壮者居外；饮则相携，食则鸣群。太古之时，则与人同处，与人并行。帝王之时，始惊骇散乱矣。逮于末世，隐伏逃窜以避患害。

今东方介氏之国，其国人数数解六畜之语者，盖偏知之所得。太古神圣之人，备知万物情态，悉解异类音声。会而聚之，训而受之，同于人民。故先会鬼神魑魅，次达八方人民，末聚禽兽虫蛾。言血气之类心智不殊远也。神圣知其如此，故其所教训者无所遗逸焉。

[注释]

①鬻（yù）子：传为周文王的老师鬻熊。鬻又写作"粥"。②刚：刚强，坚硬，强劲，与柔相对。这里有两组词值得注意：一是刚与柔，二是强与弱。在这两组既对立又统一的矛盾关系中，刚必须以柔守，强必须以弱保。否则，刚强就无法存在。③乡：即"向"。④童：此处通"同"。⑤庖牺氏：即伏羲氏，又写作伏戏、宓牺、包牺，又号太昊（hào）、羲皇，据传他造书契、画八卦、织网罟，使人们进入渔猎生活，创族外婚制，从此婚姻向氏族婚过渡。⑥女娲氏：传说中的古代女天子。有的说是伏羲氏之妹，有的说为伏羲氏之妻。据说她在古代天塌地裂时曾捡五色石以补苍天，断鳌足以立四极。后又抟土造人，《淮南子·览冥训》有所记载。⑦神农氏：传说中造福于天下的人物，又称烈山氏、厉山氏，发明削耜翻土、进行养殖、用药治病、个人纺织、和泥烧陶等技术。当时只知有母，不知有父，社会不用行政而能自治。亦有人称作炎帝。⑧夏后氏：指大禹，原为夏后氏部落长，后为夏朝建立者。姒姓，我国历史上第一个朝代的君主。他执政后，注意农时，发展生产，在国家建构方面已有军队、官吏、刑罚、监狱等公共权力组织，标志着我国早期国家已经产生。⑨夏桀：夏朝末代国君，名履癸。为政残暴，生活荒淫，随意屠杀百姓。后商汤自东方崛起，鸣条一战，夏兵被打得

落花流水，夏亡，桀出奔南巢而死。⑩殷纣：商代末代国君。即帝辛，名受。耽于酒色，重刑厚敛，拒谏饰非，残害忠良，芟夷宗室，晚年迁都朝歌，大兴土木，士民敢怒而不敢言。后周武王崛起西方，牧野一战，殷纣灭亡，最后被迫登鹿台自焚。⑪鲁桓：即鲁桓公。惠公嫡子，名轨。以宋人赂鼎入于太庙，受君子所讥。后与夫人适齐，因夫人与齐襄公私通而被杀死，为人所不齿。⑫楚穆：即楚穆王，成王之子。名商臣。为人蜂目豹声。成王将立为太子，令尹子上谏不听。后又欲立子职，商臣遂弑成王自立。⑬阪（bǎn）泉：有三说。一说在河北涿鹿县东南。一说在山西运城县南。一说在山西阳曲县东北。⑭罴（pí）：熊的一种，亦称马熊或人熊，毛棕褐色，能爬树、游水。⑮貙（chū）：兽名，似狸，今名貙虎。大如狗。⑯鹖（hé）：猛禽。又称鹖鸡。似鸡而大，勇健斗，死乃止。⑰夔（kuí）：相传为舜帝大臣，掌管音乐。下文的箫韶、九成皆是曲调名。

[译文]

鬻子说："刚不能离柔，欲刚则必然用柔加以维护；强不能离弱，欲强则必然用弱加以保障。只要守柔，就能做到不刚自刚；只要保弱，就能做到不强而自强。这就是积于柔必刚，积于弱必强的道理。因此，不管是对一个人或是一个国家，平时注意观察他们的言行所积，就可以知道他们的祸福向背。强，能战胜开始不如自己而后又赶上自己的人，叫做刚；柔，能战胜超过自己的人，他的力量是不可估量的。"老子说："军队强大的必然灭亡，树木长得又高又粗又直的，必然摧折。所以守柔保弱的，是能继续生存下去的人；不知柔弱，一味刚强下去的，是就要死亡的人。"他们各自形状不同，具体过程也不一样，但他们智力相同。另一种情况是智力不同而形状、过程相同，圣人和众人对这两种情况的取舍是不一样的。圣人所要的是智同，不要状同；众人喜欢亲近同状而疏远同智。只要看到形貌同自己一样的，就亲近而爱之；看到形貌同自己不一样的，就疏远而畏惧。有七尺之骸，长有胳膊，下有双足，嘴有牙，头上有头发的，就称作人，而人未必没有兽心。虽有兽心，看见他与自己形状相同，都是人类，所以就亲近起来。身上长着双翅，头上长角，嘴里有牙，四肢有爪，空中会飞，地上能走的，叫做禽兽，而禽兽未必没有人心。虽然有人心，因为两者形貌不相同，于是就疏远了。庖牺氏、女娲氏、神农氏、夏后氏四位古天子都是蛇身人面，长着牛一样的头，老虎一样的鼻子，尽管不是人的形貌，但他们都有圣人的美德和品质。而夏桀、殷纣、鲁桓公、楚穆公都有七窍，形貌和人一样，但是他们都有禽兽一样的心。而众人把形状看成唯一，并要求他们有高尚的品德和丰富的智慧，则是绝对不可能的！

　　黄帝与炎帝大战于阪泉之野，率领猛兽熊、罴、狼、豹、貙、虎为前队，以猛禽雕、鹖、鹰、鸢为旗帜，这是使用禽兽的力量来帮助自己攻击敌人呀！尧帝派遣夔去主管音乐，他用敲击拍打石器的办法，使百兽随着节拍一起跳舞。后再演奏《箫韶》《九成》的曲调，引得凤凰也飞来参加仪式，又跳又唱。这是用声音来感化它们使它们也来参与呀！然而禽兽之心，怎么会和人不一样呢？是因它们的形状和声音和人不一样，双方不知如何沟通而造成的。圣人没有不知道、不通晓的事情，因此它们能够把禽兽招引过来，并加以使用。禽兽的智慧肯定有与人相同的地方。如它们都想自由自在地生存下去，而且是完全自主，不依靠人类的任何智力。其他像公母结合，母子相亲，避平依险，避寒就温，居则有群，行则有队，小者居内，壮者居外，饮则相携，食则鸣群等，也是与人相同。它们在太古之世与人同处，一起生活，一起行走，到了黄帝之时，才开始见人害怕从而散乱的。到了夏商时代才见人躲避、逃窜，以避免灾患或者人类对它们的伤害和攻击。

　　今天的东方介氏之国，其国还有用数数的方法来解读六畜语言的人。这样的人懂得禽兽之语，所以他们的知识比一般人要多，甚至达到了因事遍达、所通万途的境地。太古神圣的人，天地间万物情态备知，万物音声没有不能解读的。它们能和禽兽沟通，并能把他们聚集在一起，同人民一样进行培训。所以，太古时代的圣人先和神仙、鬼怪对话，然后到达八方百姓中去，最后再把鸟兽虫蛾会聚在一起。因为动物都是有气血的，所以，它们的心智不会差得太远，圣人是知道这一点的！

宋有狙公者爱狙①，养之成群，能解狙之意。狙亦得公之心，损其家口，充狙之欲。俄而匮焉，将限其食。恐众狙之不驯于己也，先诳之曰："与若芧②，朝三而暮四，足乎？"众狙皆起而怒。俄而曰："与若芧，朝四而暮三，足乎？"众狙皆伏而喜。物之以能鄙相笼③，皆犹此也。圣人以智笼群愚，亦犹狙公之以智笼众狙也。名实不亏，使其喜怒哉！

[注释]

①狙（jū）公：指爱狙的一位老人。狙，古代的一种猴子。②芧（xù）：通"杼"，木名，即栎树，又称栎实。又称芧栗，即橡实，可食。③以能鄙相笼：用低下、谦卑的身份去说服、笼络别人。鄙，知识浅薄，地位低下。

[译文]

宋国有一个人，因为喜欢猴子，得了个外号叫狙公。家里养了一大群猴子，平时能够理解猴子的心意，猴子也很得狙公的欢心。狙公平时尽量减少家庭成员的费用以满足猴子的需要。过了不久，家中粮钱殆尽，狙公准备对猴子每日的口粮也加以限制。狙公怕群猴不听自己的话，先诳哄它们说："每天给你们栗子吃，早晨三升，晚上四升怎么样？"猴子们一听，一齐跳起，怒气冲天。狙公停了一会儿又说："给你们栗子吃，早晨四升，晚上三升怎么样？"众猴听后，火气尽消，高高兴兴卧下。人们常说，世上矛盾着的事物，其中一方若能谦恭处下，那么双方就会相互靠拢，就像这里所讲的故事吧！圣人用智慧笼络天下众多蠢笨的人不是很像狙公用智慧笼络众多的猴子吗？在名实均不受损的情况下，可以使它们恼怒，也可以使它们高兴！

纪渻①子为周宣王养斗鸡，十日而问："鸡可斗已乎？"曰："未也，方虚骄而恃气②。"十日又问。曰："未也，犹应影响③。"十日又问。曰："未也，犹疾视而盛气④。"十日又问。曰："几矣。鸡虽有鸣者，已无变矣。望之似木鸡矣⑤，其德全矣。异鸡无敢应者，反走耳。"

[注释]

①纪渻（shěng）子：为寓言中的善养斗鸡者。②虚骄而恃气：未见敌而思斗，言守气功夫未至，气方在外，尚没有入内。③犹应影响：闻响而应，见影而动。言守气功夫依然尚浅，则心犹为外物所移，似见敌而犹斗。④犹疾视而盛气：即见敌而敢斗。言守气功夫有大进，气已经由外入内。⑤望之似木鸡矣：守气功夫已经达到了顶点，神气俱全，则虽见敌而不斗，借斗鸡之情态喻守气之功夫。守气功夫如此，别的斗鸡望而生畏，无敢与之斗者。这就叫做不战而胜。

[译文]

纪渻子为周宣王驯养斗鸡。十天之后，周宣王派人询问说："怎么样？可以和别的鸡斗了吗？"纪渻子回答说："不行，守气的功夫刚开始练，现在气还没有入内，虚骄而恃气，浮躁得很。"又过了十天，周宣王派人又问："怎么样？可以和别的鸡斗了吗？"纪渻子回答说："不行，守气功夫尚浅，闻响而应，见影而动，内心不稳定，容易为外物所移。"又过了十天，周宣王派人再问："怎么样？可以和别的鸡斗了吗？"纪渻子回答说："不行，守气功夫虽有大进，见敌而敢斗，但依然没有进入虚静的境界，常常怒目而视，带有一副盛气凌人的样子！"又过了十天，周宣王再派人问："怎么样？可以和别的鸡斗了吗？"纪渻子回答说："差不多了，现在它听到别的鸡鸣叫而不为所动,看起来像是一只用木头做成的鸡,精神专注、凝聚,守气的功夫已经达到了顶点,神气俱全,虽见敌而不斗,别的鸡看见它就害怕,一般都是回头就逃,哪只鸡还敢应战,跟它斗架呢?"

惠盎见宋康王。康王蹀足①謦欬②,疾言曰:"寡人之所说者,勇有力也,不说为仁义者也。客将何以教寡人?"惠盎对曰:"臣有道于此,使人虽勇刺之不入,虽有力击之弗中。大王独无意邪?"宋王曰:"善!此寡人之所欲闻也。"惠盎曰:"夫刺之不入,击之不中,此犹辱也。臣有道于此,使人虽有勇弗敢刺,虽有力弗敢击。夫弗敢,非无其志也。臣有道于此,使人本无其志也。夫无其志也,未有爱利之心也。臣有道于此,使天下丈夫、女子莫不驩③然皆欲爱利之。此其贤于勇有力也,处四累之上也。大王独无意邪?"宋王曰:"此寡人之所欲得也。"惠盎对曰:"孔、墨是已!孔丘、墨翟无地而为君,无官而为长;天下丈夫、女子莫不延颈举踵④,而愿安利之。今大王万乘之主也,诚有其志,则四竟之内皆得其利矣,其贤于孔墨也远矣。"宋王无以应。惠盎趋而出。宋王谓左右曰:"辩矣,客之以说服寡人也。"

[注释]

①蹀(dié)足:顿足,跺脚。②謦欬(qǐng kài):轻欬,轻轻地咳嗽。③驩:同"欢"。④延颈举踵:乃伸着脖子,提起脚跟。形容百姓急切期盼的姿态和样子。

[译文]

惠盎谒见宋康王。宋康王表现出一副不耐烦的样子,一边顿足,一边轻轻地咳嗽着说:"我喜欢的是勇敢和力量,不喜欢那些张口仁义、闭口道德的人,先生今天将用什么教导我呢?"惠盎回答说:"我有一种道术,能使勇敢的人用刀刺你却刺不进,力气再大的人袭击你却不中目标,大王难道不愿意知道吗?"宋王说:"好!很愿意听您讲其中的知识。"惠盎曰:"刺之不入,击之不中,这种道术虽然不错,但对自己的名声来说仍是玷污,我还有比这更为高明的道术,使人虽勇敢而不敢对你行刺,虽有力而不敢对你袭击。说不敢,这还不是最好的。不敢只是他们的行为,而伤害你的心还是存在的。我还有一种道术,不仅能使想害你的人没有害你的心,而且能使他们亲近你、爱护你,每天都想干一些对大王有利的事情。这种道术,大王您以为不比勇敢和力气还要好得多吗?您高处君位,当然在卿、大夫、士和一切民众之上,受到天下丈夫、女子的爱戴和保护,大王您心中真的不想这样吗?"宋王说:"这正是我想要得到的东西呀!"惠盎回答说:"孔子和墨翟就是这样的人。他们两个没有土地却为天下君王,在朝廷没有职务却为官长,天下的丈夫、女子一个个都伸着脖子、踮着脚跟仰望着他们,准备随时维护他们的安全和利益。大王现在是万乘大国的君主,如果真有这种想法,那么将会给境内民众带来利益。这样您的品德就比孔丘、墨翟高尚多了。"宋康王没有吱声,惠盎快步退出。宋康王对左右侍臣说:"果真是一位辩士呀!他已经把我说服了!"

卷 三

周穆王第三①

周穆王时，西极之国有化人来②，入水火，贯金石；反山川，移城邑；乘虚不坠，触实不硋③。千变万化，不可穷极。既已变物之形，又且易人之虑④。穆王敬之若神，事之若君。推路寝⑤以居之，引三牲⑥以进之，选女乐以娱之。化人以为王之宫室卑陋而不可处，王之厨馔腥蝼而不可飨，王之嫔御膻恶而不可亲，穆王乃为之改筑。土木之功，赭垩⑦之色，无遗巧焉。五府为虚，而台始成。其高千仞，临终南之上，号曰中天之台。简郑、卫之处子娥媌⑧靡曼者，施芳泽，正蛾眉，设笄珥⑨，衣阿锡⑩，曳齐纨⑪，粉白黛黑，佩玉环，杂芷若⑫以满之，奏《承云》、《六莹》、《九韶》、《晨露》以乐之⑬。日月献玉衣，旦旦荐玉食。化人犹不舍然，不得已而临之。

居亡几何，谒王同游。王执化人之祛⑭，腾而上者，中天乃止，暨及化人之宫。化人之宫构以金银，络以珠玉；出云雨之上而不知下之据，望之若屯云焉。耳目所观听，鼻口所纳尝，皆非人间之有。王实以为清都、紫微、钧天、广乐,帝之所居。王俯而视之,其宫榭若累块积苏焉。王自以居数十年不思其国也。化人复谒王同游,所及之处,仰不见日月,俯不见河海。光影所照,王目眩不能得视;音响所来,王耳乱不能得听。百骸六藏,悸而不凝。意迷精丧,请化人求还。化人移之,王若硕虚焉。

既寤,所坐犹向者之处,侍御犹向者之人。视其前,则酒未清,肴未昲[15]。王问所从来。左右曰:"王默存耳。"由此穆王自失者三月而复。更问化人。化人曰:"吾与王神游也,形奚动哉?且曩之所居,奚异王之宫?曩之所游,奚异王之圃?王闲恒有,疑暂亡。变化之极,徐疾之间,可尽模哉?"

王大悦。不恤国事,不乐臣妾,肆意远游。命驾八骏之乘,右服䠯骝而左绿耳[16],右骖赤骥而左白㸙[17],主车则造父为御,离䪽为右[18];次车之乘,右服渠黄而左逾轮,左骖盗骊而右山子,柏夭主车,参百为御,奔戎为右。驰驱千里,至于巨蒐氏之国[19]。巨蒐氏乃献白鹄之血以饮王,具牛马之湩[20]以洗王之足,及二乘之人。已饮而行,遂宿于昆仑之阿,赤水之阳。别日升昆仑之丘,以观黄帝之宫,而封之以诒[21]后世。遂宾于西王母,觞于瑶池之上。西王母为王谣,王和之,其辞哀焉。乃观日之所入,一日行万里。王乃叹曰:"於乎!予一人不盈于德而谐于乐,后世其追数吾过乎!"穆王几神人哉!能穷当身之乐,犹百年乃徂,世以为登假焉。

[注释]

①周穆王:昭王之子,名姬满。此篇重点提出了"秉生受有谓之形,俛仰变异谓之化。神之所交谓之梦,形炎所接谓之觉"。这"形、化、梦、觉"四个概念,分别对人的形体的存在形式、物质的变换形态、精神与外物的交感、身体与外物的接触四个方面加以阐释,观点是唯物的,也很有说服力。②西极:西方的极远处,古指西域一些传说中的国家。化人:通晓幻化之术的

人。③硋（ài）：阻隔，障碍。④虑：人的思想感情。⑤路寝：王宫中最好的房子。⑥三牲：一般指牛、羊、豕，道家指鹿、麂、麋。⑦赭垩（zhě è）：赤褐色和土白色。⑧娥媌（miáo）：美好而轻盈者，关中、关东分别称娥或媌。⑨笄（jī）：古代束发用的簪子。珥：指珠子或玉石做的耳环。⑩阿锡：东阿县产的细布。⑪曳：拖，牵引。齐纨：齐国产的细布。⑫芷若：香草名，即白芷和杜若。⑬六莹：同《承云》、《九韶》、《晨露》分别为古代的乐曲名。《承云》为黄帝乐，《六莹》为帝喾乐，《九韶》为舜乐，《晨露》为汤乐。⑭祛（qū）：衣裳袖子。⑮昲（fèi）：干。⑯服：一车驾四马，中间的两匹叫服。䯄（huá）：“骅”字的古写。䯄骝，即骅骝，指赤色的骏马。绿耳：马名。⑰骖（cān）：古代指驾在车两旁的马，与服相对。白㸰（yì）：亦是马名。⑱离朙（tài bǐng）：同造父一样的古代善驾车者。⑲巨蒐（sōu）氏：国名。⑳渾（dòng）：乳汁。㉑诒（yí）：传留，遗留。

[译文]

周穆王时候，西域有一个精通幻术的人来到国都，跳进水火不受伤害，穿越金属、石壁不受阻隔，能够改变高山河流，挪动城邑；在空中行走而不会坠落，碰到墙壁而通行无阻。千变万化，项目极多，数也数不清楚。不仅能改变实物的形状，而且还能改变人的精神意识和思想感情。穆王像对待神灵那样对待他，像侍奉神灵那样侍奉他。让他住最高级的房子，吃最好的食物，选最漂亮的女乐使他开心。而化人对穆王的接待并不感到满意，觉得穆王的房屋低矮简陋，不可居住；御厨的饭菜又腥又臭，不能下咽；嫔妃们膻味扑鼻，不可靠近。为了让化人高兴，穆王给他改建宾馆，其间土木施工的技术，红白颜色的搭配，都精巧到了极点。直到把国库的钱花空，新的楼台才得以建成。其高千仞，坐落在终南山之上，取名中天台。挑选郑国、卫国最美丽最温柔的少女，涂以最香的脂粉，蚕蛾一样的眉毛描画得浓淡相宜，穿着阿锡、齐纨这些丝绢绸缎做成的衣服，戴着最豪华的用金银珠玉做成的首饰，佩戴着最高贵的玉环，粉白黛黑，五彩缤纷，伴随着各种芷若之类的香花，应和着黄帝、尧、舜、商汤时代的《承云》、《六莹》、《九韶》、《晨露》等乐曲节奏跳舞唱歌。为了使化人高兴，穆王时时供应他们最好的衣服，天天供应最贵重的食物。就这样，化人还是郁郁不乐，好像住在这里是迫不得已似的。

又过了几天，化人邀请穆王一起出游。穆王拉着化人的衣袖，腾空而上，直到天上才停下。穆王眺望化人的官殿全用金银构筑，周围镶以珍珠和玉石，处在云彩和雨露之上，不知它的下面用什么东西支撑。望之，如屯住的彩色云团一样。耳中听到的、眼睛看到的、鼻子闻到的、嘴里尝到的，全都是人间所没有的。穆王以为这里是清都，是紫微，或者是钧天，是广乐，是天帝居住的地方。穆王俯身浏览，这里的宫殿楼阁像是用石头和木柴堆积起来的，穆王深深爱慕，自以为住上几十年也不会思念自己的国家。化人又请穆王到别的地方游玩，所到之处，上看不见日月，下看不见河流和海洋。光影照射，两目昏眩；音响阵阵，两耳轰鸣。什么也看不见，听不到，只觉浑身发抖，骨节六脏战栗不止。丧魂落魄，不知所以。于是，穆王请求返回。化人同意，并移动他的身躯，穆王感到像从空中殒落似的，又回到自己的宫殿里。

穆王醒来，发现自己所坐的地方，还是以前坐过的地方；侍奉自己的人，还是从前的那些人。再看一下面前，以前摆在桌上的酒还没有喝完，饭菜还没有发凉。穆王问他们是从什么地方来到这里的，大家说："君王什么地方也没有去，只是在这里睡着一会儿而已。"从此之后，穆王神智不清，三个月之后，才恢复过来。再问化人，化人回答说："我同您一块儿游历，只是精神上的游历，您的形体是不曾移动过的。再说，您刚才所见的天上宫殿，跟您自己的宫殿有什么不同？您所游赏的天上的景物，同您自己的花园景物有什么区别？这些本来都属您所有，你只是暂时把它忘记了。万事万物的变化错综复杂，这么短的时间内，能够全部表演出来吗？"

穆王听了，非常高兴。从此以后不再过问朝政，不再与嫔妃接近，想到哪里去游赏，就到哪里去。命人驾着套有八匹骏马的大车，右边是骅骝，左边是绿耳。右边的叫赤骥，而左边的叫白䗩，穆王坐在主车上，由造父驾驶，离窩在右边协助。随从车辆，右边中间两匹叫渠黄，左边中间的两匹叫逾轮，左边两旁的叫盗骊，右边的叫山子。柏夭坐在主车位上，由参百驾驶，奔戎在右边协助。驰驱千里，来到巨蒐氏之国。巨蒐氏则献上白天鹅的血液给大王饮用，备好牛马的奶汁用来给大王洗脚，主车和副车里的人都受到了这种礼遇。吃喝完后，又往前走，晚上住在昆仑山的山凹里，赤水河的北边。次日登上昆仑山巅，观赏黄帝的宫室，而且在这里堆起土石，作为后人纪念的标志。接着在西王母处做客，在瑶池上畅饮。西王母为穆王吟诵歌谣，穆王应和，辞调哀婉。看着日头落下，这一天共走了一万多里。穆王叹口气说："哎哟，我这个人道德不算高尚，却每天都追求享乐，后人将追究我的过失呀！"穆王同神仙差不多了呀！一生中乐意游赏的地方全都游遍了。活了一百多岁才去世，人们还以为他去成仙了呢！

老成子①学幻于尹文先生，三年不告。老成子请其过而求退。尹文先生揖而进之于室，屏左右而与之言曰："昔老聃之徂②西也，顾而告予曰：有生之气，有形之状，尽幻也。造化之所始，阴阳之所变者，谓之生，谓之死。穷数达变，因形移易者，谓之化，谓之幻。造物者其巧妙，其功深，固难穷难终。因形者，其巧显；其功浅，故随起随灭，知幻化之不异生死也，始可与学幻矣。吾与汝亦幻也，奚须学哉？"老成子归，用尹文先生之言，深思三月，遂能存亡自在，幡③校四时；冬起雷，夏造冰。飞者走，走者飞。终身不著其术，故世莫传焉。子列子曰："善为化者，其道密庸④，其功同人。五帝之德，三王之功，未必尽智勇之力，或由化而成。孰测之哉？"

[注释]

①老成子：寓言中人物。②徂（cú）：往，到。③憣（fān）：通"翻"。④密庸：秘密地、悄悄地使用。庸，通"用"。

[译文]

老成子向尹文先生学习幻术，已经学了三年，而尹文先生并不向他传授。老成子请老师指出他的过错，并提出辞学请求。尹文先生向老成子致意，屏退旁边的人，对他说："以前老聃西去时回头告诉我说，凡是有生机就有气息，有气息就有形体、有生命，这些东西全是虚幻。天地自然之开始、阴阳两极的变化就称之为生，称之为死；气数的穷尽，实现变化，随着外形而变换的，就称之为化，称之为幻。天地自我的深微奥妙，它的功力深远，原本就难以追究，难以穷尽。依靠形状变化的，它的巧妙外露，功力浅薄，所以一出现就消失。知道幻化与生死并没有什么根本不同，学习幻化之术才可以开始。我和你都处于幻化之中，何必还要学习幻化呢？"老成子回家后，对尹文先生讲的话深深思考了三个月。于是他学会了自由掌握存亡规律，能够改变一年四季春夏秋冬的运转程序，冬天可以听到雷声；夏天可以造出冰雪；只能飞的，可以让它跑；只能跑的，可以让它飞。老成子一辈子不向人传授他的幻术，所以他的幻术至今不为人知。列子说："善于幻化的人，他的'道'总是在潜在地起作用，功夫很深却又显得与一般人相同。五帝的美德、三王的功业并不一定都是尽了智慧之能和勇敢之力而成就的，也可能是因为幻化而成就的。谁能探索出其中的根本原因是什么呢？"

觉有八征①，梦有六候②。奚谓八征？一曰故，二曰为，三曰得，四曰丧，五曰哀，六曰乐，七曰生，八曰死。此者八征，形所接也。奚谓六候？一曰正梦，二曰蘁③梦，三曰思梦，四曰寤梦，五曰喜梦，六曰惧梦。此六者，神所交也。不识感变之所起者，事至则惑其所由然。识感变之所起者，事至则知其所由然。知其所由然，则无所怛。一体之盈虚消息，皆通于天地，应于物类。故阴气壮，则梦涉大水而恐惧；阳气壮，则梦涉大火而燔焫④；阴阳俱壮，则梦生杀。甚饱则梦与，甚饥则梦取。是以以浮虚为疾者，则梦扬；以沉实为疾者，则梦溺。藉带而寝则梦蛇；飞鸟衔发则梦飞。将阴梦火，将疾梦食。饮酒者忧，歌舞者哭。子列子曰："神遇为梦，形接为事。故昼想夜梦，神形所遇。故神凝者想梦自消。信觉不语，信梦不达，物化之往来者也。古之真人⑤其觉自忘，其寝不梦，几虚语哉？"

[注释]

①觉：睡醒时候。征：征兆，先兆。②候：情况，征候。③噩（è）：同"噩"，坏消息，可怕，凶恶惊人。④燔焫（fán ruò）：离火太近，感到灼热、炙烤。⑤真人：得道成仙的人。

[译文]

人睡醒后有八种征兆，睡着做梦有六种征候。八种征兆都有哪些？一是继续做没有做完的事情。二是没有做而开始做的事情。三是做事已经有了明显的效果。四是做了没有成功，并且已经造成了损失。五是表现出了哀伤的感情。六是表现出了高兴和快乐。七是生命力旺盛。八是遇到危险或死亡。这八种征兆都是自己的形体同外物直接感性接触的结果。做梦的六种征候是哪些？一是为正常生活而做梦。二是为受惊吓而做梦。三是为深切思念而做梦。四是醒来后为梦境而做梦。五是为高兴和快乐而做梦。六是为恐怖和畏惧而做梦。这六种梦候是人的精神同外物直接感性接触的结果。不理解人的交感变化怎么产生，一旦事情触发，就弄不清事情发生的原因。如果理解交感变化怎样产生，一旦事情触发，便明白它产生的原因，这样也就无所惊疑了。不同人的体质或同一个人的体质在不同的时间,它的强健、充实与虚弱、亏损是不相同的。而且它的每种变化都和天地相互沟通,和大自然相互应和。所以阴气盛的人,便可能梦到涉足大水而恐惧;阳气盛的人,便可能梦见大火而害怕;阴气和阳气均盛的人,便可能梦到打架或者砍杀。过饱,就会做送给别人东西的梦;挨饿,就会梦到夺取别人东西。因疾病虚弱而上愁的,会梦到自己腾飞天空;因疾病沉实而上愁的,会梦到形体下沉水里。枕着衣带睡觉就梦见蛇,飞鸟衔着头发就梦见飞。天气将要变冷梦见火,人将生病梦见吃。喝酒的人梦中忧愁,跳舞唱歌的人梦中哭泣。列子说:"人的精神与外界客观事物相接触产生梦,形体与外界事物相接触而产生觉。因此,一个人白天有什么想法,夜里就会出现相应的梦。因此,精神能够高度集中的人,即做到神凝,那么想梦就会自消,一切梦境都不会继续存在。因此,对于清醒的人不需要多说什么,真正的梦境无法处于其中。这是人与天地自然相互交感、相互作用而产生的一种必然性,主观上是避免不了的。古代得道的真人,醒来时连自己都忘记,睡觉时不会做梦,难道这是说的假话吗?"

西极之南隅有国焉,不知境界之所接,名古莽之国①。阴阳之气所不交,故寒暑亡辨;日月之光所不照,故昼夜亡辨。其民不食不衣,而多眠。五旬一觉,以梦中所为者实,觉之所见者妄。四海之齐②,谓中央之国,跨河南北,越岱东西,万有余里。其阴阳之审度,故一寒一暑;昏明之分察,故一昼一夜。其民有智有愚。万物滋殖,才艺多方。有君臣相临,礼法相持。其所云为,不可称计。一觉一寐,以为觉之所为者实,梦之所见者妄。

东极之北隅有国,曰阜落之国③。其土气常燠④,日月余光之照其土,不生嘉苗,其民食草根木实,不知火食。性刚悍,强弱相藉，贵胜而不尚义；多驰步，少休息，常觉而不眠。

[注释]

①古莽：古国名。②齐："四海之齐"的齐，乃指齐州。《尔雅·释地》："齐州以南，戴日为丹穴。"疏："齐，中也。中州，犹言中国也。"可见齐可以解释为"中"。③阜落：国名，与部落音近。④燠（yù）：热，暖。

[译文]

极远的西南方有一个国家，不知道它的领土有多大，也不知道它和哪个国家为邻，名字叫做古莽之国。在这个国家里阴阳二气不相交接，一年没有四季，冷、热无法区分。又因日月的光芒无法照射，因此既没有白天也没有黑夜。这里的民众既不吃饭，也不穿衣，整天爱好睡觉，五十天醒一次，把梦中的所作所为当成实际存在，把醒后看到的东西当成虚妄。在四海之中，有个大国，即中央大国，地域跨过黄河南北、泰山东西，方圆有一万多里。这里阴阳二气交汇，节气分明，四季有冷有热，白天、黑夜分得清清楚楚。民众有聪明，有愚蠢。万物不断繁殖滋生，人们多才多艺，发展生产的办法很多。社会组织严密，有君王、大臣进行管理，用礼法、伦理来维持人们的关系。晚上睡觉，白天劳作，把醒着时候的所作所为当成实际存在，把梦中所见所为当成虚妄。

最远的东北方也有个国家，叫阜落之国。那里气候燥热，日月的光芒只能照到很少的地方，地里不生长庄稼。民众吃草根果实，不知道用火烧煮食物。性情粗野剽悍，以强凌弱乃其习俗，向来主张以力胜人，从不讲什么道德仁义。平时多在不停地奔走，很少休息、睡眠。

周①之尹氏大治产，其下趣役者侵晨昏而弗息②。有老役夫筋力竭矣，而使之弥勤③。昼则呻呼而即事，夜则昏惫而熟寐。精神荒散，昔昔④梦为国君。居人民之上，总一国之事。游燕宫观⑤，恣⑥意所欲，其乐无比。觉则复役。人有慰喻其懃⑦者，役夫曰："人生百年，昼夜各分。吾昼为仆虏，苦则苦矣；夜为人君，其乐无比。何所怨哉？"尹氏心营世事，虑钟家业⑧，心形俱疲，夜亦昏惫而寐。昔昔梦为人仆，趋走作役，无不为也；数骂杖挞，无不至也。眠中㘈吪⑨，呻呼，彻旦息焉。尹氏病之，以访其友。友曰："若位足荣身，资财有余，胜人远矣。夜梦为仆，苦逸之复，数之常也。若欲觉梦兼之，岂可得邪？"尹氏闻其友言，宽其役夫之程，减己思虑之事，疾并少间。

[注释]

①周：周国。②趣役者：来到尹氏家服役的人，指役夫。侵：接近。侵晨昏：从早到晚。③弥勤：更加劳苦。④昔昔：夜夜，每天晚上。⑤燕：通"宴"。⑥恣（zì）：放纵，没有约束。⑦懃（qín）：同"勤"，勤苦。⑧虑钟：思想都集聚在治理家产方面。钟；聚。⑨㘈（án）吪：梦中说话的声音。

[译文]

周国有一个姓尹的人，非常重视治理家业，为他服役的人从早到晚不得休息。其中，有一个老者每天都是筋疲力尽，但主人役使他却更加辛苦。他常常白天一边干活一边呻吟，夜里疲劳不堪，倒在床上立即入睡。由于精神恍惚，夜夜梦见自己当了国君，处在亿万民众之上，总理一国政事。游览官苑风景，享用山珍海味，为所欲为，其乐无比。醒后又照样做仆役。有人想对他的勤苦生活进行慰喻，这位老人说："人生百年，白天和黑夜是各占一半的。我白天做苦工，累是很累的，然而我夜里当国君，我的快乐是没有人能比得上的，我还有什么可埋怨的呢？"尹氏把自己的心思全都用在治理家产方面，一天到晚忙得要死，身心疲惫。夜夜梦里给别人当奴仆，每天都跑着干各种脏活、累活，然而叫骂声却时时入耳，鞭子却时时抽到自己身上，所有给别人做苦工的滋味没有一样没尝过的。常常在呻吟中说梦话，不到天亮不会止息。尹氏感到忧虑，特地去找自己的朋友咨询。朋友告诉他说："你的地位足以使你感到荣耀，你的资财足以使你满足，你已经远远地超过了别人，你为什么还要苦苦追求呢？至于你在梦中给别人当仆人，那是痛苦和逸乐的往复循环、相互转化，是上天设定的规律，谁能改变得了呢？你想在醒时和梦间都得到逸乐，那是根本不可能的！"尹氏听了友人的话，心里明白了许多。回去之后，立即减轻了役夫们的劳动强度，对家业也不再像以前那样苦苦思虑，他的夜梦症也随之一天天地消逝。

郑人有薪于野者，遇骇鹿，御①而击之，毙之。恐人见之也，遽而藏诸隍②中，覆之以蕉，不胜其喜。俄而遗其所藏之处，遂以为梦焉。顺途而咏其事。傍人有闻者，用其言而取之。既归，告其室人曰："向薪者梦得鹿而不知其处；吾今得之，彼直真梦者矣。"室人曰："若将是梦见薪者之得鹿邪？讵③有薪者邪？今真得鹿，是若之梦真邪？"夫曰："吾据得鹿，何用知彼梦我梦邪？"薪者之归，不厌④失鹿，其夜真梦藏之之处，又梦得之之主。爽旦，案所梦而寻得之。遂讼而争之，归之士师。士师曰："若初真得鹿，妄谓之梦；真梦得鹿，妄谓之实。彼真取若鹿，而与若争鹿。室人又谓梦认人鹿，无人得鹿。今据有此鹿，请二分之。"以闻郑君。郑君曰："嘻！士师将复梦分人鹿乎？"访之国相。国相曰："梦与不梦，臣所不能辨也。欲辨觉梦，唯黄帝、孔丘。今亡黄帝、孔丘，孰辨之哉？且恂⑤士师之言可也。"

[注释]

①御：此处有"迎"、"迎面"之义。②藏诸隍：即藏之于隍。隍，没有水的沟。③讵（jù）：同"岂"。④不厌：不安心或不甘心等。⑤恂（xún）：恭敬，尊重。

[译文]

　　有个郑国人在山上打柴,遇到一只受了惊吓的鹿跑了过来。他迎上去打,把鹿打死。怕别人发现,于是匆忙把它埋在一条没有水的土沟中,用芭蕉叶盖好,心里高兴极了。过了一会儿,他竟然把埋鹿的地方忘得一干二净,以为埋鹿是梦中的事儿。路上一边走,一边念叨,被走得离他近的人听见了,按照他路上自言自语说的地址,结果真的找到了这只鹿,于是把它带回家去,并告诉自己的妻子说:"刚才一个打柴的人梦到自己得到一只鹿,可是他忘了放鹿的地方,现在我得到了这只鹿,可见这个打柴的所做的梦是真的!"他的妻子说:"你是梦到打柴人得到一只鹿,这个打柴的人果真存在吗!现在你真正得到了鹿,说明你的梦才是真的。"丈夫说:"只要能得到鹿,还有什么必要知道他的梦真,还是我的梦真呢?"打柴的回到家里以后,总为失了鹿而不甘心。当天夜里果然又做了一个梦,不仅梦到了他埋鹿的地方,而且梦到了得鹿的人以及他的家庭住址。第二天,就照梦中所得前去寻找,果然如此。于是二人告到官府,要法官判定鹿该归谁所有。法官说:"如果你当时真的得到了鹿,那么你的梦就是虚妄;如果说你真正是梦中得鹿,那么得鹿的事实则是虚妄。无论前者或是后者均不能成立。他确实取走了你的鹿,而你却同他争要这只鹿,他妻子又说是梦里认出人和鹿,这说明并没有谁得到鹿。现在此地留下这鹿,只有请你们各取一半。"这件事报告给郑国国君后,郑国国君说:"嘻!法官可能又在梦里给别人分鹿吧?"去询访国相,国相说:"做梦不做梦,不是我所能辨别清楚的。世界上能把觉、梦问题辨别清楚的,只有黄帝、孔丘二人而已。现在他们二人早已不在人世,谁还能辨别清楚呢?暂且按法官的裁定去执行吧!"

　　宋阳里华子中年病忘①,朝取而夕忘,夕与而朝忘。在途则忘行，在室而忘坐。今不识先，后不识今②。阖室毒之③。谒史而卜之，弗占；谒巫而祷之，弗禁；谒医而攻之，弗已④。

鲁有儒生自媒⑤能治之，华子之妻子以居产之半请其方。儒生曰："此固非封兆⑥之所占，非祈请之所祷，非药石之所攻。吾试化其心，变其虑，庶几其瘳乎！"于是试露之，而求衣；饥之，而求食；幽之，而求明。儒生欣然告其子曰："疾可已也。然吾之方密，传世不以告人。试屏左右，独与居室七日。"从之。莫知其所施为也，而积年之疾，一朝都除。

华子既寤⑦，乃大怒，黜⑧妻罚子，操戈逐儒生。宋人执而问其以⑨。华子曰："曩吾忘也，荡荡然不觉天地之有无。今顿识既往，数十年来存亡得失、哀乐好恶，扰扰万绪起矣。吾恐将来之存亡得失、哀乐好恶之乱吾心如此也，须臾之忘，可复得乎？"

子贡闻而怪之，以告孔子。孔子曰："此非汝所及乎！"顾谓颜回纪之。

[注释]

①宋：国名，战国时在豫东商丘一带。阳里：宋国地名。华子：人名。病忘：即患上一种忘记的病，病为动词，即得病。②今不识先：该句属于错简，今不识先，后不识今应为"不识先后，不识今古"。③阖（hé）室：全家。毒之：即以之为毒，指华子这种病给全家人带来麻烦和痛苦。④谒：请，拜见，进见。以下谒请的对象史、巫，皆是求神、占卜、算卦的先生。句中的"弗已"，即请医生用药治亦治不好。⑤自媒：自己推荐自己。⑥封兆：应为"卦兆"。⑦寤（wù）：同"悟"，清醒。⑧黜（chù）：罢黜，此处有责罚之意。⑨以：原因，缘由。

[译文]

宋国阳里这个地方有一个名叫华子的人，中年时候患了健忘症。早晨拿走的东西，晚上就忘；晚上给他的东西，早晨就忘。在路上忘了走路,在屋里忘了坐下。遇事辨别不出哪一个是先,哪一件是后,哪一件发生在现代,哪一件发生在古代。全家为之上愁,操劳。请来会算的给他占卜,卦不灵验;请来通神的为他祈祷,也不起作用;请来医术高明的给他诊治,病仍不愈。

鲁国有个儒医自荐能把他的病治好,华子的妻子、儿子用家里财产的一半作抵押,请求购买这位医生的处方。协议达成后,这位医生说:"这种病蓍草、龟甲不能占,天地神鬼不能祷,药物针砭不能治。我试用心理疗法,改变一下他的感情,变化一下他的思虑,也许可以医治。"医生脱去他的衣服,他知道找衣服穿;医生故意饿他,他知道找东西吃;把他关进黑暗的屋子里,他知道寻找亮光。医生高兴地告诉他的儿子说:"你父亲的病可以治好。然而我的处方绝对保密。我只管给你父亲治病,不允许任何人知道。现在,请你把屋里的人全都请出去,我一个人同他在这里,时间需要七日。"华子家里人同意了医生的意见。没有一个人知道这位医生使用的药物和采取的措施,华子害了好多年的怪病,几天竟然治好了。

华子醒过来后,大发脾气,赶走妻子,处罚儿子,举着戈矛追赶医生。华子的邻居们把华子捆了,询问其中的原因,华子这才解释说:"以前我有健忘症,脑子里空荡荡的,连天地的有无都不知道。现在,突然恢复了以往的记忆,数十年的存亡得失、喜怒哀乐等无数的人间烦恼,又会在我心里千头万绪地缠绕起来。不仅如此,我更怕今后数十年的存亡得失、喜怒哀乐又会更加残酷地折磨我的心。以前,我那种瞬息忘掉人生苦恼的能力,还能恢复过来吗?"

子贡听说后,感到奇怪,告诉孔子。孔子说:"这件事你是理解不了的!"回头示意颜回做了详细记录。

秦人逢①氏有子，少而惠，及壮而有迷罔之疾②。闻歌以为哭，视白以为黑，飨香以为朽③，尝甘以为苦，行非以为是：意之所之，天地、四方、水火、寒暑，无不倒错者焉。

杨氏告其父曰："鲁之君子多术艺，将能已乎？汝奚不访焉？"

其父之鲁，过陈，遇老聃，因告其子之证④。老聃曰："汝庸知汝子之迷乎？今天下之人皆惑于是非，昏于利害。同疾者多，固莫有觉者。且一身之迷不足倾一家⑤，一家之迷不足倾一乡，一乡之迷不足倾一国，一国之迷不足倾天下。天下尽迷，孰倾之哉？向使天下之人其心尽如汝子，汝则反迷矣。哀乐、声色、臭味、是非，孰能正之？且吾之言未必非迷，而况鲁之君子，迷之邮⑥者，焉能解人之迷哉？荣汝之粮⑦，不若遄⑧归也。"

[注释]

①逢（páng）：姓。②迷罔之疾：一种精神错乱、神经失常的疾病。③飨：指请人享受。专指以酒食款待客人。朽，通"臭"。④证：通"症"。⑤倾：本义是偏侧、歪斜、倒塌。此处有匡扶正邪的含义。⑥邮：通"尤"，尤其。⑦荣：集成本张湛注为"弃"也是通顺的。在李耳看来在天下尽迷之时，去医治儿子的迷罔，连什么是迷罔都搞不清楚，还治什么呢？不要浪费干粮，赶快回家去吧！⑧遄（chuán）：快，迅速，赶快。

[译文]

秦人逢氏的儿子，小时候非常聪明，长大后得了一种迷罔病。听唱歌以为哭，见白色以为黑，吃香的觉得臭，喝甜的以为苦，做错事以为对。凡是他能想到的地方，如天上地下、四面八方、水火五行、寒暑四季，没有一样不是错乱颠倒的。

一个姓杨的朋友告诉他的父亲说："鲁国人多才多艺，其中一定有不少医术高明的医生也许能治好你儿子的病，怎么不去访求一下呢?"

他的父亲到鲁国去,途经陈国,碰到了老子李耳,闲谈中把儿子的病告诉了他。李耳听了以后说:"只是他的看法跟别人不一样,你怎么能说是你儿子迷罔呢?现在,天下的人都对是非感到迷惑,被利害弄得晕头转向。天下患这种病的人到处都是,实际上真正清醒的人是找不到的。一个人迷罔,不足以影响一家;一家人迷罔,不足以影响一乡;一乡人迷罔,不足以影响一国;一国人迷罔,不足以影响整个天下。如果天下人全都迷罔,那么将由谁指出不迷罔的道路呢?假如当初天下人的心意都像你儿子那样,那么你不是反而成了迷罔症患者了吗?哀乐、声色、味道、是非谁能够分辨清楚呢?而且我说的这些话就未必不是迷罔,何况鲁国那些君子,更是迷罔中最迷罔的人,他们哪里会医治别人的迷罔呢?带上你的干粮,赶快回家去吧!"

燕人生于燕,长于楚,及老而还本国。过晋国,同行者诳之,指城曰:"此燕国之城。"其人愀①然变容。指社②曰:"此若里之社。"乃喟然而叹。指舍曰:"此若先人之庐。"乃涓③然而泣。指垅④曰:"此若先人之冢。"其人哭不自禁。同行者哑然大笑,曰:"予昔绐⑤若,此晋国耳。"其人大惭。及至燕,真见燕国之城社,真见先人之庐冢,悲心更微。

[注释]

①愀(qiǎo)然:脸色迅速改变的样子。②社:古代乡村的一种祭祀组织,以血缘关系为基础的基层单位,亦叫乡社、里社,供奉的神灵为土地。③涓:本指细小的水流,此指眼泪慢慢流出的样子。④垅:土埂,此处指坟墓。⑤绐(dài):欺骗。

[译文]

有个燕国人,出生在燕国,在楚国长大,年老时准备回到自己的国家去。走到半路上,他的朋友以为他根本没有回过燕国,不知道燕国是什么样子,路过晋国时给他开玩笑,指着晋国的城邑说:"你看,那就是燕国的城邑!"那人的脸色迅速改变,变成一副肃然起敬的样子。指着土地神的庙宇说:"你看,那就是你们的乡社!"那人喟然兴叹的表情,溢于颜面。指着村落的房屋说:"你看,那就是你先人住过的房子。"那人的双眼泪水滚动。指着那隆起的土堆说:"那就是你先人的坟墓。"那人就抑制不住而大哭。同行的朋友感到好笑,于是告诉他说:"我刚才是同你闹着玩的,这里是晋国,燕国还没有到呢!"那人一时惭愧不已!等真正到达燕国,见到了真实的家乡的社庙、城邑,真实的先人住过的房屋和坟墓,他悲伤的感情反倒减轻了许多。

卷 四

仲尼第四①

　　仲尼闲居，子贡入侍，而有忧色。子贡不敢问，出告颜回。颜回援琴而歌。孔子闻之，果召回入问，曰："若奚独乐？"回曰："夫子奚独忧？"孔子曰："先言尔志。"曰："吾昔闻之夫子曰：'乐天知命故不忧。'②回所以乐也。"孔子愀然有间曰："有是言哉？汝之意失矣。此吾昔日之言尔，请以今言为正也。汝徒知乐天知命之无忧，未知乐天知命有忧之大也。今告若其实。修一身，任穷达③，知去来④之非吾，亡变乱于心虑，尔之所谓乐天知命之无忧也。曩吾修《诗》《书》⑤，正礼乐⑥，将以治天下，遗来世，非但修一身治鲁国而已。而鲁之君臣日失其序⑦，仁义益衰，情性亦薄。此道不行一国与当年，其如天下与来世矣？吾始知《诗》《书》礼乐无救于治乱，而未知所以革之之方，此乐天知命者之所忧。虽然，吾得之矣。夫乐而知者，非古人之谓所乐知也。无乐无知，是真乐真知；故无所不乐，无所不知，无所不忧，无所不为。《诗》《书》礼乐，何弃之有？革之何为?"

颜回北面拜手曰:"回亦得之矣。"出告子贡。子贡茫然自失,归家淫思七日,不寝不食,以至骨立⑧。颜回重往喻之,乃反丘门,弦歌诵书,终身不辍。

[注释]

①仲尼:列子用仲尼作为本篇篇名,其用意是明显的。列子准备利用孔子的巨大影响说明认识道、体验道、把握道的重要意义。第一,认识道是不容易的,首先必须做到忘智,然后才能做到自知。也就是说只有消除个人的私情、私欲,做到心灵净化,才能把握道的实质。第二,得到道的基本方法是"寂然玄照",要达到"寂然玄照"就得先做到"体神而独运","忘情而任理"。②乐天知命:即顺乎天命,自得其乐。依据《易·系辞》"乐天知命,故不忧"演变而来。③穷达:概括一个人一生的处境情况。穷,指事业不成功,仕途不顺利,经济不富裕;达,指事业很成功,仕途很顺利,生活很富有。④知去来之非吾:是说一个人的生死自己是当不了家的,完全受自身之外的力量制约。去来,指生死。去,即是离开人世;来,就是来到人世。⑤诗书:指《诗经》和《尚书》。⑥礼乐:这里不指《礼记》和《乐记》这两部典籍,而是指古代等级社会的行为规范和道德规范的礼仪制度。⑦日失其序:即每天都在损坏着这种秩序。序,泛指维护等级制度的秩序和次序等。⑧骨立:就是像骨头架子站立在那里,形容一个人骨瘦如柴的样子。骨,此处用作形容词。

[译文]

孔子在家闲居,子贡前去侍候,发现孔子脸上带着忧愁之色,想去问而不敢,于是走出来告诉颜回。颜回听后,拿起琴就弹了起来,并且大声歌唱。孔子就把颜回找到身边问:"你怎么一个人在此寻找快乐呢?"颜回回答说:"老师,您怎么一个人在发愁呢?"孔子说:"你可以先说说你的想法。"颜回说:"我以前听老师说过,一个人只要懂得乐天知命就不会发愁,所以一个人快乐!"孔子听后,脸色马上发生变化。停了一会儿,他对颜回说:"我说过这样的话吗?你完全理解错了。这句话是我过去说的,请用我现在说的加以订正。你只知道'乐天知命'无忧这一面,不知道'乐天知命'还有忧愁的另一面。现在我把真实的情况告诉你。努力修养自己,一生不以仕途是否得意而悲喜,理解生死非我个人意志所能定,不因此形成思想负担,这就是你刚才所说的'乐天知命故无忧'的道理。以前我整理《诗经》、《尚书》,修正礼乐的目的是想以此治理天下,并把它传给后世,不只是为了修养一个人的品德,而是为了把整个鲁国,甚至整个天下都治理好。现在呢?鲁国君臣表现很差,国家一天比一天乱,仁和义一天比一天衰败,人与人的感情一天比一天淡薄,我的治国理论在现在的鲁国就行不通,它还能对整个天下以及后世发挥什么作用呢?时至今日,我才知道诗书礼乐与世无补,然而对它怎样变革、补充,我现在心里也没有想清楚。这就是我所说的'乐天知命故有忧'的道理。现在我才明白我所说的乐而知,不是古人所说的乐而知。我所说的乐而知,乃是无乐无知。无乐无知,则是真乐真知,可以做到无所不乐,无所不知,无所不忧,无所不为。《诗》、《书》礼乐有什么理由必须修改或者抛弃呢?"

颜回北面再次揖拜说:"我自己也弄明白老师面带忧色的原因了。"很快离开老师出来告诉子贡。子贡听了孔子的议论,茫然若失,不知所措。回家后深思七天,不吃饭,不睡觉,以至瘦得像副骨头架子。以后颜回再次拜访子贡,反复向子贡讲明孔子所说的深刻道理,子贡才回到孔子那里,一天到晚弹琴读书,一点儿不再放松自己。

陈大夫聘鲁①,私见叔孙氏②。叔孙曰:"吾国有圣人。"曰:"非孔丘邪?"曰:"是也。""何以知其圣乎?"叔孙氏曰:"吾常闻之颜回曰:'孔丘能废心而用形。'"③陈大夫曰:"吾国亦有圣人，子弗知乎？"曰："圣人孰谓？"曰："老聃之弟子有亢仓子者，得聃之道，能以耳视而目听④。"鲁侯闻之大惊，使上卿厚礼而致之。

亢仓子应聘而至。鲁侯卑辞请问之。亢仓子曰："传之者妄。我能视听不用耳目，不能易耳目之用。"鲁侯曰："此增异耳。其道奈何！寡人终愿闻之。"亢仓子曰："我体合于心⑤，心合于气⑥，气合于神⑦，神合于无⑧。其有介然之有，唯然之音，虽远在八方之外，近在眉睫之内，来干我者，我必知之。乃不知是我七孔四支之所觉，心腹六脏之所知，其自知而已矣。"鲁侯大悦。他日以告仲尼，仲尼笑而不答。

[注释]

①聘：本意为聘请。此处指古代国与国之间相互交流、访问的一种方式，有邀请或应邀的意思。聘鲁，即受到鲁国邀请或应邀到鲁国访问。②私见：以个人身份会面。叔孙氏：鲁国大夫名，陈大夫的私人朋友。③废心：即舍弃心智而不用。用形：即使用形体。④耳视目听：用耳朵看，用眼睛听。这是对亢仓子能力的误传。⑤体合于心：指形体器官和精神智力相互契合而不违逆。⑥心合于气：心智和阴阳二气相互契合。⑦气合于神：阴阳二气与人的精神相合。⑧神合于无：即精神与虚无相结合。

[译文]

陈大夫应邀到鲁国访问，先以个人身份会见鲁国的叔孙氏。叔孙氏说："我们鲁国出了一位圣人。"陈大夫问："难道不是孔丘吗？"叔孙氏说："是的！"陈大夫又问："根据什么说他是圣人？"叔孙氏回答说："我经常听颜回说他能够废心而用形。"陈大夫说："我们陈国也有圣人，先生还不知道吧？"叔孙氏问："你们国家的圣人是谁呢？"答："老聃的学生亢仓子。他得了老聃的大道，能用耳朵看东西，用眼睛听声音。"鲁国国君听说后很吃惊，派上卿带着贵重的礼物去聘请。

亢仓子到鲁国后，鲁国国君谦虚地向他请教。亢仓子说："传闻有些不实，我不用眼睛能看见东西，不用耳朵能听到声音，并不是说我能用耳朵看见东西，能用眼睛听见声音，眼看耳听的自然功能我是不能改变的。"鲁国国君说："如此说您的功能更加奇异了！您的道术很玄妙，我是很想让您讲给我听听的！"亢仓子说："我的形体和心灵紧密地融合在一起，然后心灵又和元气融合在一起，气再融合于神，神又融合于虚无，这就达到了出神入化的境界。这时只要有一点点有形的东西，或者有一点点细微的声音，只要接触到我，即使远在天涯海角，近在眼皮底下，我全能感知。这种感知不是我的眼睛、耳朵、口鼻和四肢的感觉，也不是心腹六脏之所知，而是我忘智、忘形、忘情、忘欲之后的自知。"鲁侯听了非常高兴。有人告诉孔子，孔子听后只是笑了笑，什么话也没有说。

商太宰①见孔子曰："丘圣者欤？"孔子曰："圣则丘何敢？然则丘博学多识者也。"商太宰曰："三王圣者欤？"孔子曰："三王善任智勇者，圣则丘弗知。"曰："五帝圣者欤？"孔子曰："五帝善任仁义者，圣则丘弗知。"曰："三皇圣者欤？"孔子曰："三皇善任因时②者，圣则丘弗知。"商太宰大骇，曰："然则孰者为圣？"孔子动容有间，曰："西方之人有圣者焉。不治而不乱，不言而自信，不化而自行，荡荡③乎民无能名焉。丘疑其为圣。弗知真为圣欤？真不圣欤？"商太宰嘿④然心计曰："孔丘欺我哉！"

[注释]

①商：此指宋国，因宋国的首都在商丘，故称宋国为商。太宰：官名。殷设此职，西周时主管王室内外事务，有时亦作国君辅佐，参与核心政事。②因时：这里的"时"应包含自然形势和社会形势两个部分。因，含有顺应和利用两层意思。③荡荡：广大，广远。《尚书·洪范》："无偏无党，王道荡荡

荡。"这里的"荡荡"有无处不在、无远不及的意思。④嘿（mò）：同"默"，沉默，不说话。

[译文]

宋国的太宰官见到孔子时，问："孔丘是圣人吗？"孔子回答说："说是圣人孔丘倒不敢当，然而孔丘确实是一个书读得很多，知识非常丰富的人！"太宰又问："那么夏禹、商汤、周文王是圣人吗？"孔子回答说："三王只是善于使用智勇双全的人才，至于够不够圣人的条件，我是不知道的。"太宰继续问："那么黄帝、颛顼、帝喾、唐尧、虞舜是圣人吗？"孔子说："五帝只是善于任用有仁义的人，至于是不是符合圣人的条件，我是不知道的。"太宰继续问："伏羲、女娲、神农是圣人吗？"孔子说："三皇只是善于任用那些因时达变的人，至于是不是符合圣人条件，我是不知道的。"太宰听了孔子关于圣人的议论，大为吃惊，又问："那么究竟谁是圣人呢？"孔子激动片刻，回答说："在西方很远很远的国家里有圣人，他们的国家不治理而不混乱，不用宣传而诚信大行，不用教化而人人品德高尚。恩泽荡荡，却不知道谁是可以歌颂的人；感激不尽，却不知道谁给民众带来了福祉。即使这样的人，符合不符合圣人的标准，我还在怀疑，还弄不清楚他们到底是真的圣人呢，还是真的不是圣人呢？"太宰一句话也不说，心里盘算道："孔丘又在给我耍什么心眼呢？"

子夏①问孔子曰："颜回之为人奚若？"子曰："回之仁贤于丘也。"曰："子贡之为人奚若？"子曰："赐之辩，贤于丘也。"曰："子路②之为人奚若？"子曰："由之勇贤于丘也。"曰："子张③之为人奚若？"子曰："师之庄贤于丘也。"子夏避席而问曰："然则四子者何为事夫子？"曰："居，吾语汝：夫回能仁而不能反，赐能辩而不能讷④，由能勇而不能怯，师能庄而不能同⑤。

兼四子之有以易⑥吾，吾弗许也。此其所以事吾而不贰也。"

[注释]

①子夏：即卜商。春秋末晋国人（一说为卫国人）。子夏乃其字，孔子得意门生。以文学见称。精研诗教，明于《春秋》，晚年讲学于西河（今陕西合阳一带），魏文侯亲咨国政，待以师礼。著名弟子有李悝、吴起等。②子路：即仲由，春秋末鲁国人，字子路，孔子得意学生。以政事见称。为人直爽，鲁莽好勇力，曾任蒲大夫，后为孔悝家宰，在内讧中被杀。③子张：即颛孙师。颛孙是复姓，师乃其名，其字子张，志存干禄，追求闻达，提倡尊贤容众，勤勉从公。④讷（nè）：说话迟钝。⑤同：随和。⑥易：轻视。

[译文]

子夏问孔子，说："您说说颜回的为人怎么样？"孔子回答说："颜回有关仁爱的理论比我强。"问："子贡的为人怎么样？"孔子答："他的口才比我强。"又问："子路的为人怎么样？"孔子答："他的勇敢和力气比我强。"再问："子张的为人怎么样？"孔子答："他的庄重严肃比我强。"子夏感到吃惊，立刻从席子上站起来又问："既然他们都比你强，为什么四个人却还要拜你为老师呢？"孔子招呼子夏："喂，过来坐下，我现在告诉你其中的原因。世界上的事物都是有两面性的。颜回能做到仁，但忽略了仁的另一面通权应变；子贡有辩才，但不能做到它的另一面迟钝、木讷，留有余地；子张庄重严肃，但做不到它的另一面谦让、知退；子路勇敢而有气力，但做不到它的另一面随和、平易。现在，你把四个人的长处加在一起，从而轻看老师，我是不会同意的！这也许就是他们四个人一心一意、忠贞不贰地侍奉我的原因吧！"

子列子既师壶丘子林，友伯昏瞀人，乃居南郭①。从之处者，日数而不及。虽然，子列子亦微焉，朝朝相与辩，无不闻②。而与南郭子连墙二十年，不相谒请③；相遇于道，目若不相见者。门之徒役，以为子列子与南郭子有敌不疑④。有自楚来者，问子列子曰："先生与南郭子奚敌？"子列子曰："南郭子貌充心虚⑤，耳无闻，目无见，口无言，心无知，形无惕⑥。往将奚为？虽然，试与汝偕往。"阅弟子四十人同行。见南郭子，果若欺魄⑦焉，而不可与接。顾视子列子，形神不相偶⑧，而不可与群。南郭子俄而指子列子之弟子末行者与言，衎衎然若专直而在雄者⑨。子列子之徒骇之，反舍咸有疑色。子列子曰："得意者无言⑩，进知者⑪亦无言。用无言为言亦言，无知为知亦知。无言与不言，无知与不知，亦言亦知。亦无所不言，亦无所不知；亦无所言，亦无所知。如斯而已。汝奚妄骇哉？"

[注释]

①南郭：即城的南郊。列子观的遗址在今郑州市东南郊圃田一带，与此处记载的位置相合。②微：精妙，幽深，有隐居藏身而不张扬之意。无不闻：天下没有不知道的。③南郭子：南郭，复姓，子，尊称，亦当时郑国著名隐士。连墙：隔壁。谒请：往来拜访。④有敌不疑：有敌对情绪，不用怀疑。⑤貌充：形貌健全丰满。心虚：内心虚静。⑥惕：震动，变化。⑦欺魄：鬼状土偶。亦作欺颡。颡音同"魄"，面大而丑。⑧不相偶：即不契合。形神不相偶，即形神不相契合，相互分离。⑨衎（kàn）衎然：快活而轻松的样子。专直：专意而直接。在雄：在于事雄，即在于争个雌雄，也有争个高下、胜负之意。⑩得意：此处的"意"不是心满意足的"意"，而是指一种学说，思想的要义和实质。得意，即得到了某种学说、思想的要义和实质。⑪进知者：什么都知道或没有不知道的。进，同"尽"。

[译文]

列子从壶丘子林那里学习结业，并同伯昏瞀人结为好友之后，在郑州南郊居住。愿意跟着他学习的人很多，每天统计个数字都来不及。列子的道术精妙，虽然隐居在静僻的圃田大泽，然而依然远近闻名，找他授业解惑的人天天络绎不绝。列子与南郭子是邻居，两家虽只有一墙之隔，而二十年没有过一次交往。路上相遇，好像谁也没有看见谁。弟子们以为列子和南郭子两人不和，有很深的积怨，这是不用怀疑的。有一从楚地来的学生问列子说："先生同南郭子之间有什么积怨吗？"列子说："南郭子身体结实，内心虚静，耳不听闻，眼不看视，口不说话，心不思虑，形不变动，我到他那里干什么呢？不过，可以去一次试试看。"于是列子挑选了四十名弟子一块儿到南郭子家里去。他们见到了南郭子，其人果真像是用泥塑成，难于同他沟通和接触。南郭子回头看下列子，这时南郭子似乎已经形神分离，根本无法相处，更是无法交谈。不一会儿，南郭子指着站在最后的一个列子弟子，跟他说话，那轻松快活的样子，好像专一径直地要争个胜负。列子的弟子们十分惊异。回到住处，都还带着疑惧的神色。列子对弟子们说："掌握事物的精神实质的人用不着言语，彻底通晓事理的人用不着言语，以不言语作为有声言语也就是一种言语，以不知作为外在的知也就是一种知。无言就是不言，无知就是不知，这同时也是又言又知。这就没有什么不可言，也就没有什么不可知。道理也就是这样而已，有什么必要为之惊骇呢！"

子列子学也①，三年之后，心不敢念是非，口不敢言利害，始得老商一眄②而已。五年之后，心更念是非，口更言利害，老商始一解颜而笑。七年之后，从③心之所念更无是非，从口之所言更无利害，夫子始一引吾并席而坐。九年之后，横④心之所念，横口之所言，亦不知我之是非利害欤？亦不知彼之是非利害欤？外内进矣。而后眼如耳，耳如鼻，鼻如口，口无不同。心凝形释，骨肉都融；不觉形之所倚，足之所履，心之所念，言之所藏。如斯而已，则理无所隐矣。

[注释]

①子列子学也：该段文字在《黄帝》篇中出现过，这里为什么重出？张湛在该段注文中说："所以重出者先明得性之极，则乘变化而无穷；后明顺心

之理,则无幽而不照。二章变出各有攸趣。"原本的最早整理者对这段重文如此欣赏,这次只好如此处理。至少对文中所说的由浅入深的过程起到一种强调的作用。②眄:斜着眼睛看。一眄,看一下,时间极为短暂。③从(zòng):放纵。④横(hèng):放任,任凭。

[译文]

列子到老商氏那里去学习,时间已过三年了,心里不敢有是非,嘴里不敢说利害得失,老商氏这才瞟他一眼。时间过去五年了,心里想的是非更多,有什么利害得失想说就说,做到表里如一,心口一致,老商氏这才冲他一笑。时间已过七年了,任凭自己随便想,心里也不产生是非;任凭嘴里随便说,从来不会涉及个人的利害得失,老商氏这才允许同他坐在一张席子上。九年过去了,即使放纵自己的思想,放纵自己的言谈,也不知道是自己的是非利害,也不知道是他人的是非利害,身内身外完全沟通为一。从此,眼睛和耳朵的作用一样,耳朵同鼻子的作用一样,鼻子和嘴巴的作用一样,嘴巴没有什么特殊的作用。心思凝结,形体消释,骨肉全部融合;不再感到身体有所倚恃,双足有所踩踏,心头有所惦念,言语有所包藏。就是这种情况罢了,一切道理也就明明白白的了。

初子列子好游①。壶丘子曰:"御寇好游,游何所好?"列子曰:"游之乐,所玩无故②。人之游也,观其所见;我之游也,观之所变。游乎游乎,未有能辨其游者。"壶丘子曰:"御寇之游,固与人同欤?而曰固与人异欤?凡所见亦恒见其变。玩彼物之无故,不知我亦无故。务外游不知务内观③。外游者,求备于物;内观者,取足于身。取足于身,游之至也;求备于物,游之不至也。"于是列子终身不出,自以为不知游。

壶丘子曰:"游其至乎?至游者不知所适,至观者不知所眂④，物物皆游矣！物物皆观矣！是我之所谓游，是我之所谓观也。故曰：游其至矣乎，游其至矣乎！"

[注释]

①游：即游览，游赏，旅游。这里把游分为外游（即游赏自身以外的自然景色和社会风情）和内观（即审视自身以及自己的思想行为和言论）两种。如果只知外游，不知内观，则是不懂旅游的表现。②故：旧的事物。无故：指所游之处看不到陈旧的事物。为什么呢？列子观赏的出发点是万物无时无刻永不停息的变化。如能从变化的角度观赏，即使是同一景物，在不同的时间里也是与时俱化，常观常新，所以列子把所玩无故看成旅游的最大乐趣。③内观：指审视自身和自我。自身主要指自己的物质形体，如血液如同河流，温度如同炎火，气息如同风云，首足如同天地。自我主要指自己的精神，是否能忘掉自我，与道契合为一。④眂（shì）："视"的异体字。

[译文]

当初，列御寇非常喜欢旅游，壶丘子问他说："听说你很喜欢旅游，但不知道你旅游时喜欢什么？"列御寇回答说："旅游最大的快乐就是不去旧地，不观赏已经观赏过的景物。一般人旅游，只是观赏眼睛所能看到的东西，而我旅游与别人不同，我观赏的是万物的变化。旅游呀，旅游呀，喜欢旅游的人很多，但能辨别其中的真义并能区分其异同的人是不多的。"壶丘子听了以后说："御寇呀，你说你喜欢的旅游是与一般人相同呢，还是不相同呢？我觉得你喜欢的旅游跟一般人没有什么两样。因为能用眼睛看到的东西都有形，凡是有形的东西无时无刻不在变化。所以，凡是所见，则都是每时每刻不停地变化着。你只知道你自身之外的事物与时俱化，但却没有认识到你自身也是如此。现在，你只知道务外游，不知道务内观是大错而特错的。外游都对存在于自身之外的事物求全责备；务内观的人，将从自己身上把想要观赏的东西找全找够，取足于自身。求全于物的外游，是境界不高的低级旅游；取足于自身的内观，是境界最高的旅游。"列子听后，终身不再出去旅游，自己觉得自己一点儿不懂旅游。

壶丘子又接着说:"旅游的最高境界是什么?其最高境界的旅游就是不知道要到哪里去,最高境界的观赏是不知要看什么东西。要知道宇宙中的东西,物物都是游,物物都有观赏的价值呀!这就是我主张的所谓游、所谓观的思想,所以我说,这种游已经达到理想的境界了!这种游已经达到理想的境界了!"

龙叔谓文挚曰[①]:"子之术微矣,吾有疾,子能已乎?[②]"文挚曰:"唯命所听[③]!然先言子所病之证。"龙叔曰:"吾乡誉不以为荣,国毁不以为辱[④];得而不喜,失而弗忧;视生如死;视富如贫;视人如豕,视吾如人。处吾之家,如逆旅之舍;观吾之乡,如戎蛮之国[⑤]。凡此众疾,爵赏不能劝,刑罚不能威,盛衰利害不能易,哀乐不能移。固不可事国君,交亲友,御妻子,制仆隶,此奚疾哉?奚方能已之乎?"

文挚乃命龙叔背明而立,文挚自后向明而望之。既而曰:"嘻!吾见子之心矣,方寸之地虚矣,几圣人也。子心六孔流通,一孔不达。今以圣智为疾者,或由此乎!非吾浅术所能已也。"

[注释]

①龙叔:概为春秋末年宋国隐士名,提倡摒弃私欲而能忘我的有道之士。文挚:春秋时著名医生,曾为齐威王或齐文王治病。②微:幽深,玄妙。这里指医术。已,本来有停止之意,今和"病"连用,已病、病已都和医治、治愈有关。③唯命所听:即只听你的命令,一切照你说的办。④乡誉:家乡的赞美、称赞、夸奖。国毁:整个国家诋毁、谩骂。⑤戎蛮:古代称西方和南方在边远地区生活的少数民族。戎蛮之国:泛指他们当时所建的落后的小国。

[译文]

龙叔对文挚说:"您的医术是很高明的。我现在得了一种疾病,您能给治愈吗？"文挚说："一切照您的安排去做，不过您得先给我说一下您的症状。"龙叔说："我受到家乡的夸奖，不知道这是一种荣耀；受到举国的诋毁，不觉得这是一种耻辱；生活中得到好处，心里不知道高兴；平时受到损害，感情上不觉得悲伤；以为活着同死去差不了多少，把富贵和贫穷看成一个样；觉得人和动物如猪狗没有什么差别；分不清什么是自己和他人。居住在自己家里，如同住在旅舍没有什么不同；看待我的故里，如同看待边远的戎蛮之国一样。这些疾病顽固而难治。封赏爵禄，不能逆转；施以酷刑，不能折志；盛衰利害，不能易心；悲哀欢乐，不能改移。所以我上不能侍奉国君，下不能交接亲友，内不能指挥妻子、儿女，外不能使唤仆人和奴隶。请问这是什么病？有什么药方可以医治呢？"

文挚让龙叔背向光亮站着，文挚从他背后向着光亮处张望。过了一会儿，说："嘻，我看到您的心了。您的心虚静，差不多就是圣人了。您的心有七孔，其中六个通达，只有一孔有些滞塞。现在，您把圣人的心智当做疾病看待，或许是这个原因吧！您的疾病，不是我这种医术浅陋的人所能医治好的！"

无所由①而常生者，道也，由生而生②，故虽终而不亡③，常④也。由生而亡⑤，不幸⑥也。有⑦所由而常死者，亦道也。由死而死，故虽未终而自亡者，亦常也。由死而生，幸也。

故无用而生谓之道，用道得终谓之常；有所用而死者亦谓之道，用道而得死者亦谓之常。

[注释]

①无所由：没有什么根据。②由生而生：该生就生。③虽终而不亡：生命虽然完结了，但仍然未消亡。④常：正常，符合规律。⑤由生而亡：按照生的常理应该生存下来而没有生存下来或消亡。⑥不幸：该生而死的，称为不幸。⑦有：应为"无"。

[译文]

不依靠什么而永久生存的，这是天道。在一定的生存条件下生存的，生命就是终结了，然而仍然没有消亡，这也是正常和必然，即也是符合规律的事情。依据一定条件应该生存，但是却不能生存，亦即消亡了，则是一种不幸。没有一定条件而永远死亡的，尽管生命没有完结而自然地消亡，这也是正常和必然，符合规律的事情。依靠一定条件，该死亡的，却没有死亡，继续生存的，是幸运。

所以不依靠什么而生的叫天道，依靠天道善终的就叫人事之常；在一定条件之下死去的也叫天道，依靠天道该死亡的也叫人事之常，亦符合必然的客观规律。

季梁①之死，杨朱望其门而歌；随梧②之死，杨朱抚其尸而哭；隶人③之生，隶人之死，众人且歌，众人且哭。

[注释]

①季梁：春秋末卫国人，杨朱之友。②随梧：人名。③隶人：一般人、普通人。

[译文]

对于季梁的死，杨朱望着他的大门歌唱；对于随梧的死，杨朱则抚着他的尸体痛哭；一般人无论生也好，死也好，众人没有什么理由，便莫名其妙地有人歌唱，有人哭泣。

目将眇者，先睹秋毫①；耳将聋者，先闻蚋②飞；口将爽者，先辨淄渑③；鼻将窒者，先觉焦朽；体将僵者，先亟犇佚④；心将迷者，先识是非：故物不至者，则不反。

[注释]

①眇（miǎo）：即瞎。秋毫：虫鸟禽兽身上秋天长出的细毛，纤细得难

以用肉眼看到。②蚋：昆虫名，亦称蚊，吸食人畜血液。③淄：山东省淄河。渑（shéng）：山东省渑河。④亟：急迫地。犇（bēn）：奔跑，奔驰。犇佚：快速逃跑。

[译文]

眼睛将瞎的人，先看清一些秋毫一样的细微东西；耳朵将要变聋的人，先听清蚊子飞翔的声音；口舌将要失去味觉的人，先能尝出淄水和渑水的不同味道；鼻孔将要窒塞的人，先能闻得出焦烂和腐朽的气味；身体将要变僵的人，先能快速地奔跑；心神将要迷乱的人，一定先能清楚地识别出事物的是非。因此，事物发展不到极点，就不会走向自己的反面。

郑之圃泽多贤，东里多才。圃泽之役有伯丰子①者，行过东里，遇邓析②。邓析顾其徒而笑曰："为若舞③，彼来者奚若？"其徒曰："所愿知也。"邓析谓伯丰子曰："汝知养养④之义乎？受人养而不能自养者，犬豕之类也。养物而物为我用者，人之力也。使汝之徒食而饱，衣而息，执政⑤之功也。长幼群聚，而为牢藉⑥庖厨之物，奚异犬豕之类乎？"伯丰子不应。伯丰子之从者，越次而进曰："大夫不闻齐鲁之多机乎？有善治土木者，有善治金革者，有善治声乐者，有善治书数者，有善治军旅者，有善治宗庙者，群才备也。而无相位⑦者，无能相使者。而位之者无知⑧，使之者无能，而知之与能，为之使焉。执政者，乃吾之所使，子奚矜焉？"邓析无以应，目其徒而退。

[注释]

①伯丰子：圃田隐士的门徒。②邓析：春秋郑国人。曾作竹刑，操两可之说，能设无穷之词。法家先驱。《汉书·艺文志》记载有《邓析子》两卷传世。③舞：通"侮"，侮弄。④养养：养人或被人养。对一个人来说，即自养和受人养。⑤执政：指掌管政务的人。⑥牢：即羊圈，猪圈。藉：指栅栏。⑦

相位：相当的地位和相当能力的官员。⑧位之者无知：位，指已经做了高官，得到了很大权力的官员。无知，指这些高官无知无识，徒为木偶、土偶，尸位素餐而已。

[译文]

郑州的圃田薮泽隐居着很多贤能之士，东里居住着很多人才。圃田隐士的弟子中有个名叫伯丰子的，路过东里，遇到了邓析这个骄横的辩士。邓析一看伯丰子来了，回头得意地看着自己的门徒说："一会儿那个人到了，你们看看我怎样侮辱他、捉弄他，他是怎么对答的。"他的门徒们说："这是最愿意了解和知道的！"邓析一见到伯丰子就不怀好意地问："你懂得自养和被养的道理吗？受人养而不能自养的人，同狗和猪没有什么差别。被养的东西若能为蓄养者所用，那是蓄养者的本事。现在你们这一群人之所以能吃得饱，穿得暖，休息得好，全是执政者的功绩。你们大大小小、老老少少一大堆，居住在羊牛圈里，吃着厨房里剩下的饭菜，实际上同被人家饲养的猪狗有什么两样呢？"伯丰子对邓析的嘲弄和侮辱，根本不予理睬。有一个跟随伯丰子的年轻人越次而前，回答邓析说："大夫，你难道没有听说过齐鲁大地机智灵敏的人到处都是吗？有擅长土木工程的，有擅长冶金制革的，有擅长表演声乐舞蹈的，有擅长书法数术的，有擅长整治军队的，有擅长主持宗庙仪式的，各种各样的人才无不齐备。但是，就是没有人能获得相应的位置，从而没有相互使唤制约的权力。已经居于高位的人却无知无识，有权制约使唤他人的人又毫无本事，且固执加愚蠢，而有知有识和大本事的人反而被他们使唤和制约。您所谓的'执政者'原来是应该被我们使用的庸才，您还有什么脸面值得矜持自夸和得意洋洋的呢？"邓析无言以对，看看那个与他对话的伯丰子的随从，狼狈而去。

公仪伯①以力闻诸侯，堂谿公②言之于周宣王。王备礼以聘之。公仪伯至，观形，懦夫也。宣王心惑而疑曰："女之力何如？"公仪伯曰："臣之力能折春螽之股，堪秋蝉之翼③。"王作色曰："吾之力者能裂犀兕④之革，曳九牛之尾，犹憾其弱。汝折春螽之股，堪秋蝉之翼，而力闻天下，何也？"公仪伯长息退席曰："善哉，王之问也。臣敢以实对。臣之师有商丘子者，力无敌于天下，而六亲不知，以未尝用其力故也。臣以死事之。乃告臣曰：'人欲见其所不见，视人所不窥，欲得其所不得，修人所不为。故学眎者先见舆薪，学听者先闻撞钟。夫有易于内者，无难于外。于外无难，故名不出其一家。'今臣之名闻于诸侯，是臣违师之教，显臣之能者也。然则，臣之名，不以负其力者也，以能用其力者也，不犹愈于负其力者乎？"

[注释]

①公仪伯：西周贤士。公仪，复姓。②堂谿公：西周贤士。堂谿，复姓。③螽（zhōng）：昆虫，又叫螽斯，即蝗虫。堪秋蝉之翼：即能扛起蝉的翅膀，因蝉翼极薄极轻，能拿动蝉翼，说明力量极小。④犀兕（sì）：指犀牛兕，雌犀牛。其皮厚而韧，其力猛而大者，才能撕裂。

[译文]

公仪伯由于力气大而闻名诸侯，堂谿公把公仪伯推荐给周宣王。周宣王派人带厚礼去聘请。公仪伯来了之后，周宣王看他的身体根本不像是个力士，倒跟一个懦夫差不多。宣王感到不解，问道："你的力气究竟怎么样？"公仪伯回答说："我的力气能扭断蚂蚱的大腿，刺破秋蝉的翅膀。"宣王的脸色马上起了变化，接着说："我的力气能撕裂犀牛的皮，能拉住九头牛的尾巴，仍觉自己力气太小，而你仅仅可以扭断蚂蚱的大腿，刺破秋蝉的翅膀，就天下闻名，这是什么原因呢？"公仪伯长叹一声，离开席位说："好啊！大王这个问题问得太好了！现在我如实告诉您。我的老师叫商丘子，他的气力是天下最大的！但是他的六亲也不知道，为什么？原因就是他未曾使用过他自己的力气。我了解他的为人，甘心侍奉他一辈子，甚至到死。他这才对我说：'修道之人要看别人所看不见的，观察别人没有观察到的，要得到别人得不到的，修习别人所不修习的。所以练习视力，得先看到车上的柴草；练习听力，得先听到撞钟的声音。内心觉得容易办到了，一旦实际干起来也就不会觉得困难了。外面干得一点儿都不困难，其名声也就不会传扬开去，甚至超不出自己一家的范围。'现在我的名字却传遍天下各国，是因为我违背了老师的教导，显示了我的能耐和本事。不过我的名声不是凭着我的气力大就得到的，而是由于我能够恰当地支配我的气力。这同仅凭气力而得到名声比较起来，岂不是要好得多吗？"

中山公子牟①者，魏国之贤公子也。好与贤人游，不恤②国事，而悦赵人公孙龙③。乐正子舆④之徒笑之。公子牟曰："子何笑牟之悦公孙龙也？"子舆曰："公孙龙之为人也，行无师，学无友，佞给⑤而不中，漫衍而无家，好怪而妄言⑥。欲惑人之心，屈人之口，与韩檀⑦等肄之。"公子牟变容曰："何子状公孙龙之过欤？请闻其实。"子舆曰："吾笑龙之诒孔穿⑧，言善射者，能令后镞中前括⑨，发发相及，矢矢相属；前矢造准⑩，而无绝落，后矢之括犹衔弦，视之若一焉。孔穿骇之。龙曰：'此未其妙者。逢蒙之弟子曰鸿超⑪，怒其妻而怖之。引乌号之弓，綦卫之箭⑫，射其目。矢来注眸子，而眶不睫，矢坠地而尘不扬。'是岂智者之言与？"公子牟曰："智者之言，固非愚者之所晓。后镞中前括，钧后于前。矢注眸子而眶不睫，尽矢之势⑬也。子何疑焉？"乐正子舆曰："子，龙之徒，焉得不饰其阙？吾又言其尤者。龙诳魏王曰：'有意不心⑭。有指不至⑮。有物不尽⑯。有影不移⑰。发引千钧⑱。白马非马⑲。孤犊未尝有母⑳。'其负类反伦㉑,不可胜言也。"公子牟曰:"子不谕至言而以为尤也,尤其在子矣。夫无意则心同。无指则皆至。尽物者常有。影不移者,说在改也。发引千钧,势至等也。白马非马,形名离也。孤犊未尝有母,非孤犊也。"乐正子舆曰:"子以公孙龙之鸣皆条也。设令发于余窍,子亦将承之。"公子牟默然良久,告退,曰:"请待余日,更谒子论。"

[注释]

①中山公子牟:魏文侯之子。有书四篇传世。魏伐中山之后,将其城邑封给公子牟,故世称中山公子牟。②恤:忧虑。③公孙龙:战国初哲学家,名家代表人物。他的名辩论题有"离坚白"、"白马非马"等。认为石头的坚和白两种属性可以各自独立存在,可以分离;白马和马两个概念大小不等,白马只是指白颜色的马,而马则指一切马。这里边有着特殊性和一般性、具体概念和抽象概念的问题。他的理论对人类正确使用概念,注意名实相符,思维符合逻辑、符合规律具有重大意义。④乐正子舆:人名,春秋末、战国初人。乐正,复姓。⑤佞(nìng):花言巧语,不问是非,一味取悦上司和权势。佞给:巧言善辩。⑥漫衍:无拘无束,自由放任。好怪:喜欢怪异的言论。妄言:无根据地瞎说。⑦韩檀:人名,战国初赵国人,《庄子·天下》篇称"桓团",与公孙龙同为名家,以善辩著称。⑧孔穿:乃孔子之孙,有人以孔穿为公孔龙弟子。⑨镞(zú):箭头。括:箭尾,末梢。⑩属(zhǔ):连续,连缀。造准:射得准确。⑪逢蒙:夏代善于射箭的人。《孟子·离娄下》有"逢蒙学射于羿"的记载。鸿超:逢蒙弟子,亦善射者。⑫乌号之弓:黄帝之弓,指天下最好的弓。綦卫之箭:綦,地名,在今河南淇县一带,所产的竹箭乃天下最好的箭。⑬尽矢之势:箭的力量到了尽头。即掌握好弓箭射出的力量,到该落的地方准确落下。⑭有意不心:心存私念,本心就会丧失,从而也就不再有心。⑮有指不至:有指,讲的是名称。不至,这里讲的是触及的事物。凡事物能够指称的都不是具体的事物,所以叫有指不至。⑯有物不尽:凡物都有无限的分割性。⑰有影不移:凡运动与静止都有相对性。⑱发引千钧:一根头发牵引千钧重物,这涉及力学的绝对均衡问题。⑲白马非马:讲体与颜色的关系,

或者部分与整体的关系。⑳孤犊：无母之小牛。孤犊未尝有母，无母的小牛，未曾有母。既然名之为无母，曰孤，当然就未曾有母了。㉑负类：违背事物互相类比的共性特征。反伦：违反事物的常理。

[译文]

中山公子牟是魏国贤能的公子，喜欢同有德才的人交朋友，不过问朝政大事。对赵国人公孙龙的学说很感兴趣。乐正子舆和他的门徒们对中山公子牟加以嘲笑。公子牟对乐正子舆说："你们为什么要笑话我喜欢公孙龙以及他的观点呢？"子舆回答说："公孙龙的为人，行为没有老师，学业没有朋友，巧言善辩而不符合情理，无根无基而不专注某个学派，喜好稀奇古怪的东西，总想迷惑别人的思想，堵住别人的口舌，只跟韩檀等人混在一起，胡言乱语，耸人听闻。"公子牟听后变了脸色，说："你罗列公孙龙的错误不是太过分了吗？请讲讲你的根据吧！"子舆说："我笑公孙龙欺骗孔穿，说什么善于射箭的人能使后箭射中前箭尾部，发发都紧跟着，箭箭都连着；箭箭正中靶心，箭箭射出而不中断，也不下落，后箭的末端正好搭在弓弦上，看上去像是一条笔直的线。孔穿听后，万分惊异。公孙龙说：'这还不是最精彩的。逢蒙的弟子叫鸿超，有一次生他老婆的气，为了吓唬她，拉开乌号之弓，搭上綦卫之箭，射击他老婆的眼睛。箭头射中她的眼珠子，眼睛连眨也不眨一下，箭却落在地下，尘土也不飞扬。'你听听，这难道是有智慧的人说出来的话吗？"公子牟说："有智慧的人所讲的内容，本来愚蠢的人就不会明白。后箭射中前箭末端，原因是力量均衡，瞄准无误，前后一样！箭射中眼珠子而眼睛不眨，原因是箭的力量到睫前用尽，射不进眼眶。你有什么值得怀疑的呢？"乐正子舆说："你呀，是公孙龙一伙的，怎能不掩饰他的缺陷呢？我再说说他更不像话的情况。公孙龙哄骗魏王说：'存在思虑便不是人的本心。有所指称的不是具体事物。客观的物分割不尽。外界的影子实际上不会移动。一根头发能悬千斤重物。白马并不是马的全部概念。无母的牛未曾有母。'这些说法违背事物类比的共同特点,而且也不符合事理。类似的情况多得一时无法全都说出。"公子牟说:"你不理解这些至理名言,以为是错误的,其实错误的是你自己!不存在任何思虑,就与本心相同;事物没有指称,就可以说是任何具体事物;把物体分割到最后,物体仍然还会有剩余;之所以说影子不移动,是因它处在不停止的运动变化之中;一根头发能悬千斤重物,是因为力量分配得绝对均衡;白马非马,是因为形体与名称分离;无母牛犊未曾有母,有母便不是无母牛犊。"乐正子舆说:"你把公孙龙的胡言乱语都当成条理贯通的世之常理了。假如他的话不是从他嘴里说出的,难道你还会接受吗?"公子牟沉默良久,和子舆告辞说:"以后有时间,咱们再来讨论吧!"

尧治天下五十年,不知天下治欤?不治欤?不知亿兆之愿戴己欤①?不愿戴己欤?顾问左右,左右不知。问外朝②,外朝不知。问在野③,在野不知。尧乃微服,游于康衢④,闻儿童谣曰:"立我蒸民⑤,莫匪尔极⑥。不识不知,顺帝之则⑦。"尧喜,问曰:"谁教尔为此言?"童儿曰:"我闻之大夫。"问大夫,大夫曰:"古诗也。"尧还宫,召舜,因禅以天下。舜不辞而受之。

[注释]

①亿兆:指民众。戴:拥护,爱戴。②外朝:指朝廷不直接管辖的地域或机构。③在野:指没有任职的散居各地的仁人志士。④微服:平民的服装。康衢:四通八达的大路。⑤蒸民:老百姓。⑥极:顶点。《诗集传》:"极,德之至也。"匪:通"不"。⑦帝:指天帝、大自然。

[译文]

尧帝治理天下五十年,根本不知道是把天下治理好了呢,还是没有治理好?亿兆百姓是拥戴自己呢,还是不拥戴自己?尧回头望着左右的侍卫大臣发问，左右侍卫大臣异口同声都说不知道。再问外朝官员，外朝官员也都说不知道。又问那些没有任职或致仕的官员以及在野的仁人志士，他们也都说不知道。于是尧帝换上平民衣服，亲自到街市访察，听到一首儿童歌谣说："上天生育亿兆民众，帝王应使幸福生活。顺任自然不知不觉，一年四季快快乐乐。"尧高兴地问他们："这首歌是谁教给你们的？"孩子们回答说："是从大夫那里听到的。"再问大夫，大夫说："这是古代传留下来的诗歌。"尧帝立即回到皇宫，把舜叫到跟前，并把天下禅让给他。舜也没有推辞，马上登位，接着继续治理。

关尹喜曰："在己无居①，形物其著②。其动若水③，其静若镜④，其应若响⑤。故其道若物者也。物自违道，道不违物。善若道者，亦不用耳，亦不用目，亦不用力，亦不用心。欲若道而用视听形智以求之，弗当矣。瞻之在前，忽焉在后；用之弥满六虚，废之莫知其所⑥。亦非有心者所能得远，亦非无心者所能得近。唯默而得之而性成之者得之。知而忘情，能而不为，真知真能也。发无知⑦，何能情？发不能，何能为？聚瑰⑧也，积尘也，虽无为而非理也。"

[注释]

①在己无居：即对于自己不要固执、偏狭，应该做到知识丰富、胸怀宽广居，把自己限定在一定的范围内。②形物其著：形物包括自身彰明而显著。著，显著，彰明。③其动若水：个人的行动应该像水那样，自高而低，顺势而行。动，指行动、行为。④其静若镜：形容人对外物只作反映，不夹杂个人感情，犹如镜子一样客观真实。静，与动相对，虚静、平静、静止。⑤其应若响：与外物接触，其只回应，而不自己发出声音。⑥废：应为"发"。"废之不知其所"应为"发之不知其所"。⑦发：应为"废"。"发无知"应为"废无知"。⑧瑰：应为"块"。"聚瑰也"应为"聚块也"。因"块"的繁体字

"塊"同"瑰"形近而误。

[译文]

函谷关令尹喜说:"对于自己对事物的认识不要固执偏狭,外物会自己突显而且彰明。行动起来应像水流一样,自高而低,顺势而走;静止下来应像镜子一样,有什么照出什么,不隐藏,不包容;与外物接触,而自己从不发出声音,只像回音那样作出回应。所以说'道'一向是顺应着万事万物。只有万物违背道,决没有道违背物的现象发生。善于依顺道的人,也不用耳朵,也不用眼睛,也不用力量,也不用心智。想要依顺于道又要用视觉、听觉、形体、心智去追求,是很不恰当的。道这个东西很玄妙,看起来在跟前,忽然间又到了后头;正在发生作用的时候,充塞天地宇宙;不发生作用的时候,就不清楚它究竟是在何方。也不是存心求道的人能保持一定的距离,也不是不存心求道的人能够同它保持亲近。只有保持虚静自守的人才能得到,只有习性保养成功的人才能拥有。懂得事理而舍弃情欲,有能力而不作为才是真知真能。舍弃智慧,哪里还有情欲呢?舍弃能力,哪里还能有作为呢?他们像是堆积的土石、聚集的尘埃,一无用处,即使'无为',也并非没有一点存在的合理因素。"

卷 五

汤问第五①

殷汤②问于夏革③曰："古初有物乎？"夏革曰："古初无物，今恶得物？后之人将谓今之无物可乎？"殷汤曰："然则物无先后乎？"夏革曰："物之终始，初无极已。始或为终，终或为始，恶知其纪④？然自物之外，自事之先，朕所不知也。"殷汤曰："然则上下八方有极尽乎？"革曰："不知也。"汤固⑤问革曰："无则无极，有则有尽；朕何以知之？然无极之外，复无无极，无尽之中，复无无尽。无极复无无极，无尽复无无尽⑥。朕以是知其无极无尽也，而不知其有极有尽也。"汤又问曰："四海之外奚有？"革曰："犹齐州⑦也。"汤曰："汝奚以实之？"革曰："朕东行至营⑧，人民犹是也。问营之东，复犹营也。西行至豳⑨，人民犹是也。问豳之西，复犹豳也。朕以是知四海、四荒、四极之不异是也⑩。故大小相含，无穷极也。含万物者，亦如含天地。含万物也故不穷，含天地也故无极。朕亦焉知天地之表不有大天地者乎？亦吾所不知也。然则天地亦物也。物有不足,故昔者女娲氏炼五色石以补其阙,断鳌之足以立四极。其后共工氏与颛顼争为帝⑪,怒而触不周之山⑫,折天柱,绝地维;故天倾西北,日月星辰就焉;地不满东南,故百川水潦归焉。"

[注释]

①本篇主要讲两个问题。一是关于物质的有无和先后问题,二是关于天下的至理均衡问题。因为人的知识有限,智力有限,人对客观事物懂得的没有不懂得的多,任何一个具体的个人,都不可能对道、对物、对宇宙作出全面的认识和彻底的了解。只有通过全人类的实践活动,把全人类的感性认识和理性认识都集中起来把握道,认识世界才成为可能。本篇通过不少的寓言故事如《愚公移山》等,生动而具体地阐述了这种真理。②殷汤:即商汤,商朝的建立者。③夏革(jí):人名,字子棘,汤大夫,商之贤士,汤尊之以师。《庄子·逍遥游》中的"汤之问棘也是已"的"棘"即夏革。因古代"革"亦读jí,属同声通用。④纪:原义指丝的头绪,后由治丝引深为治理、综理。⑤固:坚持。⑥无无极:即没有无极,是说无极只有一个。不能在无极之外再有一个无极。无无尽:不能在无尽之外再有一个无尽。总的是讲时间和空间无限大,找不到尽头。⑦齐州:指中州,泛指中国。⑧营:地名。即柳城,在今辽宁省境内。⑨豳(bīn):同"邠",地名,在今陕西省境内。⑩四海:不指海洋,泛指中国领土。四荒:泛指中国的四方边远地区。四极:泛指四周极限之处。《尔雅》九夷、八狄、七戎、六蛮谓之四海。觚竹、北户、西王母、日下谓之四荒。东泰远、西邠国、南濮铅、北祝栗谓之四极。⑪共工:炎帝后裔的一支。黄帝时任水官,相传他的儿子后土能平水土,被祀奉为社神,活动地点主要在黄河中游伊、洛一带。据古史记载他曾与颛顼争为帝,怒触不周之山,撞断支天的柱子,地的四角从而裂开。颛顼:炎帝部落联盟重要首领之一,号高阳氏。⑫不周之山:即不周山。传说中的山名。

[译文]

商汤问他的老师夏革说:"远古的时候有物存在吗?"夏革说:"如果远古时候没有物,那么现在的物是从哪里来的呢?以后的人会说我们这个时候没有物,这种说法符合事实吗?"商汤又问:"那么物的出现就没有先后可分了吗？"夏革说："物的出现在后，或者在先，最初之时不好区分。在先的可以变成在后的，在后的也许能够变成在先的，怎么能搞得清楚这个头绪呢？如果还要说这个'物'之外的情况，这个'事'之先的情况，我确实是不知道的！"商汤又问："难道上下八方有尽头吗？"夏革说："不知道！"商汤坚持要问，夏革回答说："宇宙空间没有极限，宇宙间的物就不会穷尽。这些复杂的情形，我怎么能够知道呢？不过没有极限之外不会再有没有极限，没有穷尽之中也不会再有没有穷尽。没有极限，仍然不存在没有极限，不会穷尽仍然不存在没有穷尽。我只是知道它没有极限不会穷尽，而不知道它有极限会穷尽。"商汤又问道："四海之外，还有什么呢？"夏革说："存在着同齐州差不多的东西。"商汤又问："你怎么验证它确实存在呢？"夏革说："我往东方行走到达营州，那里人民同齐州的人民差不了多少。询问营州以东的情况，仍然同营州差不多。往西行走到豳州以西的情况，仍然同豳州的差不多。这样我便知道四海、四荒、四极并没有什么不同，因此大的空间和小的空间互相包容，没有穷尽，没有极限。包容，万物就在其中，正像包容天地在其中一样；包容万物所以没有穷尽，包容大地所以没有极限。我又怎么知道天地之外，不会存在着比天地更大的天地呢？这同样是我所不知道的。但是天地也是一种物，凡是物就有它的不足之处，所以历史上有女娲氏炼五色石以补苍天的传闻，补好之后，又砍掉乌龟的四条腿，用以支撑东、西、南、北四极。又过了很多年，大地上有一个共工氏，他和颛顼争着当皇帝，战争中因失败而发怒，用头去撞这座不周之山，结果把支撑天空的柱子撞倒，把维系大地的绳子撞断。因此，天空在西北方崩塌，日、月、星、辰都到那里沉落；地球在东凹陷，所以，一切河流，不分大小，最终都要流向那里。"

汤又问："物有巨细乎？有修短乎？有同异乎？"革曰："渤海之东不知几亿万里，有大壑①焉，实惟无底之谷，其下无底，名曰归墟②。八纮九野之水，天汉之流③，莫不注之，而无增无减焉。其中有五山焉：一曰岱舆④，二曰员峤，三曰方壶，四曰瀛洲，五曰蓬莱。其山高下周旋⑤三万里，其顶平处九千里。山之中间相去七万里，以为邻居焉。其上台观皆金玉，其上禽兽皆纯缟⑥。珠玕⑦之树皆丛生，华实皆有滋味，食之皆不老不死。所居之人，皆仙圣之种。一日一夕，飞相往来者不可数焉。而五山之根无所连著⑧，常随潮波，上下往还，不得暂峙⑨焉。仙圣毒之，诉之于帝。帝恐流于西极，失群圣之居，乃命禺彊⑩，使巨鳌十五举首而戴之。迭为三番⑪，六万岁一交焉。五山始峙。而龙伯之国有大人，举足不盈数步而暨五山之所，一钓而连六鳌，合负而趣，归其国，灼其骨以数焉⑫。于是岱舆、员峤二山，流于北极，沉于大海，仙圣之播迁者巨亿计。帝凭怒侵减龙伯之国，使陿，侵小龙伯之民使短⑬。至伏羲、神农时，其国人犹数十丈。从中州以东四十万里，得僬侥国⑭，人长一尺五寸。东北极有人名曰诤人⑮，长九尺。荆之南有冥灵者⑯，以五百岁为春，五百岁为秋。上古有大椿⑰者，以八千岁为春，八千岁为秋。朽壤之上有菌芝者⑱，生于朝，死于晦。春夏之月，有蠓蚋⑲者，因雨而生，见阳而死。终发北之北有溟海者⑳，天池也。有鱼焉，其广数千里，其长称焉，其名为鲲㉑。有鸟焉，其名为鹏㉒，翼若垂天之云，其体称焉。世岂知有此物哉？大禹行而见之，伯益知而名之，夷坚闻而志之㉓。江浦之间生麽虫，其名曰焦螟㉔，群飞而集于蚊睫，弗相触也。栖宿去来，蚊弗觉也。离朱、子羽㉕方昼拭眦㉖，扬眉而望之，弗见其形；𫛞俞、师旷方夜擿耳，俛首而听之，弗闻其声。㉗唯黄帝与容成子㉘居空峒之上，同斋三月，心死形废；徐以神视，块然见之，若嵩山㉙之阿；徐以气听，砰然闻之，若雷霆之声。吴楚之国有大木焉，其名为櫾㉚，碧树而冬生，实丹而味酸。食其皮汁，已愤厥㉛之疾。齐州珍之，渡淮而北而化为枳焉㉜。鹳鹆不逾济㉝，貉逾汶则死矣㉞。地气然也。虽然，形气异也，性钧已，无相易已。生皆全已，分皆足已。吾何以识其巨细？何以识其修短？何以识其同异哉？"

[注释]

①壑（hè）：水坑。大壑，即非常大的水坑，即大海，指渤海、东海、太平洋。《山海经·大荒东经》有"东海之外，大壑，少昊之国"的说法。②归墟：天下水流汇集的地方。③八纮（hóng）：八极。九野：天之八野和中央。九野的名称为：钧天、苍天、变天、玄天、幽天、昊天、朱天、炎天、阳天。天汉：指天河（又叫银河），传说与大海相通。④岱舆：传说中的东海仙山。共五座。除岱舆之外，尚有员峤、方壶、瀛洲、蓬莱四座。宋陆游《剑南诗稿》的《神山歌》一诗有"一朝六鳌被钓去，岱舆员峤沉红涛"之句。⑤周旋：即周围、方圆。⑥缟（gǎo）：白色的绢。纯缟，清一色的白绢。⑦玕（gān）：美石。⑧连著：连接，指没有和水底固定。⑨暂峙（zhì）：耸立、屹立。⑩禺彊：神名。《山海经·大荒北经》："北海之渚中有神，人面鸟身，珥两青蛇，践两赤蛇，名曰禺彊。"⑪番：批、次。三番，三个班次。⑫合负：归并，合在一起。数：占卜。⑬凭怒：即愤怒。侵，即"浸"，逐渐地，缓慢地。隘（ài）：通"阨"，狭小。⑭僬侥（jiāo yáo）：古代矮人。僬侥国，神话传说中的国名。为矮人国。《山海经·大荒南经》："有小人，名曰僬侥之国。几姓，嘉谷是食。"⑮诤（zhèng）人：神话传说中的矮人，亦称"靖人"。《山海经·大荒东经》："有小人国，名靖人。"晋郭璞注为："东北极有人长九寸，殆谓此小人也。或作竫，音同。"⑯荆：此指古荆州，今湖北江陵、沙市一带。冥灵：树名，生江南，以叶生为春，叶落为秋。⑰椿：木名，叶香，味美，可作食物。大椿，神话中的大树，以八千岁为春，八千岁为秋。⑱朽壤：即腐烂的木头和土壤。菌芝：即从腐烂的木头和土壤中生出的灵芝一

类的野菌。⑲蠓蚋：小飞虫。⑳终发北：传说中的古国名。溟海：即黑颜色的海，大概位于北极极远的地方。㉑鲲：传说中的大鱼，有人以为指鲸。㉒鹏：传说中的大鸟，有人以为指凤鸟。㉓伯益：传说中善于放牧的贤人。夷坚：古代以博物著称的贤者。㉔江浦：江边。麽：音mó，极小。焦螟：亦虫名，传说中的小虫。㉕离朱：黄帝时人，能百步望秋毫之末。子羽：亦人名，同离朱一样，乃是传说中的视力极强的明目者。㉖眦（zì）：通称眼角。㉗䚦（zhì）俞：同下文的师旷，均指古代听力极强的人。擿：音zhì，搔。俛：音fǔ，同"俯"。㉘容成子：又称广成子。传说黄帝于空峒山向他问道。㉙嵩山：我国五大名山之一，号称中岳，与东岳泰山、南岳衡山、西岳华山、北岳恒山并称。㉚櫾（yòu）：即柚树，果实可食，生于江南。冬不落叶，四季常青。㉛愤厥：因生气而得的一种疾病。已，治好。㉜淮：河名，发源于河南省桐柏。枳：音zhǐ，枸橘。果可食，乃为中药，可顺气。㉝鸲鹆（qú yù）：俗称八哥。济：古称济水，现已不存。㉞貉（hé）：一种兽名，毛棕灰色，哺乳动物，栖息山林中。毛皮珍贵，又称貉（háo）子。汶：应指四川岷江。

[译文]

商汤又问："物有大和小的区别吗？有长和短的差异吗？有相同和不相同的地方吗？"夏革说："在渤海东面不知有多少万亿里远的地方有一个巨大的海洋，实际上是一个没有底的深谷。正因为它没有底，天下人就叫它为归墟。地上八极九方的河，天上银河的水都往这里流，而它里面的水从来也看不出其有所增加，或者有所减少。其中有五座大山。第一座叫岱舆，第二座叫员峤，第三座叫方壶，第四座叫瀛洲，第五座叫蓬莱。那些山的周围上下有三万里，山顶平面有九千里。山与山相距有七万里，作为近邻在水中矗立着。那些山上的楼台和寺观全是金银建构，飞禽走兽全是丝绢一样的白色，满山珠玉宝石般的树木，花儿色艳，果实鲜美，吃了之后可以长生不死。在那里居住的都是神仙的后裔。他们白天晚上，飞来飞去，相互拜访，相互嬉戏，娱乐交往的人非常多，无法统计。不过，这五座山的底部都没有和海底连接，常常随着潮涨潮落、波涌波平而上下漂移，从未分秒停歇过。仙人们为此感到烦恼，曾向天帝诉说。天帝也怕那些山漂移到西极去，使众多的仙人无处居住，便命令禺彊指挥十五只巨鳌，昂起头，顶住五座大山。分三班轮流，每次六万年。这样这五座大山才得以在海上固定耸立，仙人们才得以安居。没过多久，海上的巨人国的人，抬脚就到了山上。垂下钓钩，一下子钓走六只巨鳌，撂在肩上扛起就走。回到自己国家后，烧灼其背用以占卜，于是岱舆、员峤二山便漂到北极，沉入大海，神仙流离失所者，不可胜计。天帝大怒，对龙伯之国采取了严厉的惩罚措施。逐渐缩小它的领土面积，使它的民众个头变小等。到伏羲、神农时代，龙伯之国人的身高还有数十丈。从中州往西，四十万里之处有僬侥国，那里的人身高只有一尺五寸。东北最远的地方有一种叫诤人的人，身高九寸。荆州的南面有冥灵树，以五百年作为一春，五百年作为一秋。上古的时候有一种大椿树，以八千年作为一春，以八千年作为一秋。朽木腐壤上有一种菌芝，早上出生，晚上就死。春夏之交有一种叫蠓蚋的小飞虫，逢下雨生，见太阳就死。终北国的北边有黑海，名为'天池'，海中有一种鱼，其名为鲲，其身宽达几千里，长度也很相称。那儿还有一种鸟，其名为鹏，它展开的翅膀似无边的云彩垂挂在天空，它的身体同它的翅膀长得也很相称。人世间哪会知道有这种东西呢？大禹从这里经过时，曾经见过它；伯益知道以后亲自给它起了名字；夷坚听说后又把它用文字记载下来。江边附近生长的小虫，名字为焦螟，成群飞舞，然后聚集在蚊子的睫毛上，而且谁也挨不着谁，飞来飞去，栖宿停留，蚊子也感觉不到自己身上寄生着这种虫子。以明目著称于世的离朱、子羽，白日里擦亮眼睛，细心观察也看不见它的形状；听力超人的魱俞、师旷深夜精神专注地扯耳谛听，也听不到它的任何声音。只有黄帝和广成子，他们居住在空峒山上，一块儿吃斋三个月，心如死灰，形如枯木；缓缓去内视，才发现小虫的巨大身体，如同嵩山的丘陵那样高大，缓缓地用元气谛听，才发现它的声音，像雷霆一样轰鸣。吴国和楚国有一种大树，取名柚，满树碧绿，冬夏常青，果实朱红，味道略酸，吃果实的外皮，喝它的汁液，能治好因为生气而得的疾病。齐州的人民很珍视它，但是把它移到淮河北岸就变成了枳。鹳鹆不能跨过济水，貉越过岷江就会死亡。这是土地和气候的原因所造成的。尽管万物的形体、性格各不相同，而总体上却仍保持着常状，它们之间是不可能相互转换的。各种'物'的存在条件都非常完备，天分条件也很充足。我用什么认识它们之间谁大谁小呢？用什么去辨别它们谁长谁短呢？用什么去判断它们之间的谁同谁异呢？"

　　太形、王屋二山方七百里①，高万仞。本在冀州之南，河阳②之北。北山愚公者，年且九十，面山而居。惩③山北之塞，出入之迂也，聚室而谋，曰："吾与汝毕力平险④，指通⑤豫南，达于汉阴，可乎？"杂然⑥相许。其妻献疑曰："以君之力曾不能损魁父之丘⑦，如太形、王屋何？且焉置土石？"杂曰："投诸渤海之尾，隐土⑧之北。"遂率子孙荷担者三夫，叩石垦壤，箕畚运于渤海之尾。邻人京城氏之孀妻，有遗男，始龀⑨，跳往助之。寒暑易节，始一反焉。河曲⑩智叟笑而止之，曰："甚矣，汝之不惠！以残年馀力，曾不能毁山之一毛，其如土石何？"北山愚公长息曰："汝心之固，固不可彻，曾不若孀妻弱子。虽我之死，有子存焉。子又生孙，孙又生子；子又有子，子又有孙：子子孙孙，无穷匮也，而山不加增，何苦而不平？"河曲智叟亡以应。操蛇之神⑪闻之，惧其不已也，告之于帝。帝感其诚，命夸娥氏⑫二子，负二山，一厝朔东⑬，一厝雍南⑭。自此，冀之南、汉之阴，无陇断⑮焉。

[注释]

①太形（háng）：即太行，即太行山，在山西高原和河北平原之间。王屋：亦山名，位于河南和山西交界，在河南省北部的沁阳、济源和山西的阳城一带。②河阳：地名。故址在今黄河北岸，河南省孟州西。③惩（chéng）：本意为"戒"，此处有"苦"、"苦于"之意。④毕力：竭尽全力，用尽所有力量。险：指险要，此处为险峻的大山。⑤指通：一直通达出去。⑥杂然：纷乱不整齐的样子。⑦魁父：小山名。《淮南子》有"牛蹄之涔，无径尺之鲤；魁父之山，无营宇之材"的文字，无论从意义或从句式分析均是狭小而不能容大。⑧隐土：传说中的地名。⑨龀（chèn）：小孩子换牙。⑩河曲：地名。⑪操蛇之神：神话传说中的山神。因手中拿有蛇，故名。《山海经·大荒北经》："大荒之中……有神衔蛇、操蛇，其状虎首人身，四蹄长肘，名曰彊良。"⑫夸娥氏：传说中的大力神。⑬厝（cuò）：同"措"，放置，安置。朔东：朔方郡的东部（今山西省的北部）。⑭雍：古代州名，今陕西省、甘肃省一带。⑮陇断：山冈高地阻断。

[译文]

太行、王屋这两座山，方圆绵延七百里，峰高万仞。它们本来都在冀州的南面，河阳的北面。山中住着一位老人，人称愚公，年纪将近九十岁，房子对着大山，出入要绕很远的路，生活极不方便。有一天他把家人召集在一起，商量说："我准备率领你们，用尽一切力量把山平掉，让路直通河南南部，到达汉水南岸，你们说可以吗？"大家七嘴八舌，议论一番后都说行，只有老伴向他提出疑问说："凭你的力气，连一个小小的土丘都搬不走，还能把太行、王屋这样的大山怎么样？再说你把那么多的石头和土块放到哪里去？"大家说："放至渤海的后面，隐土的北边。"于是，率领子孙和三个挑担的就干了起来。撬石头，掘土壤，用簸箕土筐把它们运到渤海边上。邻居京城氏是个寡妇，她有个儿子刚满七岁，才开始换牙，也高高兴兴蹦蹦跳跳地前来帮助。从冷到热，往返一次。河曲智叟冷笑着制止说："你太笨了！凭你的残年余力，连山的一毛也损毁不了。能把那么多的土石怎么样？"北山愚公叹息说："你的心是很固执的，固执到不会开窍的地步！恐怕连寡妇家的七岁小孩都不如。我即使死了，还有我的儿子存在。儿子又生孙子，孙子再生儿子，子又生子，子又生孙，子子孙孙是无穷无尽的，而山却不会增高，为什么发愁平不掉它呢？"河曲智叟一时觉得语塞，无言以对。山神听说了这件事，怕愚公不停挖下去，真的会把山平掉，立即报告给天帝。天帝为愚公的诚心所感动，命令夸娥氏的两个儿子背着两座山，一座放在朔州的东边，一座放在雍州的南面。从此以后，冀州的南部，汉水的南岸，再也没有大山阻隔了。

夸父①不量力，欲追日影，逐之于隅谷②之际。渴欲得饮，赴饮河渭。河渭不足，将走北饮大泽③。未至，道渴而死。弃其杖，尸膏肉所浸④，生邓林⑤。邓林弥广数千里焉。

[注释]

①夸父：传说中的神话人物。《山海经·海外北经》记载说："夸父与日逐走，入日，渴，欲得饮，饮于河、渭，河、渭不足，北饮大泽，未至，道渴而死，弃其杖，化为邓林。"②隅谷：地名。③大泽：在今山西省北部。《山海经·海内西经》："大泽方百里……在雁门北。"④膏：油脂、脂肪。肉：肤肉。浸：浸润、滋养。⑤邓林：即桃林。

[译文]

夸父自不量力，一心要去追赶太阳的影子。一直追到隅谷太阳夜宿的这个地方。他感到口渴难忍，于是跑到黄河、渭河找水喝。黄河、渭河水太少，不能满足他的需要，将去北方寻找更大的湖泊和水泽。可惜还没有到达，就渴死在半路上。临终前他扔下自己的手杖，日后，由于他尸体膏肉的浸润，这个地方生长出一片很大的桃林。林中浓荫蔽日，前后左右，数千百里。

大禹曰："六合之间，四海之内，照之以日月，经①之以星辰，纪之以四时，要之以太岁②。神灵所生，其物异形；或夭或寿，惟圣人能通其道。"夏革曰："然则亦有不待神灵而生，不待阴阳而形，不待日月而明，不待杀戮而夭，不待将迎③而寿，不待五谷而食，不待缯纩④而衣，不待舟车而行。其道自然，非圣人之所通也。"

[注释]

①经：即经纬。引申为"布满"。②要：约、规定。太岁：星宿名。即木星，俗称岁星。每十二年绕太阳一周。古人把这一周分为十二等份，每一等份为一年。③将迎：接养。④缯纩（zēng kuàng）：指布匹、丝线之类。缯乃丝织物的总称。纩指丝棉絮。

[译文]

大禹说："西北东南上下之间，四海之内，照亮的是日、月，布满的是星辰，四季的顺序是春夏秋冬，年岁以木星的运动为准则。神灵促成的万物，各有各的形态；有的夭折，有的持久，只有圣人才能通晓这种规律。"夏革说："不过也有不等待神灵就出现的，不依靠阴阳变化就形成的，不需要日月就发出光亮的，不遭到杀戮就夭折的，不必要接养就能长寿的，不食用五谷就能吃饱的，不穿着缯纩就暖和的，不用乘船坐车就能行走的。这一切的规律都是自然而然的，不是圣人所能全部了解的。"

禹之治水土也，迷而失途，谬之一国。滨北海之北，不知距齐州几千万里，其国名曰终北①，不知际畔之所齐限②。无风雨霜露，不生鸟兽虫鱼草木之类。四方悉平，周以乔陟，当国之中有山，山名壶领，状若甔甀③。顶有口，状若员环④，名曰滋穴。有水涌出，名曰神瀵⑤，臭过兰椒，味过醪醴⑥。一源分为四埒⑦，注于山下。经营一国，亡不悉遍。土气和，亡札厉⑧。人性婉而从物，不竞不争。柔心而弱骨，不骄不忌，长幼侪⑨居，不君不臣；男女杂游，不媒不聘；缘水而居，不耕不稼。土气温适，不织不衣；百年而死，不夭不病。其民孳阜⑩亡数，有喜乐，亡衰老哀苦。其俗好声，相携而迭谣，终日不辍音。饥惓⑪则饮神瀵，力志和平。过则醉，经旬乃醒。沐浴神瀵，肤色脂泽，香气经旬乃歇。周穆王北游过其国，三年忘归。既反周室，慕其国，惝然⑫自失。不进酒肉，不召嫔御者，数月乃复。管仲⑬勉齐桓公，因游辽口，俱之其国。几克举，隰朋⑭谏曰："君舍齐国之广，人民之众，山川之观，殖物之阜，礼义之盛，章服之美，妖靡盈庭，忠良满朝。肆咤⑮则徒卒百万，视拂则诸侯从命，亦奚羡于彼，而弃齐国之社稷，从戎夷之国乎？此仲父⑯之耄，奈何从之？"桓公乃止，以隰朋之言告管仲。仲曰："此固非朋之所及也。臣恐彼国之不可知之也。齐国之富奚恋？隰朋之言奚顾？"

[注释]

①终北：又称穷发，国名，言其极幽、极微的玄默之地。②际畔：边界。齐限：即界限。③甔甄（dān zhuì）：瓦瓶。甔，口小腹大的瓦器。④员环：即圆环。员，通"圆"。⑤瀵（fèn）：高处的泉水喷涌而出。⑥醪（láo）醴：好喝的酒。⑦埒（liè）：相当，等同。⑧札厉：传染病，疫病，瘟疫之类。⑨侪（chái）：同类、同辈。⑩孳（zī）：繁衍，繁殖。阜：同"富"。⑪惓：同"倦"。⑫惝（chǎng）然：即怅然。⑬管仲：名夷吾，字仲。先助公子纠与公子小白争位，纠败后，经鲍叔牙推荐，成为齐桓公上卿。助齐桓公成为春秋时期的第一位霸主。⑭隰（xí）朋：人名，齐大夫，与管仲同时辅佐齐桓公。受管仲推荐任大行，主管外事，明礼待宾。齐伐孤竹，途中缺水，他根据蚂蚁冬天居山之阳的惯例，找到了水源，时人以为多智。⑮肆咤：即叱咤。⑯仲父：即桓公对管仲的称呼。

[译文]

大禹治理水土，有一次迷失道路，错误地走到了北海北面的一个国家，距齐州这个地方很远，不知道有几千万里，它的国名叫做终北，不知道它的边界在哪里。这里终年没有风霜雨露，不生长任何鸟、兽、虫、鱼、草木之类的动物和植物。四境全是平原，周围则是高峻重叠的大山。国境中部有座山，叫做壶领，形状恰像一只口小腹大的瓦坛子。山顶上有个洞，形状正好像一个圆环，叫滋穴。洞内有水涌出，叫做神瀵。水气的清香如同兰草和花椒，水质的味道赛过醇厚的美酒。一个泉源分成四股水流，不停地向山下流淌；在国境内曲折萦回，流遍全国各地。土质气候均和，从来不会发生瘟疫和瘴疠。人们的性格和蔼而温顺，不竞不争；内心柔美，气质温和，不骄躁，不猜忌；老的少的一起居住，不分君臣；男的女的混杂游乐，不用请媒和聘嫁；沿着水岸而居住，不耕耘土地，不收获庄稼；土质气候温和而适宜，不纺纱织布，不穿衣服；长寿百年才死去，不会短命夭折，不会有疾病折磨。人口繁衍旺盛，不计其数。有喜悦和欢笑，没有衰老和哀苦。当地风俗是喜欢音乐，三三两两相约，轮番对唱，整天歌声不会停歇。饿了倦了便饮用神瀵之水，精神便平和如初。饮用过量则会醉倒，十天左右才会苏醒。用神瀵之水洗澡，皮肤格外滋润和光泽，身上的香气十多天后才消失。周穆王北游路过其国，一下子停留了三年，忘记返回。即使回到国内，仍然思念那个国家，怅然自失，不想饮酒，不想吃肉，不召唤侍从，对嫔妃私毫没有兴趣。几个月之后才恢复到原来的样子。管仲规劝齐桓公游览辽口之后，乘便一块儿往终北国走走。他们快要动身的时候，隰朋提出了不同意见，说："君王舍弃这么广阔的齐国，这么众多的人民，这么美丽的山川，丰富的物产以及盛大的礼仪，华美的衣服，众多的宫女，满朝的忠良，是不值得的！君王啊！更何况您叱咤一声就能召来兵丁百万，一声令下就能指挥天下诸侯呢？是什么原因使您钦慕那种国家而舍弃齐国，去步落后愚昧国家的后尘呢？这是管仲的昏聩主张，君王是绝对不能采纳的。"桓公听后就打消了去终北之国的念头，并把隰朋的话转告给管仲。管仲说："这原来就不是隰朋的智力所能理解的。我怕以后那个国家再也不会有人知道了！这是一种无法弥补的损失。如两相对比，齐国的富庶有什么值得留恋呢？隰朋的话有什么听信的价值呢？"

南国之人祝发而裸①，北国之人鞨巾②而裘，中国之人冠冕而裳③。九土④所资，或农或商，或田或渔，如冬裘夏葛，水舟陆车，默而得之，性而成之。越之东有辄木之国⑤，其长子生，则鲜而食之，谓之宜弟。其大父⑥死，负其大母而弃之，曰："鬼妻不可以同居处。"楚之南有炎人之国⑦，其亲戚⑧死，朽⑨其肉而弃，然后埋其骨，乃成为孝子。秦之西有仪渠之国⑩者，其亲戚死，聚柴积而焚之。燻则烟上，谓之登遐，然后成为孝子。此上以为政，下以为俗而未足为异也。

[注释]

①祝发：把头发剪短或剃光。祝，截、剃。裸，裸体。②鞨（hé）巾：裹头巾。③冕：古代天子、诸侯、卿、大夫的帽子。裳：下身衣服或裙子。④九土：九州，泛指全中国。⑤辄木之国：寓言中的国名，在今海南省。⑥大父：祖父。⑦炎人之国：寓言中的国名，在今越南一带。⑧亲戚：此处指父母。⑨朽（guǎ）：剔、刮。⑩仪渠：寓言中的国名，在今甘肃省一带。

[译文]

南方人光头而裸体，北方人裹巾穿皮衣，中原人戴帽而穿裙。九州大地提供各种资源，用以维持人的生计。人们有的务农，有的经商，有的种植，有的捕鱼。恰如冬天穿裘棉，夏天着葛纱，水上乘船，陆上坐车一样，是潜移默化，自然而然，靠着本性而形成的。越国的东面有个辄木之国，头一胎子女一出生，便剥开吃掉，说是这样做有利于弟妹们的生长。祖父去世就把祖母背到外边抛弃，说是鬼的妻子不能同活着的人一块儿居住。楚国的南面有个炎人国，父母去世，把尸体的肉刮下来扔掉，然后埋葬尸骨，这才能成为孝子。秦国的西面有个仪渠国，父母去世，堆放柴草来焚烧。出现升腾的火苗，就说是死者登遐成仙，然后成为孝子。以上种种情形和葬仪，当官的作为政务来推行，为民的作为风俗来办理。既没有人为它感到吃惊，也没有人为它感到怪异。

孔子东游，见两小儿辩斗①。问其故。一儿曰："我以日始出时去②人近，而日中时远也。"一儿以日初出远，而日中时近也。一儿曰："日初出大如车盖③，及日中则如盘盂④，此不为⑤远者小而近者大乎？"一儿曰："日初出沧沧凉凉，及其日中如探汤，此不为近者热而远者凉乎？"孔子不能决也。两小儿笑曰："孰为汝多知⑥乎？"

[注释]

①辩斗：争辩。②去：离。③盖：搭在车上的伞状篷子。亦有作车轮的。④盘盂：盛东西的圆口或圆形器具，比盖和轮要小得多。⑤为：同"谓"。⑥知：知识。

[译文]

孔子去东方游览，见到两个小孩在激烈争论。孔子问他们争论些什么。一个小孩回答说："我认为太阳刚出来时离地近，而到中午时候则离地远。"另一个小孩则认为太阳刚出来时远，中午时候近。一个小孩说："太阳刚出来时大得像个车盖，到了中午时候小得像个盘子或盂盆，这不是合乎距离远就小，距离近就大的原理吗？"另一个小孩说："太阳刚出来时有点苍凉，到了中午，就像泡在热水里，这不是符合距离近的热，距离远的相对凉一些的原理吗？"孔子一时无法判断两个孩子之间争论的是非。两个小孩笑着说："就这样，谁还认为你博学多闻、知识丰富呢？"

均①，天下之至理也，连于形物②亦然。均发均县③，轻重而发绝，发不均也。均也，其绝也，莫绝。人以为不然，自有知其然者也。

詹何以独茧丝为纶④，芒针为钩⑤，荆筱⑥为竿，剖粒为饵，引盈车之鱼于百仞之渊，汩⑦流之中，纶不绝，钩不伸，竿不桡⑧。楚王闻而异之，召问其故。詹何曰："臣闻先大夫⑨之言，蒲且子之弋也⑩，弱弓纤缴，乘风振之，连双鸧⑪于青云之际。用心专，动手均也。臣因其事，放而学钓，五年始尽其道。当臣之临河持竿，心无杂虑，唯鱼之念；投纶沉钩，手无轻重，物莫能乱。鱼见臣之钩饵，犹沉埃聚沫⑫，吞之不疑。所以能以弱制强，以轻致重也。大王治国诚能若此，则天下可运于一握，将亦奚事哉？"楚王曰："善。"

[注释]

①均：均衡、均匀。②形物：有形体的东西或事物。③县：同"悬"，悬挂。④詹何：人名，战国时楚国人，以善钓闻名诸侯。纶：本为青丝带子，此处专指钓鱼用的丝线。⑤芒针：像麦芒一样细而短的针。芒，植物果实上的针状物。⑥筱（xiǎo）：小竹子。⑦汩：原指水流的样子和声音。此处专指速度快疾。⑧桡（náo）：弯曲。⑨先大夫：对父亲的称呼。其父生前大约任过大夫之职。⑩蒲且（jū）子：楚国人，善于弋射。弋，指带有绳子的箭。⑪鸧（cāng）：即鸧鹒，亦写作仓庚，俗名黄鹂。⑫沉埃聚沫：水面聚集的脏东西和泡沫。

[译文]

均衡，是世界上最高深的道理，联系一切有形体的事物考察，大概都是如此。即使是一根最细的头发也是这样。只要力量用得均衡，悬挂再重的东西也不会被拉断。如果不均衡则是会断的。这是毛发受力不均衡的缘故。如果受力均衡，不管多重的物体也是拉不断的。有的人不相信这一事实，不过总会有人明白其中的道理的。

　　詹何只用一根细细的茧丝作为钓线，用一只麦芒一样的小针作鱼钩，用又小又细的荆竹作为鱼竿，分出半粒米饭作为饵食，从百丈深渊、湍急的流水中钓到整车那么大的鱼，而钓丝不断，钓钩不直，钓竿不弯曲。楚王听说这件事，感到奇怪，马上把詹何叫来询问。詹何说："我曾经听到先父在世时说过：'蒲且子善于射鸟，他用的弓是力量最小的，系上最细的茧丝，顺风放箭，一次能射中飞在云天之上的两只黄鹂。能做到这一步，是用心专注，手的力量用得均衡的缘故。'我从这件事中受到启发，便琢磨着怎样学习钓鱼，经过五年时间，才懂得了其中的规律。每当我来到河边，拿起鱼竿准备垂钓的时候，思想上不存在一点杂念，一心一意地钓鱼，把钓丝放进水里，把钓钩轻轻地不深不浅地放入水中，握竿的力量始终保持均匀，专心致志，任何事物都不能分散我的注意力。鱼儿见我投入水中的钓饵，就以为是平时下沉的尘土和聚拢的泡沫，毫不犹豫地吞下。我之所以能以弱胜强、以轻致重、事半功倍的原因也许就在这里吧！大王治理国家诚能如此，那么天下就会运乎掌上，还会有什么事情做不到呢？"楚王激动地说："好！"

　　鲁公扈、赵齐婴①二人有疾，同请扁鹊②求治。扁鹊治之。既同愈，谓公扈、齐婴曰："汝曩之所疾，自外而干府藏者③，固药石④之所已。今有偕生⑤之疾，与体偕长，今为汝攻之何如？"二人曰："愿先闻其验⑥。"扁鹊谓公扈曰："汝志强而气弱，故足于谋而寡于断。齐婴志弱而气强，故少于虑而伤于专⑦。若换汝之心，则均于善矣。"扁鹊遂饮二人毒酒⑧，迷死三日，剖胸探心，易而置之。投以神药，既悟如初。二人辞归。于是公扈反齐婴之室，而有其妻子⑨，妻子弗识。齐婴亦反公扈之室，有其妻子，妻子亦弗识。二室因相与讼，求辨于扁鹊，扁鹊辨其所由，讼乃已⑩。

[注释]

①鲁公扈、赵齐婴：即鲁国人公扈、赵国人齐婴，二人事迹均不详。②扁鹊：战国时期著名医学家，姓秦，名越人，齐国渤海郡（今河北省任丘县北）人。据《汉书·艺文志》载其著作有《扁鹊内经》、《外经》等，已早佚。③干：干扰，侵害。府藏：即腑脏。④药石：指药材和石针。⑤偕生：先天就有，与生俱来。⑥验：证，症状。⑦伤于专：被武断的性格伤害。伤，伤害。专，专横、武断。⑧毒酒：指麻醉药或麻醉剂。⑨有：占有。妻子：即妻子和儿女。⑩讼乃已：诉讼得以停止或结束。

[译文]

鲁国的公扈和赵国的齐婴患病，一同到名医扁鹊那里请求诊治。扁鹊将他二人的病治好以后，告诉公扈和齐婴二人说："你们两个以前所患的病，乃是从外部侵入内脏的，药石可以治愈。现在，你们还有一种疾病，都是先天就有，与生俱来，它同你们的身体一起成长。现在也给治疗一下，你们以为如何呢？"公扈、齐婴二人说："请先把病情和症状给我们说一说。"扁鹊告诉他们说："公扈的心志刚强，而气质脆弱，所以，你的智谋很多，而缺乏果断，行动迟疑；而齐婴却相反，你心志脆弱，气质刚强，所以，你少于谋虑，常因急躁、武断、鲁莽而误事。假如把你们的心对换一下，你们两个的性格可以共同达到更为完美的境地。"二人同意后，扁鹊让他们同时喝下麻醉药酒，整整三天，昏迷不醒。扁鹊乘机给他们做了剖胸、摘心，并加易换的大手术。然后，又施以神药，二人很快醒来，并恢复到手术前的样子。二人告别扁鹊，并且各自回了自己的家。结果公扈回的是齐婴的家，认为老婆孩子是自己的，而齐婴的老婆孩子却不认识他；齐婴呢，走进了公扈的家，以为老婆孩子是自己的，而公扈的老婆孩子也不认识他。两家妻室儿女为此争吵不止，并且打起了官司，后请扁鹊给他们说明原委，直到把情况弄清楚之后，争吵才得平息。

瓠巴①鼓琴，而鸟舞鱼跃。郑师文②闻之，弃家从师襄③游。柱指钩弦④，三年不成章。师襄曰："子可以归矣！"师文舍其琴，叹曰："文非弦之不能钩，非章之不能成。文所存者，不在弦；所志者，不在声。内不得于心，外不应于器，故不敢发手而动弦。且少假⑤之，以观其后。"

无几何，复见师襄。师襄曰："子之琴何如？"师文曰："得之矣。请尝试之。"于是当春而扣商弦⑥，以召南吕⑦，凉风忽至，草木成实；及秋而叩角弦⑧，以激夹钟⑨，温风徐回，草木发荣；当夏而叩羽弦⑩，以召黄钟⑪，霜雪交下，川池暴沍⑫；及冬而扣徵弦⑬，以激蕤宾⑭，阳光炽烈，坚冰立散。将终，命宫⑮而总四弦，则景风翔，庆云浮，甘露降，澧泉涌。师襄乃抚心高蹈曰："微矣，子之弹也。虽师旷之清角，邹衍⑯之吹律，亡以加之。彼将挟琴执管而从子之后耳。"

[注释]

①瓠（hù）巴：古代传说中善弹琴者。②师文：郑国著名乐师，师襄弟子。③师襄：古代著名音乐家，以善于弹奏闻名天下。④柱指：在琴的柱弦上用手指确定音位。钩弦：又称定弦，使弦松紧适宜，每弦发出的声音相互应和。⑤少假：再宽限一些时日。⑥叩：弹拨，弹奏。商：古代五音之一，五行中属金，宜秋季弹奏。⑦南吕：古乐十二律中的第十律。十二律为黄钟、大吕、太簇、夹钟、姑洗、仲吕、蕤宾、林钟、夷则、南吕、无射、应钟。南吕为八月律，同商弦应。⑧角弦：古代五音之一，木音，属春。⑨夹钟：十二律中的第四律。属二月律，同角弦相应。⑩羽弦：五音之一，水音，属冬。⑪黄钟：十二律中的首律。属十一月律，同羽弦呼应。⑫沍（hù）：凝结。⑬徵弦：五音之一。属夏，火音。⑭蕤（ruí）宾：十二律中的第七律。属五月律，所以同徵弦相呼应。⑮宫：五音之一。五音之外，还有变徵、变宫，又称七

音。⑯邹衍：号谈天衍，齐国人，为燕昭王老师，居稷下，著书四十九篇，战国末期阴阳家。

[译文]

匏巴弹琴，鸟儿闻之空中飞舞，鱼儿听之水面跳跃。郑国乐师师文听说后，弃了家业，去拜鲁国乐官师襄为师。确定音位，调整琴弦，学了三年还不会弹奏一首完整的曲子。师襄说："不要再为难了，你回家去吧！"师文放下琴，叹着气说："我并不是不会调整琴弦，也不是不能弹奏曲子。我最担心的不在于琴弦，最忧虑的也不在于弹上几首曲子。心里主要发愁的是我自己现在还不能掌握自己的心意，还不能使乐器与心意相应和。所以不敢放手去动弦。请再宽限几天，看看最后的效果会是什么样子。"

没过多久，师文又去拜见师襄。师襄问："弹得怎么样了？"师文回答说："差不多了吧，现在让我给您弹弹试试。"于是，春天时候，他拨动了与秋季相应的金音商弦，弹奏出代表金秋八月的南吕乐律。悲凉的琴声响处，忽然刮来阵阵带有凉意的秋风，草木结出了果实。面对秋色，他拨动了与春天相应和的木音角弦，弹奏出代表初春二月的夹钟乐律。柔和的琴声一起，温暖的春风徐徐回荡，绿树青草，开花吐芳。正当夏日，他又拨动了与冬天相应的水音羽弦，弹奏出了代表十一月的黄钟乐律。激越的琴声一起，霜雪交加，河水凝结。到了冬天，他再拨动与夏天相应的火音徵弦，弹奏出代表五月的蕤宾乐律。欢快的琴声一起，烈日当空，坚冰融化。乐曲将要结束，他换用宫调总括四弦，顷刻之间，祥和之风徐徐而吹，彩云缤纷，时隐时现，甘露清凉，自天降下，清泉涌流，甜美如醴。师襄拍着胸口，举足顿地说："你的演奏太美妙了！即使是师旷的清角之曲、邹衍的笙管乐律也是比不上你的。以后他们都要挟着琴瑟、拿着笙管跟在你的后面喊你老师了。"

薛谭学讴于秦青①，未穷青之技，自谓尽之，遂辞归。秦青弗止。饯于郊衢②，抚节③悲歌，声振林木，响遏行云。薛谭乃谢求反，终身不敢言归。

秦青顾谓其友曰："昔韩娥④东之齐，匮粮，过雍门⑤，鬻歌假食⑥。既去而余音绕梁㭙⑦，三日不绝，左右以其人弗去。过逆旅，逆旅人辱之。韩娥因曼声⑧哀哭，一里⑨老幼悲愁，垂涕相对，三日不食。遽而追之，娥还。复为曼声长歌⑩，一里老幼喜跃抃舞⑪，弗能自禁，忘向之悲也。乃厚赂发之。故雍门之人至今善歌哭，放⑫娥之遗声"

[注释]

①薛谭：同他的老师秦青，皆秦之善歌者。讴：即清唱、徒歌，无乐器伴奏。②饯：饯别，送行。郊衢：郊区的路上。③抚：拍打。节：一种古代乐器，用竹编成，上合下开，可以拍打成声，用作歌唱伴奏。④韩娥：人名，古代韩国善歌者。⑤雍门：齐国的城门名。⑥鬻：卖。假：借。⑦梁㭙（lì）：房屋用的栋梁。⑧曼声：长声。⑨一里：整个乡里。⑩长歌：高声歌唱。⑪抃（biàn）舞：双手拍出节奏，随之舞蹈。⑫放：通"仿"，仿效。

[译文]

薛谭跟着秦青学习唱歌，还没有把老师的技艺学完，就自以为差不多了，便想告辞。秦青也不劝止，并且为他在郊外的路上饯行。这时候，秦青拍打着竹制的乐器，唱起了悲壮的歌曲，响亮的歌声振动林木，冲入云霄，原来天上飘动的云彩也为之停止不动了。薛谭听了，立即向老师认错，并请求允许他回到老师那里重新学习，从此再也不敢说那些辞别回家的事了。

秦青回头对他的朋友说："从前韩娥东去齐国，路过雍门时，盘费花完了，干粮吃尽了，只好靠卖唱来换取食物和盘费。她走了之后，余音不断，绕梁三日。附近的居民以为她还在这里，而没有离开呢。她经过一家旅店，旅店的人侮辱她，韩娥便拖长声音，哀哭不止。邻里的男女老少无不为之悲伤，相对流泪，整整三天不吃东西，急忙去追赶她。韩娥回来后，又为大家放声歌唱。全乡的男女老少无不为之欢天喜地鼓掌舞蹈，情不自禁，把先前的悲哀也忘得一干二净。于是大家赠给她很多财物和盘费，送她回家。因此，齐国雍门一带的人至今还擅长唱歌和悲哭，就是仿效了韩娥传留下来的声音啊！"

伯牙[1]善鼓琴，钟子期[2]善听。伯牙鼓琴，志在登高山，钟子期曰："善哉！峨峨兮若泰山。"志在流水，钟子期曰："善哉！洋洋兮若江河。"伯牙所念，钟子期必得之。

伯牙游于泰山之阴，卒[3]逢暴雨，止于岩下，心悲，乃援琴而鼓之。初为霖雨[4]之操，更造崩山之音。曲每奏，钟子期辄穷其趣。伯牙乃舍琴而叹曰："善哉！善哉！子之听夫志！想象犹吾心也。吾于何逃声哉？"

[注释]

[1]伯牙：人名，生于春秋时代，善于弹琴。据传从师成连，三年不成。后随成连至蓬莱山，闻海水澎湃、群鸟悲号之声，援琴而歌，琴艺大进。[2]钟子期：人名，与伯牙为知友，善于听琴和欣赏。[3]卒（cù）：突然，猛然。[4]霖雨：大雨不止。

[译文]

伯牙擅长弹琴，钟子期善于听琴。伯牙弹琴内心想要表达登临高山，钟子期则激动地赞叹说："妙极了，巍峨呀，巍峨！山峰直入云霄，跟泰山一个样子！"伯牙又悄悄把心转移至滔滔的流水，钟子期又拍手说："妙极了，浩浩渺渺，无边无际：跟长江大河一个样子！"凡是伯牙心里想要通过琴弦表达的，钟子期一听琴音，就知道得清清楚楚。

有一次，伯牙游览泰山北麓，突然下了大雨，无可奈何，只得到岩石下暂避。心里伤感，拿起琴就弹了起来。起初，伯牙弹了表现大雨连绵天不放晴的曲子，接着又弹了大山崩塌的壮烈之音，每奏一曲，钟子期就能立刻悟出其中的旨趣。伯牙于是放下琴，感叹着说："好啊好啊！您的鉴赏力已经到了出神入化的境地，您心里想的和我心里想的一样，我将把自己的心声隐匿到何处去呢？"

周穆王西巡狩①，越昆仑，不至弇山②。反还，未及中国，道有献工人名偃师③。穆王荐之，问曰："若有何能？"偃师曰："臣唯命所试。然臣已有所造，愿王先观之。"穆王曰："日以俱来。吾与若俱观之。"

翌日，偃师谒见王。王荐之，曰："若与偕来者何人邪？"对曰："臣之所造能倡者。"穆王惊视之，趋步俯仰，信人④也。巧夫顉其颐，则歌合律⑤；捧其手，则舞应节。千变万化，惟意所适。王以为实人也，与盛姬⑥内御并观之。技将终，倡者瞬其目而招王之左右侍妾。王大怒，立欲诛偃师。偃师大慑，立剖散倡者以示王，皆傅会革、木、胶、漆、白、黑、丹、青之所为⑦。王谛料之⑧，内则肝胆、心肺、脾肾、肠胃，外则筋骨、支节、皮毛、齿发，皆假物也，而无不毕具者。合会复如初见。王试废其心，则口不能言；废其肝，则目不能视；废其肾，则足不能步。穆王始悦而叹曰："人之巧乃可与造化者同功乎？"诏贰车⑨载之以归。

夫班输之云梯⑩，墨翟之飞鸢⑪，自谓能之极也。弟子东门贾、禽滑釐闻偃师之巧⑫，以告二子，二子终身不敢语艺，而时执规矩。

[注释]

①狩：外出巡察。②弇山：山名，亦称崦嵫山，又称弇兹。《穆天子传·卷三》有"升于弇山"之语，郭璞注为"弇，弇兹山，日所入也"。在今甘肃

省天水西境。"不至弇山"句中的"不"字当为衍文。③偃师：人名。传说中的工巧之人，疑为虚构。④信人：真实的人。⑤锁（hàn）：当为"锁"字之误。锁，音qīng，声音也。"锁其颐，则歌合律；捧其手，则舞应节"中"锁"与"捧"的语言环境相同。"捧"是手的动作，"锁"是颐的动作，手的动作是舞，颐的动作是歌。"颐"应指下巴等发音器官。⑥盛姬：宠姬。⑦傅会：同附会，凑合。白、黑、丹、青皆指可做颜料的白垩、黑炭、丹砂、青䨼之类的矿物。⑧谛：注意。料：检视。⑨贰车：副车。⑩班输：人名，复姓公输，名班。春秋时鲁国人，古代著名工匠。云梯：公输班发明的攻城长梯。⑪墨翟：春秋末期河南鲁山人。墨家学派的创始人。以善于守城闻名。飞鸢：据传为墨子用木头削成，会自己飞翔。⑫东门贾：鲁班弟子。禽滑（gǔ）釐（xī）：墨翟弟子，精研攻守城池谋略。

[译文]

周穆王去西方巡察，越过昆仑，登上弇山。在回来的路上，还没有进入京城的时候，碰到一个名叫偃师的艺人。穆王接见时，问道："你有什么本事呢？"偃师回答说："只要君王乐意，我都愿意去试。但是，我已经制造好了一件东西，希望大王能先看一下。"穆王说："好吧，明天你把它一起带来，我和你一块儿看。"

第二天，偃师带着他制造的歌舞艺人一起进见穆王。穆王召见，问："跟你同来的是什么人呀？"偃师回答："就是昨天给你说过的我制造的那个艺人。"穆王惊奇地望去，只见那人疾走慢行，弯腰低头，来去自如，完全像个真人。偃师示意，他移动下巴，张口发声，抑扬顿挫、高低快慢，没有一处不合乎旋律。同时，抬手动腿，舞步有序，没有一处不合乎节拍。其动作千变万化，穆王看得如醉如痴，把表演者当成了一个活生生的真人。于是把自己最宠爱的妃子及其他宫女也都叫来一起观看。表演快要结束的时候，那个艺人向穆王的嫔妃频施眼色挑逗，穆王大怒，要立刻诛杀偃师。偃师害怕至极，立即把那个艺人拆成碎件，展示给穆王看。原来那个艺人是用皮革、木头、树脂、胶漆和白垩、黑炭、丹砂、青䨼之类的颜料组合而成的。穆王又仔细地检查，只见它里面装有肝胆、心肺、脾肾、肠胃，外面则是筋骨、肢节、皮毛、齿发，没有一样不具备的。把这些东西重装以后，那位艺人则恢复如初，跳舞、唱歌，样样都会。穆王试着摘掉它的心脏，他就不会说话；拿掉它的眼睛，它则看不见东西；拿去它的肾脏，它就不会行走。穆王这才高兴地说："人的技巧，难道真的可以与天地自然造化之功比美吗？"他下令自己的随从用马车载上这个艺人一起回到自己的国家去。

鲁班曾造云梯，墨翟曾造飞鸢，他们都以为自己已经到达了技艺的顶点。他们的学生东门贾、禽滑釐听说了偃师的技巧，就分别告诉了自己的老师。于是这两位老师便终生不敢再来谈论技艺，只有依照先前已有的规矩老老实实做事。

甘蝇①，古之善射者，彀弓②而兽伏鸟下。弟子名飞卫③，学射于甘蝇，而巧过其师。纪昌④者又学射于飞卫。飞卫曰："尔先学不瞬，而后可言射矣！"纪昌归，偃卧其妻之机下，以目承牵挺⑤。二年之后，虽锥末倒眦⑥，而不瞬也。以告飞卫。飞卫曰："未也，必学视而后可。视小如大，视微如著，而后告我。"昌以氂⑦悬虱于牖，南面而望之，旬日之间浸⑧大也，三年之后如车轮焉。以睹余物，皆丘山也。乃以燕角之弧、朔蓬之簳射之⑨，贯虱之心而悬不绝。以告飞卫，飞卫高蹈⑩拊膺曰："汝得之矣！"纪昌既尽卫之术，计天下之敌己者一人而已，乃谋杀飞卫。相遇于野，二人交射。中路端锋相触而坠于地，而尘不扬。飞卫之矢先穷，纪昌遗一矢；既发，飞卫以棘刺之矢捍之，而无差焉。于是二子泣而投弓，相拜于途，请为父子。剋臂以誓⑪，不得告术于人。

[注释]

①甘蝇：传说善于射箭的人。②彀（gòu）弓：把弓拉满。③飞卫：古代传说中善于射箭的人。④纪昌：古代传说中善于射箭的人。⑤偃卧：脸朝上躺着。机：指古代木制的人工脚踏织布机。⑥锥末：即锥尖。眦：眼眶。⑦氂（máo）："牦"的异体字，指牦牛的细毛。⑧浸：慢慢地，逐渐地。⑨朔："荆"字之误。荆：指楚国。簳（gǎn）：蓬草的茎干。⑩高踏：即高跳，高兴地跳起来。⑪剋（kè）：通"刻"，用箭矢在手臂上刻下誓言。

[译文]

甘蝇是古代射箭的能手，只要一张弓，箭未射出，野兽就吓倒在地，飞鸟就掉落地上。有个弟子名叫飞卫，学习刻苦，专心致志，最后箭术超过了老师。

飞卫有个弟子，名叫纪昌，开始问飞卫怎样学习射箭时，飞卫告诉他说："你得先学会盯住目标而眼睛不眨的本领，然后才能谈到学习射箭。"纪昌回到家里，仰面躺在妻子的织布机下面，双眼死死盯住织布机踏板。两年之后，即使锋利的锥尖扎到眼眶，他的眼睛一下也不眨。于是前去告诉飞卫。飞卫说："还不行，你必须先把视力练好，才能学习射箭。当你练得能把极小的物体看得很大，将模糊的东西看得很清楚的时候，再来告诉我。"纪昌用牦牛尾巴上的细毛拴住一个虱子，挂在窗户上，一天到晚，目不转睛地盯着看。十几天以后，虱子在自己的眼中渐渐变得大了起来；三年之后，竟然变得像车轮那么大，再看其他物体，都像山丘似的。他便用燕国牛角制成的弓，楚国蓬干做成的箭，朝虱子射去，利箭穿过虱心，而牛尾巴毛却没有断。于是纪昌又去告诉飞卫。飞卫一听，高兴得跳了起来，拍着胸脯说："射箭的奥秘你已经领悟到了！"

纪昌把飞卫的本领学完之后，心想，天下能和自己匹敌的只有老师一个人而已，于是就产生了谋杀飞卫的念头。一次两人相遇，比赛对射。两人射出的箭头在中途碰在一起，落到地上连点尘土也不飞起。飞卫的箭射完了，纪昌还剩有预备好的一支。纪昌张弓发箭，飞卫措手不及，只好用棘刺的尖去挡住迎面飞来的利箭，竟无丝毫差失。

这时，两个人激动得哭着扔下弓，在路上跪拜，举行仪式，终身结为父子。并在胳臂上刻下誓言，决不再把射箭的技术传授给任何人。

造父之师曰泰豆氏①。造父之始从习御也，执礼甚卑，泰豆三年不告。造父执礼愈谨，乃告之曰："古诗言：'良弓之子，必先为箕②；良冶之子③，必先为裘。'汝先观吾趣。趣如吾，然后六辔可持，六马可御。"造父曰："唯命所从。"泰豆乃立木为途，仅可容足；计步而置，履之而行。趣走往还，无跌失也。造父学之，三日尽其巧。泰豆叹曰："子何其敏也？得之捷乎？凡所御者，亦如此也。曩汝之行，得之于足，应之于心。推于御也，齐辑乎辔衔④之际，而急缓乎唇吻⑤之和；正度乎胸臆之中，而执节⑥乎掌握之间。内得于中心，而外合于马志⑦，是故能进退履绳而旋曲中规矩⑧。取道致远而气力有余，诚得其术也。

"得之于衔，应之于辔；得之于辔，应之于手；得之于手，应之于心。则不以目视，不以策驱⑨；心闲体正，六辔不乱，而二十四蹄⑩所投无差；回旋进退，莫不中节。然后舆轮之外可使无余辙，马蹄之外可使无余地⑪。未尝觉山谷之险，原隰之夷，视之一也。吾术穷矣，汝其识之。"

[注释]

①造父：人名，古代擅长驾御马车的人。泰豆氏：又写作大（tài）豆，乃造父学驾的老师。《吕氏春秋·听言》："造父练习于大豆。"高诱注为："大豆，盖御人姓名。"②箕：簸箕，竹编、柳编均有。③良冶：优秀的冶炼工匠。

"良弓之子,必先为箕;良冶之子,必先为裘。"出自《礼记·学记》。即想当一名优秀的制弓匠,必先学习编织簸箕;想当一名优秀冶炼工,必先学习制作皮衣。④辔(pèi)衔:驾驭牲口用的嚼子和缰绳。⑤唇吻:即嘴巴,指吆喝牲口的声音。⑥执节:驾驭的节奏。⑦马志:马的性情与马的意愿。⑧中规矩:按照一定的规矩办。⑨策:马鞭子。⑩二十四蹄:即六匹马。古代极高贵的人四马拉车,在四马之外左右各加一匹为六匹。⑪无余地:没有一点多余的地方。意为道路最窄,只要马蹄容得下,就能平安驶过去。

[译文]

　　造父的老师是泰豆氏。造父开始学驾车的时候,礼貌周到,态度谦恭。然而三年过去了,泰豆氏却不传授任何技术。这时造父对泰豆氏的礼貌更加周到,态度更加谦恭。于是泰豆氏这才告诉他说:"古诗中有这样的句子:'优秀制弓匠的儿子,必须先学习编织簸箕;优秀冶炼工的儿子,必须先学习制作皮革和裘袍。'你且先观察一下我是怎样走路的。等你跟我走的一样了,然后就可以执掌六根缰绳,能够驾驶六匹马的车了。"造父说:"我完全听从您的吩咐。"泰豆氏树立起一根根木桩作为道路,每根木桩上仅能放下一只脚,又按每迈一步的标准距离设置木桩间隔,然后踩着木桩行走。只见他奔走往返,既不跌下,也不走错。造父细心学习,三天就掌握了桩上行走的本领。老师赞叹说:"你怎么这样聪明呀,这么快就学会了桩上行走的基本功。大凡驾驭车马,道理同这是一样的。刚才你在木桩上行走,已经做到落足得当,与心相应。类推到驾车上就是用缰绳和嚼子来指挥驾车的马匹。而在嘴里的吆喝之声的轻重,掌握行车速度的快慢,在自己胸中把握正确的驾驭方法,在手掌中控制适当的节奏,在内得之于心,在外则同马的脾性相结合。这样,进退就像踩着准绳一样直,转弯抹角就像照着圆规一样准确,就能走得远而力气有余。能做到这一步,便是真正掌握了驾驭车马的技术。

"再进一步,嚼子的要领掌握了,便要同缰绳的要领相适应;缰绳的要领掌握了,还要同手腕的动作要领相适应;手腕的动作要领掌握了,还要同内心所想的相适应。能做到这一步,驾起马车来就不用眼睛去看,也用不着马鞭驱赶,从从容容,端端正正,六条缰绳井然在握,二十四只马蹄自由奔驰;迂回旋转,前进后退,无不按一定的节奏进行。这一步做到了,就可以在极狭窄的道路上行走。车轮之外不可能再有别的车迹,马蹄之外不可能再有什么多余地面;就不会感到高山峡谷有什么危险,平原低地有什么平与不平,内心把这些当成一回事,既不差丝毫,又随心所欲。我所有的技巧都在这里了,你好好记住吧!"

魏黑卵以暱嫌杀丘邴章①。丘邴章之子来丹谋报父之仇。丹气甚猛,形甚露②,计粒而食③,顺风而趋,虽怒,不能称兵④以报之。耻假力⑤于人,誓手剑⑥以屠黑卵。黑卵悍志⑦绝众,力抗百夫,筋骨皮肉非人类也。延颈承刃,披胸⑧受矢,铓锷摧屈⑨,而体无痕挞⑩,负其材力,视来丹犹雏鷇⑪也。

来丹之友申他曰:"子怨黑卵至矣,黑卵之易⑫子过矣,将奚谋焉?"来丹垂涕曰:"愿子为我谋。"申他曰:"吾闻卫孔周,其祖得殷帝⑬之宝剑,一童子服之,却三军之众,奚不请焉?"来丹遂适卫。见孔周,执仆御之礼⑭,请先纳⑮妻子,后言所欲。孔周曰:"吾有三剑,唯子所择。皆不能杀人,且先言其状。一曰含光。视之不可见,运之不知有。其所触也,泯然无际⑯,经物而物不觉。二曰承影。将旦昧爽之交,日夕昏明之际,北面而察之,淡淡焉若有物存⑰,莫识其状。其所触也,窃窃然有声,经物而物不疾也。三曰宵练。方昼则见影而不见光,方夜见光而不见形。其触物也,骈然而过,随过随合,觉疾而不血刃焉。此三宝者,传之十三世矣,而无施于事。匣而藏之,未尝启封。"

来丹曰:"虽然,吾必请其下者。"孔周乃归其妻子,与斋七日。晏阴之间⑱,跪而授其下剑,来丹再拜受之以归。

来丹遂执剑从黑卵。时,黑卵之醉偃于牖下。自颈至腰三斩之,黑卵不觉。来丹以黑卵之死,趣而退,遇黑卵之子于门,击之三下,如投虚。黑卵之子方笑曰:"汝何蚩⑲而三招予?"来丹知剑之不能杀人也,叹而归。黑卵既醒,怒其妻曰:"醉而露我,使人嗌疾而腰急⑳。"其子曰:"畴昔来丹之来,遇我于门,三招我,亦使我体疾而支强,彼其厌我哉㉑!"

[注释]

①暄嫌:私仇。本故事中涉及的黑卵、丘邴章、申他、孔周皆人名,春秋时人。②形甚露:身体瘦弱,没有力量。③计粒:数着饭粒,意思是吃得少。④称兵:拿起武器。⑤假:借。假力,借助于别人的力量。⑥手剑:亲手拿剑。⑦悍志:为人剽悍、猛浪,勇力过人。⑧披胸:露出胸脯。⑨铓锷(máng è):刀剑的利刃。摧屈:折断或弯曲。⑩痕挞:疑为"挞痕",即打伤的痕迹。⑪鸰鷇(kòu):指鸰鸡、小鸟。⑫易:看不起,蔑视。⑬殷帝:这里指商代的开国皇帝成汤。⑭仆御之礼:即仆人车夫等下等人应遵守的礼节。⑮纳:进献。这里有抵押的意思。⑯泯然:事物尽灭,不见影踪。际:缝隙。⑰淡(yān)淡焉:隐隐约约,像水晃动的影子。⑱晏阴:天气半晴半阴。⑲蚩:通"嗤",讥笑。⑳嗌(yì)疾:咽喉疼痛。腰急:即腰部酸疼。急,即痛苦,不舒服。㉑厌(yā):即"厌胜"。古代的一种巫术,谓能以咒语伤及别人。

[译文]

魏国的黑卵,由于私仇杀害了丘邴章。丘邴章的儿子来丹长大以后一直图谋为父亲报仇。他虽然气势凶猛,而身体却很瘦弱。数着米粒吃饭,顺着风行走。虽然怒火中烧,却因举不动兵器而作罢。同时又不愿借助于别人的力量,报仇的想法根本无法实现。但复仇的决心和意志绝对没有改变,发誓说亲手用剑杀死黑卵。而黑卵这个人却非常剽悍,勇力过人,以一可以当百。他的筋骨皮肉都和常人不同。伸着脖子让刀砍，露着胸脯让箭射，刀箭的锋刃不是被折断，就是被弄弯曲。而他的身上连一点砍伤射伤的痕迹都没有。黑卵依仗自己的材力，根本不把来丹放在眼里，觉得他仅如一只待哺的小鸟和雏鸡。

来丹的朋友申他说："你对黑卵仇恨极深，而黑卵对你的轻视也太过分，你打算怎么办呢？"来丹流着眼泪说："希望你能够给我出出主意。"申他说："我听说卫国人孔周的先人得到过一把商朝大王的宝剑，一个小孩子佩带着它就能吓退千军万马，你为什么不去请求孔周借给你用用呢？"来丹到了卫国，拜见孔周，对孔周行了仆人礼节，他请孔周先收下自己的妻子儿女作为抵押，然后把自己的要求说了出来。孔周说："我有三把宝剑，你可以选择一把。但这三把宝剑都不能杀死人，现在让我先把它们的特点给您说一下。第一把叫含光，用眼看，见不到它的形状，用它时感觉不到它的存在，剑锋过处没有一点伤痕。穿过身体，没有任何痛感。第二把叫承影，早晨天将亮未亮之时，黄昏将黑未黑之际，面北仔细观察它，看上去隐隐约约似乎有物存在，然而分辨不出它的形状，剑锋过处，只发出轻微的声音，刺过身体像是什么也没有发生似的。第三把叫宵练，白天时只能见它的影子，不见它的光芒，夜晚只见它的光芒，不见它的影子。用它砍削物体，剑锋一过，伤口即合，虽然感到疼痛，但刀口一点没有血水。这三件宝物，已经传了十三代了，从来没有使用过它。装在匣子里，一直没有开封。"来丹恳求说："虽然这样，我还是请求借用第三把吧！"孔周归还了来丹的妻子儿女，又一起斋戒了七天。然后在天气半阴半晴的时候，孔周跪下传授宝剑，来丹再拜，受剑而归。

来丹借得宝剑之后，每天跟踪黑卵。有一次黑卵喝醉了酒，躺在窗下休息，来丹跳将上去，从头到腰连砍三次，黑卵毫无知觉。来丹以为黑卵已死，急忙离开。在门口遇见了黑卵的儿子，来丹又挥剑连砍三下，如同砍在虚空里。黑卵的儿子嘲笑说："来丹，你怎么只戏弄三次就停手了？"来丹知道该剑杀不死人，只好叹气而归。黑卵酒醒后，对老婆大发脾气说："我喝醉酒以后，你却让我躺在窗下，风吹得我腰酸、喉咙痛。"他儿子说："刚才我在门口遇见来丹，对我招了三次手，过后我的身体也开始疼痛起来，四肢发僵，这家伙一定是用什么魔法诅咒了咱们吧！"

周穆王大征西戎①，西戎献锟铻②之剑，火浣之布③。其剑长尺有咫④，练钢⑤赤刃，用之切玉如切泥焉。火浣之布，浣之必投于火；布则火色，垢则布色；出火而振之，皓然疑乎雪。

皇子以为无此物，传之者妄。萧叔⑥曰："皇子果于自信⑦，果于诬理⑧哉！"

[注释]

①西戎：古代西北戎族的总称。约生活在黄河上游青海、甘肃一带。②锟铻（kún wū）：新疆境内山名，其上所产铁能制刀剑。③浣（huàn）：洗。火浣，即在火中洗涤。火浣布，即石棉布。④咫（zhǐ）：八寸为咫。尺咫，即一尺八寸。⑤练钢：纯钢。练，除去物中杂质，使之纯净、坚利。⑥萧叔：人名，事迹不详。⑦果于自信：主观武断。⑧诬：没有根据的言论。诬理，即把真理看成是没有根据的胡说。

[译文]

周穆王大举征伐西戎这些国家。这些国家的君王献出锟铻宝剑和火浣之布两样宝贝。其宝剑长一尺八寸，用纯钢制成，锋刃为红铜色，用它切割玉石，像是切割泥块似的，锋利无比。火浣之布，洗涤时把它投入火中，布烧成火红色，污垢则烧成布色；从火中取出后抖一抖，竟像白雪一般洁净。

皇太子认为世界上不可能有这些东西，传说的人一定是胡说。有个名叫萧叔的大臣说："皇太子过分自信，把有的东西说成没有，把合乎客观事理的事物说成不合乎客观事理，能行吗！"

卷 六

力命第六[①]

力谓命[②]曰:"若之功奚若我哉?"命曰:"汝奚功于物,而欲比朕?"力曰:"寿夭、穷达、贵贱、贫富,我力之所能也。"命曰:"彭祖之智不出尧舜之上,而寿八百;颜渊之才不出众人之下,而寿四八[③]。仲尼之德不出诸侯之下,而困于陈、蔡[④];殷纣之行不出三仁[⑤]之上,而居君位;季札[⑥]无爵于吴,田恒专有齐国[⑦];夷、齐饿于首阳[⑧],季氏富于展禽[⑨]。若是汝力之所能,奈何寿彼而夭此,穷圣而达逆,贱贤而贵愚,贫善而富恶邪?"力曰:"若如若言,我固无功于物,而物若此邪,此则若之所制邪?"命曰:"既谓之命,奈何有制之者邪?朕直而推之,曲而任之。自寿自夭,自穷自达,自贵自贱,自富自贫,朕岂能识之哉?朕岂能识之哉?"

[注释]

①左右人的命运的有两种力量,一种是自然力,一种是社会力。前一种叫天命,后一种称作人力。列子称之为"力"和"命"。本篇围绕力和命这一

主题,分别加以论述和阐释。②力:力量、人力。命:命运、天命。本段以寓言的形式,表达了"天命"决定一切的思想。③寿四八:三十二岁。④陈、蔡:即陈国和蔡国。困于陈、蔡,即孔子困于陈国和蔡国交界的地方。起因是楚国国君派人去陈、蔡交界处聘请孔子,陈、蔡的国君、大夫怕孔子受聘后楚国会更加强大,于是让徒役围孔于陈、蔡之野,不得行,并且为之绝粮。⑤三仁:指三位仁者,即三位道德品质极为高尚的人,即微子、箕子、比干。微子,名启,纣王的庶兄,封于微(今山东境内),因见商代将亡,屡谏纣王,纣王不听,遂出走。箕子,纣王叔父,官太师,劝谏不听,被囚禁。比干,亦纣王叔父,官少师,因劝谏,被纣王取出心肝验看而死。⑥季札:又称公子札。春秋时吴国人,吴王之弟,以多次推让君位而著称,封于延陵(今江苏常州),又称"延陵季子"。⑦田恒:一名田常。又称田成子。春秋时齐国大臣,以大斗借贷,小斗收进,民心归向。公元前481年杀死简公,拥立平公,自任宰相,尽杀公族中强人,扩大封邑,从此齐国由田氏专权,齐国国君成为玩偶和傀儡。⑧夷、齐:夷即伯夷,齐即叔齐。伯夷乃孤竹君的长子,贤士。孤竹君以次子叔齐为继承人。孤竹君死后叔齐让位于兄,伯夷不受。后二人均投奔周国,武王灭商后二人到首阳山,不食周粟而死。首阳山,在今河南省偃师附近。⑨季氏:即季孙氏,当时掌握鲁国政权的贵族。展禽:名获,字禽,即柳下惠,春秋时鲁国大夫,食邑柳下,谥号为"惠"。

[译文]

人力对天命说:"你对人和物的贡献怎么能同我的贡献相比呢?"天命说:"你对人和万物到底有什么贡献,怎么敢来和我相比呢?"人力说:"人和万物寿命的长短,穷困与亨通,显贵和低贱,贫苦与富裕,都是我的力量所能办到的。"天命说:"我来问你,彭祖的智力赶不上尧、舜,为什么活了八百岁?颜渊的才能不在众人之下,为什么只活三十二岁?孔子仁德超过各国诸侯,为什么偏偏受困于陈、蔡两国之间呢?殷纣王的德行赶不上微子、箕子、比干这三个人,为什么却能高居君王之位呢?为什么贤者季札在吴国没有爵禄,而伪者田恒能在齐国专权呢?为什么有气节的伯夷、叔齐在首阳山饿死,而运用诈术的季孙氏比展禽还要富有呢？假若你的力量能改变现状，为什么还要保存这不公正的状况呢？为什么让那些人长寿，这些人短命？让圣人穷困而逆人亨通，贤者低贱而愚人尊贵，好人贫穷而恶人富有呢？"人力说："如果像你所说的那样，我原本对人和万物并没有什么贡献，那么是人和万物自己如此呢，还是你所主宰而如此的呢？"天命说："已经称呼为'天命'了，哪里还会有什么主宰存在呢？对于合理的万物，我尽力促进其发展，对于不合理的事物，我任其自生自灭好了。对于每一个具体的物，它自己是长寿还是夭折，自己是穷困还是亨通，自己是尊贵还是低贱，自己是富足还是贫穷，我怎么会知道这其中的原因是什么呢？我怎么知道这其中的原因是什么呢？"

北宫子谓西门子①曰："朕与子并世②也，而人子达③；并族也，而人子敬；并貌也，而人子爱；并言也，而人子庸④；并行也，而人子诚；并仕⑤也，而人子贵；并农也，而人子富；并商也，而人子利。朕衣则裋褐⑥，食则粢粝⑦，居则蓬室⑧，出则徒行。子衣则文锦⑨，食则粱肉，居则连欐⑩，出则结驷⑪。在家熙然⑫有弃朕之心，在朝谔然⑬有傲朕之色。请谒不相及⑭，遨游不同行，固有年矣。子自以德过朕邪？"西门子曰："予无以知其实。汝造事⑮而穷，予造事而达，此厚薄⑯之验欤？而皆谓与予并，汝之颜厚⑰矣！"北宫子无以应，自失而归。中途遇东郭先生。先生曰："汝奚往而反，偊偊⑱而步，有深愧之色邪？"北宫子言其状。东郭先生曰："吾将舍汝之愧，与汝更之西门氏而问之。"曰："汝奚辱北宫子之深乎？固且⑲言之。"西门子曰："北宫子言世族、年貌、言行与予并，而贱贵、贫富与予异。予语之曰：'予无以知其实。汝造事而穷，予造事而达，此将厚薄之验欤？而皆谓与予并，汝之颜厚矣！'"东郭先生曰："汝之言厚薄，不过言才德之差，吾之言厚薄异于是矣。夫北宫子厚于德，薄于命；汝厚于命，薄于德。汝之达，非智得也；北宫子之穷，非愚失也。皆天也，非人也。而汝以命厚自矜，北宫子以德厚自愧，皆不识夫固然之理矣。"西门子曰："先生止矣！予不敢复言。"北宫子既归，衣其裋褐，有狐貉之温；进其茙菽⑳，有稻粱之味；庇其蓬室，若广厦之荫；乘其筚辂㉑，若文轩之饰。终身逌然㉒，不知荣辱之在彼也，在我也。东郭先生闻之曰："北宫子之寐久矣，一言而能寤，易怛㉓也哉！"

[注释]

①北宫子、西门子：寓言中虚拟人物。②并世：同代，同辈。③人子达：即有人使你尊贵显达。人：此处名词用作动词。人子，即别人使你……④并族：同在一个家庭。并言：表达能力与所说的话也相同。庸：通"用"。⑤并仕：同样走入仕途。⑥裋（shù）褐：粗布衣服。⑦粢粝（zì lì）：稻饼和糙米。即粗糙的食物。⑧蓬室：草房。⑨文锦：有花纹的锦缎，指高级衣料。⑩连栭：高楼大厦。⑪结驷（sì）：即套着四匹马的车子。⑫熙然：和乐、高兴的样子。⑬谔然：直话直说、毫不顾忌的样子。⑭不相及：没有见面，从来不直接来往。⑮造事：即做事。⑯厚薄：指德高或德差。亦谓道德品质高尚或者道德品质低下。⑰颜厚：脸皮厚。⑱偊（yǔ）：同"踽"，独。⑲固且：即姑且。⑳茙菽（róng shū）：大豆。㉑筚辂（bì lù）：泛指装柴草的车子。筚，指柴草。辂，车辕上的横木。㉒逌（yóu）然：舒适自得的样子。㉓怛（dá）：本意有悲伤、惊愕、恐惧等。在此处的语言环境中应为警觉、警惕之类。易怛，即对自己的错误认识、错误言论及行为保持高度警惕，并有立即改正的自觉性。

[译文]

北宫子找到西门子发牢骚说："我和你生活在同一个社会里，人们为什么只使你亨通显达，地位尊贵？咱们两个同属于一个族系，人们为什么只使你受到大家的敬爱和尊重？我和你形体外貌长得差不多，人们为什么只让你得到众人的喜欢和宠幸？咱两个说话的声音和用词一个样，人们为什么只觉得你说的话应该重视？我和你一块儿进入仕途，人们为什么只使人认为只有你值得重用，并且不断得到提拔？咱两个干同一件事情，人们为什么使大家感到只有你去做才会受到信任？我和你同样都是种庄稼，人们为什么只使你的庄稼丰收从而生活富裕？咱两个同样都经营商业，人们为什么只让你获得巨大的利润？而我为什么只能穿粗布衣裳，吃粗米杂粮，住茅草小屋，出门只能徒步而行？你穿的却是华贵锦衣，吃的是山珍海味，住的是高楼大厦，出门坐的是四匹马拉的豪华车子？在家里你趾高气扬，故意冷落我；在朝廷中，你得意洋洋，对我摆出一副盛气凌人的架势，见面连个招呼也不打。出外游览时，从不同我一起走，好像这个世界上有我和没有我是一个样子，这样已经有很多年了。你为什么要这么做？是不是你自己感到你的德才比我高一等呢？"西门子回答说："我无从知道你说的那些究竟是否与事实相符，我只说凡是你做的事都不会成功，我做事件件顺利，这大概就反映了咱两个德才的高低了吧！还有什么理由说各个方面都同我差不多呢？你的脸皮真够厚的！"北宫子找不到回答的理由，只得带着惭愧怏怏而退。回去的路上碰到了东郭先生，东郭先生问他说："你到什么地方去了，回来得又这么快，而且一个人闷闷不乐地走，满脸带着羞愧的颜色？"北宫子把自己和西门子的一番对话告诉了他。东郭先生说："我将设法去掉你自卑的羞愧之心，消除你生不如人的自贱之情，咱俩再去找西门子问个清楚。"二人见到西门子，东郭先生说："你对北宫子问你的话回答得太刻薄，太过分了！请你再说说吧！"西门子说："北宫子说他无论在社会、家庭、年龄和相貌，甚至是言论、行为上都跟我差不多，而在低贱和尊贵方面、贫穷和富裕方面都有很大的不同。他想不通，我告诉他说：'我无从知道他说的那些是否与事实相符，我只说凡是他做的事都不会成功，而我做的事却件件顺利，这大概就反映了我们德才的高低了吧！还有什么理由说你各个方面都跟我差不多了呢？你的脸皮是够厚的!'"东郭先生说:"你谈的高低问题不过指的是才德的差别。我谈的高低问题,同你说的不一样。北宫子的才德高尚,但是命运却很浅薄;你的命运极好,而才德却很浅薄。你亨通显达,不是凭借智力得到的;北宫子的穷困,不是他的愚蠢造成的。都是天命如此,只凭人力是无法做到的。现在你以天命高厚而盛气凌人,北宫子却以天命浅薄羞愧,都是不理解自然事理的缘故。"西门子说:"请先生不必再往下说了。那些话是错误的,我再也不敢说了!"北宫子回家以后,穿的还是粗布衣服,却觉得像穿狐貉皮衣一样温暖;吃的仍是豆类杂粮,却有一种吃山珍海味的感觉;住的依然是茅草小屋,却好像住在高楼大厦里一样舒适;坐在摇摇晃晃的柴草车上,却好像坐在四匹马拉着的豪华车子上一样惬意。一生怡然自得,再也不去考虑荣辱是在他的身上,还是在我身上。东郭先生听说北宫子变了,说:"北宫子糊里糊涂地在世俗中生活就像睡着很久了,几句话让他醒悟,说明北宫子对自己的错误认识、言论、行为保持着高度的警惕啊!"

管夷吾、鲍叔牙二人相友甚戚①,同处于齐。管夷吾事公子纠②,鲍叔牙事公子小白③。齐公族④多宠,嫡庶并行⑤。国人惧乱。管仲与召忽奉公子纠奔鲁⑥,鲍叔奉公子小白奔莒⑦。

既而公孙无知⑧作乱,齐无君,二公子争入。管夷吾与小白战于莒道,射中小白带钩⑨。小白既立,胁鲁杀子纠,召忽死之,管夷吾被囚。鲍叔牙谓桓公曰:"管夷吾能可以治国。"桓公曰:"我仇也,愿杀之。"鲍叔牙曰:"吾闻贤君无私怨,且人能为其主,亦必能为人君。如欲霸王,非夷吾其弗可。君必舍之!"遂召管仲。鲁归之齐,鲍叔牙郊迎,释其囚。桓公礼之,而位于高、国之上⑩。鲍叔牙以身下之,任以国政。号曰仲父。桓公遂霸。

管仲尝叹曰:"吾少穷困时,尝与鲍叔贾,分财多自与,鲍叔不以我为贪，知我贫也。吾尝为鲍叔谋事而大穷困，鲍叔不以我为愚，知时有利不利也。吾尝三仕三见逐于君，鲍叔不以我为不肖，知我不遭时也。吾尝三战三北，鲍叔不以我为怯，知我有老母也。公子纠败，召忽死之，吾幽囚受辱，鲍叔不以我为无耻，知我不羞小节而耻名不显于天下也。生我者父母，知我者鲍叔也！"

此世称管鲍善交者，小白善用能者。然实无善交，实无用能也。实无善交实无用能者，非更有善交、更有善用能也。召忽非能死，不得不死；鲍叔非能举贤，不得不举；小白非能用仇，不得不用。

及管夷吾有病，小白问之，曰："仲父之病疾矣，可不讳云。至于大病，则寡人恶乎属国而可？"夷吾曰："公谁欲欤？"小白曰："鲍叔牙可。"曰："不可。其为人，洁廉善士也，其于不己若者，不比之人，一闻人之过，终身不忘。使之理国，上且钩⑪乎君，下且逆乎民。其得罪于君也，将弗久矣。"小白曰："然则孰可？"对曰："勿已，则隰朋可。其为人也，上忘而下不叛⑫，愧其不若黄帝，而哀不己若者。以德分人，谓之圣人；以财分人，谓之贤人。以贤临人，未有得人者也；以贤下人者，未有不得人者也。其于国有不闻也，其于家有不见也。勿已，则隰朋可。"

然则管夷吾非薄鲍叔也，不得不薄；非厚隰朋也，不得不厚。厚之于始，或薄之于终；薄之于终，或厚之于始。厚薄之去来，弗由我也。

[注释]

①戚：深厚、密切。②公子纠：姜姓，吕氏，小白之兄。③公子小白：姜姓，吕氏，齐襄公和公子纠之弟。④公族：国君、诸侯的同族。⑤嫡：宗法制度下家庭的正支。庶：宗法制度下家庭的旁支。嫡庶并行，系指齐僖公宠爱庶出的公孙无知，下令同太子一样对待，被视为违反宗法礼制，受到舆论抨击。

⑥奉：拥戴。召忽：齐国大臣。⑦莒（jǔ）：古国名，在今山东淄博一带。⑧公孙无知：齐襄公时，废除公孙无知与太子平等的礼仪，公孙无知便杀掉襄公，自立为王。此后公孙无知为齐国渠丘大夫雍林所杀。⑨带钩：衣带上的金属小钩。⑩高、国：家庭姓氏。两家都曾在齐国为卿大夫，居高位。⑪钩：钩取，钩攀。这里有求全责备和献媚取宠的意思。⑫上忘而下叛：自己身处高位而不放心上，忘记自己的高贵身份，礼贤下士，和下属平等相处，那么下人就不会离散叛逃。

[译文]

　　管夷吾和鲍叔牙是亲密的朋友，小时候形影不离。长大后，管夷吾为公子纠做事，鲍叔牙则为公子小白效力。齐国同族人中，国君宠爱的人很多，嫡系和庶出一样对待，这就违反了宗法礼制。国人怕引起内乱，大臣们设法保护太子。管夷吾和召忽护拥着公子纠出奔鲁国，鲍叔牙护拥着公子小白逃往莒国。

　　没过多久，公孙无知作乱，杀掉齐襄公，自立为国君，后又被杀。在齐国无君的情况下，公子纠和公子小白争着回国争夺王位。管夷吾和公子小白在通往莒国的道路上交战，管夷吾射中了公子小白衣服上的钩子。后来公子小白取得了胜利，登上齐国君位，便胁迫鲁国国君杀掉公子纠，召忽自杀殉之，管夷吾被囚禁起来。鲍叔牙对新即位的齐桓公小白说："管夷吾很有才能，一定能把国家治理好。"齐桓公说："管夷吾是我的仇敌，我想杀掉他。"鲍叔牙说："我听古人说，贤君不应当有私仇，何况他能为当时的主人效劳，也就一定能为君王出力。如果您想成为诸侯霸主，就非起用管夷吾不可。君王您必须立即赦免他。"于是齐桓公马上召见管夷吾，鲁国把他送回到齐国，鲍叔牙特地来到郊外相迎，亲自为他去掉刑具。桓公以应有的礼仪接待他，而且封他的官位在高、国二卿大夫之上。鲍叔牙也做了他的下属，让他执掌国家权力。尊称为仲父。齐桓公在管仲辅佐下确实成了天下诸侯国的霸主。

　　管仲曾感慨地说："我年轻穷困时，曾同鲍叔牙一起做过生意，

力命第六

每次分配钱财时自己总要多占一些,鲍叔牙并不认为我贪心,总觉得因我家里贫穷应该如此呀!我曾经为鲍叔牙谋划事情,而结果受到很大损失,鲍叔牙不认为我愚蠢,是因为时机有时有利,有时不利而造成的呀!我曾三次当官,三次都被君王赶走,鲍叔牙不认为我没有德才,而是因为没有遇到赏识我的明主而造成的呀!我曾经三次参加过作战,而三次都在战场上逃跑,鲍叔牙不认为我怯懦,知道我还有老母需要奉养呀!公子纠垮台了,召忽殉难而死,而我却被囚禁而受屈辱,鲍叔牙不认为我没有气节,而认为我是不拘小节,考虑的主要是我在天下的名声还没有显扬呀!生我的是爹娘,知我的是鲍叔呀!"

这就是历史上赞美的管鲍之交,以及齐桓公善于用贤的故事,不过事实上并不是如此。管鲍之间没有如此美好的交情,齐桓公也没有用贤若渴的大度。这样说的原因在于根本上就没有什么纯粹的善于交友,根本上就没有什么单纯的用贤。召忽并不是为公子纠殉难自杀,而是不得不自杀;鲍叔牙不是什么善于推荐贤能,而是不得不推荐;小白并非能任用仇人,而是不得不任用。

管仲生病的时候,小白前来看望,对他说:"仲父的病是很严重的,我也不用忌讳。如果你的病无法医治,那么我把国家大权托付给谁呢?"管仲反问说:"你说你想交给谁呢?"小白回答说:"可以交给鲍叔牙!"管仲说:"那不可以!鲍叔牙为人清正廉洁,是一个贤能之士,而他对于德才不如自己的人不屑接近,一听说别人的过错就记一辈子。假如让他治理国家,对上则会求全责备于君主,对下则会违逆民众的心意。这样,他得罪于您的时间就不会太远了!"小白问道:"那么谁可以呢?"管仲回答:"如果我的病确实无法治愈,那么隰朋可以接任。他的为人,在上则忘掉自己身处高位,对下从不骄傲蛮横,每天考虑的都是使自己的德行如何完美,把黄帝作为标准,严格要求自己,而且同情爱护那些不如自己的人。以德行感化他人的人叫做圣人,用财物施惠于他人的人叫做贤人。因才能傲视别人的,是不能得人心的；以贤能而谦虚待人的，从来就没有不得人心的。这样的顺乎自然，对国事虽然关心而不巨细过问，对于家事也不过分苛求。如果我的病不能医治，隰朋是可以接替的！"

管仲不是故意贬低鲍叔，而为了社稷的安危，不得不贬低；管仲之所以推重隰朋，也是为了国家的安危，不得不推重。有的开始推重，后来变成贬低；有的开始贬低，后来变为推重。总之，贬低和推重的相互转化，都不是由一个人的主观意志所能决定的。

邓析①操两可之说②，设无穷之辞③，当子产④执政，作《竹刑》⑤。郑国用之，数难子产之治⑥。子产屈⑦之。子产执而戮之⑧，俄而，诛之⑨。

然则，子产非能用《竹刑》，不得不用；邓析非能屈子产，不得不屈；子产非能诛邓析，不得不诛也。

[注释]

①邓析（前545—前501）：春秋末期思想家，"名辩之学"的创始者，郑国人。②两可之说：利用事物固有的两面，从不同的角度进行阐发、论述，往往可以得出不同的结论，可以这样说，也可以那样说，即此亦可，彼亦可。如果不能正确运用，则会导致无是无非、是非不分、无所可否的消极结果。③无穷之辞：即说不完的话。意为教人诉讼，能够讲出一些内心想说而说不出来的话。④子产：即公孙侨。春秋时期郑国正卿。生年不详，卒于公元前522年。字子美。郑公族子国之子。是郑国历史上有作为的政治家之一。⑤《竹刑》：子产公布《刑书》三十余年后，邓析根据当时的形势，对郑国的刑法进行补充修改，并刻在竹简上，史称《竹刑》。⑥数（shuò）：屡次。难：为难。⑦屈：理屈，此处作使动词用。⑧戮之：即辱之。⑨诛之：即杀害邓析。后有史料证明，诛杀邓析的不是子产，而是执政驷歂。

[译文]

邓析主张两可的学说，创设巧于讼辩的言辞。当子产在郑国执政的时候，邓析编制出一部《竹刑》。郑国按《竹刑》施行以后，他屡次责难子产对国家的治理工作，常常把子产弄到理屈辞穷的地步。子产下令逮捕邓析，并要将他杀掉。不久，果然杀掉了。

子产本不愿意施行《竹刑》，而是不得不施行；邓析并不能使子产屈服，而是子产不得不屈服；子产并不是能够杀掉邓析，而是不得不杀掉。

可以生而生，天福也；可以死而死，天福也。可以生而不生，天罚也；可以死而不死，天罚也。可以生，可以死，得生得死，有矣；不可以生①，不可以死②，或死或生，有矣。

然而生生死死，非物非我，皆命也，智之所无奈何。故曰，窈然无际③，天道自会，漠然无分④，天道自运⑤。天地不能犯，圣智不能干，鬼魅不能欺。自然者，默之成之，平之宁之，将之迎之⑥。

[注释]

①不：当为衍文。不可以生，应该是可以生。即在"可以生"的条件下，有的生、有的不生的情况是存在的。②不可以死：应当作"可以死"。"不"字，也为衍文。即在"可以死"的条件下，有的死了、有的没有死的情况是存在的。③窈（yǎo）然无际：深奥遥远，没有边际。④漠然无分：寂静得没有一点声音，空旷得看不清任何形迹，对事物没法区分。⑤自运：自然运行，不借助任何外力。⑥将：送。迎：接。

[译文]

应该生存的，而得以生存，这是天命该有的福分；应该死去的，能够死去，这也是天命该有的福分。应该生存，而不得生存，这是天命的惩罚；应该死亡的，而不得死亡，这也是天命的惩罚。应该生存，应该死亡，得到生存，得到死亡，这种情况是有的；应该生存，应该死亡，有的该生存却得死，有的该死亡却生存，这种情况也是有的。

然而无论生也好，死也好，均不由我和外物决定，都是由天命决定的，人的智力不起什么作用。因此，深奥无际，天道自然能够聚会；迷茫无际，天道自然能够运行。天和地的运动变化不能触犯，圣贤的才智不能干扰，鬼怪妖异不能改移。天命这种东西是一种自然力，它无声无息，使人和万物形成，其过程是平静和安宁的，使人和万物生生死死像世俗的迎来送往一样，平凡而有序。

杨朱之友曰季梁。季梁得疾，七日大渐[1]。其子环而泣之，请医[2]。季梁谓杨朱曰："吾子不肖如此之甚，汝奚不为我歌以晓之？"杨朱歌曰：

"天其[3]弗识，人胡能觉[4]？匪祐自天[5]，弗孽[6]由人。我乎汝乎！其弗知乎！医乎巫乎！其知之乎？"

其子弗晓，终[7]谒三医。一曰矫氏，二曰俞氏，三曰卢氏，诊其所疾[8]。矫氏谓季梁曰："汝寒温不节，虚实失度，病由饥饱色欲。精虑烦散，非天非鬼。虽渐，可攻也。"季梁曰："众医也，亟屏之[9]！"俞氏曰："女始则胎气不足，乳湩有余。病非一朝一夕之故，其所由来渐矣，弗可已也。"季梁曰："良医也，且食[10]之！"卢氏曰："汝疾不由天，亦不由人，亦不由鬼。禀生受形，既有制[11]之者矣，亦有知之者矣，药石其如汝何？"季梁曰："神医也，重贶[12]遣之！"俄而季梁之疾自瘳。

[注释]

[1]大渐：病情突然加重、加剧。[2]请医：请求父亲允许他们为其请求医生诊病。[3]其：语气词，表测度，也许，大概。[4]觉：领悟，觉察，理解。[5]匪祐自天：即福祐不是从天上降下。[6]孽：罪孽，罪过。[7]终：结果、终于。[8]诊其所疾：用号脉的办法诊断病情、病因，并给出治疗方案。[9]亟(jí)：急迫。屏：屏退，赶走。[10]食(sì)：吃，喂。[11]制：控制，主宰。[12]贶(kuàng)：赠，赐。

[译文]

杨朱有个朋友，名叫季梁。季梁有一次生病，第七天的时候，忽然加重。他的子女们围在床前不停地哭泣,并恳切要求父亲允许他们去请医生诊治。季梁对杨朱说:"我的子女们不孝顺到如此地步!你为什么不唱支歌开导他们一下呢?"杨朱唱道:

"上天不知我的病,世人哪会说得清?不是福祐从天降,亦非作孽人造成。无论是我还是你,全在糊涂迷茫中!不管是医还是巫,皆是病人说痴梦。"

季梁的子女们不晓得杨朱歌中的含意,最后终于给季梁请来三位医生,一位姓矫,一位姓俞,一位姓卢,为季梁诊断病因。姓矫的医生对季梁说:"你对天气的冷热没有调节好,虚实没有掌握得恰到好处,疾病是因为饥饱不均、色欲失度而形成的。精神过于忧愁、烦躁,经常胡思乱想也是重要的原因之一。作怪的既不是老天,也不是鬼神,尽管病情危急,药石还是可以医治的。"季梁说:"这是平庸的医生,叫他赶快出去!"俞氏对季梁说:"你原先就存在胎气不足的缺陷,出生以后吃的奶汁倒是绰绰有余,疾病不是一朝一夕形成的,而是长期积累和逐渐加深的结果。这种病是没有办法治好的!"季梁说:"这是一位值得信任的好医生,你们一定用好吃的招待呀!"卢氏对季梁说:"你的疾病不是老天造成的,也不是人造成的,更不是鬼神造成的。任何人获得了生命,接受了形体,就有看不见、摸不着的力量在背后控制。既有控制人的,也就有理解人的。那么药物和针石对于疾病会有多大的效力呢?"季梁说:"这是神医!赠送给他重金打发他走吧!"没过多久,季梁的疾病不经任何治疗就痊愈了。

生非贵之所能存①,身非爱之所能厚②;生亦非贱之所能夭,身亦非轻之所能薄。故贵之或不生,贱之或不死;爱之亦不厚,轻之或不薄。此似反也,非反③也;此自生自死,自厚自薄。或贵之而生,或贱之而死;或爱之而厚,或轻之而薄。此似顺也,非顺也;此亦自生自死,自厚自薄。鬻熊语文王曰:"自长非所增,自短非所损。算④之所亡若何?"老聃语关尹曰:"天之所恶,孰知其故⑤?"言迎天意,揣利害,不如其已。

[注释]

①生:生命。生命存在的时间为寿。存:生存,活着的时间。②身:身体。爱:爱护,珍惜。厚:结实,引申为健康,强壮。③反:相反。④算:算计,智力,智慧。⑤天之所恶,孰知其故:此语出自老子《道德经·七十三章》。

[译文]

生命并不是珍惜它就能长存,身体并不是爱护它就能健壮;生命并不因为轻视它就会夭折,身体亦不会因为不看重它就会衰弱。所以,珍惜它反而偏偏不能生存,不看重它反而不会死亡;对身体爱护的,身体不一定强健,不爱护的不一定就衰弱。乍听起来,似乎是违背事理的,实际上不是这样。因为生命是自然生存,自然死亡的;身体是自然健壮,自然衰弱的。或者会因为看重它就能生,慢待它就会死;或者因为爱护它就健壮,轻视它就衰弱。这些说法听起来似乎合乎事理,实际上是违背事理的。原因同上面一样,生命是自然存在,自然死亡的;身体是自然健壮,自然衰弱的。它们有着自己独立的运行规律,不以人的主观意志为转移。鬻熊告诉周文王说:"身材高大是自然的身材高大,非人力所能增加;身材短小是自然的身材短小,非人力所能减损。智力对此无可奈何!"老聃对关尹说:"天所讨厌的,谁会知道天之所以讨厌的原因是什么呢?"意思就是告诫人们,推测天意,计较利害,精心为自己盘算的人是不会有任何好处的,不如早点停止。

杨布①问曰:"有人于此,年兄弟也②,言③兄弟也,才兄弟也,貌兄弟也;而寿夭父子也④,贵贱父子也,名誉父子也,爱憎父子也。吾惑之。"杨子曰:"古之人有言,吾尝识之,将以告若。不知所以然而然，命也。今昏昏昧昧，纷纷若若，随所为，随所不为。日去日来，孰能知其故？皆命也。夫信命者，亡寿夭；信理者，亡是非；信心者，亡逆顺；信性者，亡安危。则谓之都亡所信，都亡所不信。真矣，悫⑤矣！奚去奚就？奚哀奚乐？奚为奚不为？黄帝之书云：'至人居若死，动若械⑥。'亦不知所以居，亦不知所以不居；亦不知所以动，亦不知所以不动。亦不以众人之观易其情貌，亦不谓众人之不观不易其情貌。独往独来，独出独入，孰能碍之？"

[注释]

①杨布：人名，杨朱之弟。②年兄弟：指两人的年龄差不多。年，年龄。③言：应为"誉"即誉程，资历、阅历、经历。④寿夭父子：指年龄差距太大。⑤悫（què）：诚实。⑥居若死，动若械：即得道之人静坐如死人一般，活动起来像是机械和木偶。居，这里指静坐。

[译文]

杨布问他的哥哥杨朱说："这里有两个人，他们年龄差不多，大的如兄，小的如弟；他们的资历差不多，大的如兄，小的如弟；他们才能大小也基本相同，大的如兄，小的如弟；他们的容貌个头也很相似，大的如兄，小的如弟。但是，他们活的年龄悬殊很大，大的如父，小的如子；他们的地位悬殊很大，贵的如父，贱的如子；他们的名誉悬殊很大，好的如父，坏的如子；人们对他们的感情不同，爱的如父，恨的如子。我对此迷惑不解。"杨朱回答说："古代有句话，我至今没有忘记，现在告诉你吧！'不知为什么这样而这样，这就叫做命。'如今万物昏昏昧昧，纷纷纭纭，任其所为，任其所不为，日去日来，循环不止，谁能说清楚其中的原因呢？都是命运的安排啊！相信命运的，就不考虑寿命的长短；相信至理的，就没有个人得失的是非；相信心灵的，就不考虑处境的逆顺；相信天性的，就不考虑个人的安危。这就叫做什么都相信，什么都不相信。一个人如果真正领悟了'道'，那么自己还有什么抛弃不掉的疑虑，追求不到的个人所欲呢？还有什么哀乐，为与不为的区别呢？黄帝书中说：'道德最高的人，静坐时候如同死人，行动时候如同木偶。'不知为什么静坐，也不知为什么不静坐；不知为什么行动，也不知为什么不行动。不因为众人的视听而改变自己的情貌。独往独来，独出独入，谁能阻碍得了呢？"

墨尿、单至、啴咺、憋懯四人相与游于世①，胥如志②也；穷年不相知情，自以智之深也。巧佞、愚直、婩斫、便辟四人相与游于世③，胥如志也；穷年而不相语术④，自以巧之微也。㺄䏿、情露、謇极、凌谇四人相与游于世⑤，胥如志也；穷年不相晓悟，自以为才之得也。眠娗、諈诿、勇敢、怯疑四人相与游于世⑥，胥如志也；穷年不相谪发，自以行无戾⑦也。多偶、自专、乘权、只立四人相与游于世⑧，胥如志也；穷年不相顾眄，自以时之适也。此众态也。其貌不一，而咸之于道，命所归也。

[注释]

①墨尿(chì)：内心狡诈而外表装得愚蠢的人。单至(shān xì)：行为轻浮的人。啴咺(chǎn xuān)：迂腐缓慢的人。憋懯(biē fū)：性格急躁，总是匆匆忙忙的人。②胥如志：全部随心如愿。③巧佞：巧言佞色的人。愚直：厚道淳朴的人。婩斫(ān zhuó)：不明白、不清醒的人。便辟：周旋逢迎的人。④术：权术，处世的方法。⑤㺄䏿(jiǎo jià)：乖张而烦闷的人。情露：感情外显的人。謇(jiān)极：口吃而急躁的人。凌谇(suì)：找岔子骂人的人。⑥眠娗(tiān)：平和而不爱惹事的人。諈诿(chuí wěi)：爱把麻烦事推委于别人的人。⑦谪：通"谪"，即指摘，揭发。戾(lì)：乖戾，乖张。⑧多偶：顺和多友的人。自专：独自专断的人。乘权：利用权势的人。只立：孤独自立的人。

[译文]

墨尿、单至、啴咺、憋懯四个人在社会上交成朋友，全都称心如意。虽然是朋友，然而一年三百六十五天都不互相来往，谁也不跟谁说一句话，自认为自己的知识高深得不可估量。巧佞、愚直、婢斫、便辟四个人在人世间结为朋友，全都称心如意。虽然是朋友，一年三百六十五天都不相互交往，也不讨论如何为人处世，都认为自己是灵活到了极点。猣呀、情露、谶恨、凌谇四个人在社会上交为朋友，全都称心如意。虽然是朋友，然面一年三百六十五天都不相互来往，也不沟通信息，自认为世界上的事情自己没有不知道的。眠娭、谣诿、勇敢、怯疑四个人在社会上结成朋友，全都称心如意。虽然是朋友，然而一年三百六十五天都不相互来往，更不交换意见，自以为自己的行为没有不当之处。多偶、自专、乘权、只立四个人在社会上结为朋友，全都称心如意。虽然是朋友，然而一年三百六十五天都不相互来往，甚至连看一眼也不看，自认为自己的言论和行为还能跟上自己的时代。众人的性格情貌多种多样，千姿百态，但有一点是共同的，即他们都符合于道，这全是命运导致的结果呀！

佹佹①成者，俏②成也，初非成也。佹佹败者，俏败者也，初非败③也。故迷生于俏，俏之际昧然④。于俏而不昧然，则不骇外祸，不喜内福；随时动，随时止，智不能知也。信命者，于彼我无二心⑤。于彼我而有二心者，不若揜⑥目塞耳，背阪面隍⑦，亦不坠仆也。故曰：死生自命也，贫穷自时也。怨夭折者，不知命者也；怨贫穷者，不知时者也。当死不惧，在穷不戚⑧，知命安时也。其使多智之人，量利害⑨，料虚实，度人情，得亦中，亡亦中。其少智之人，不量利害，不料虚实，不度人情，得亦中，亡亦中。量与不量，料与不料，度与不度，奚以异？唯亡所量，亡所不量，则全而亡丧。亦非知全⑩，亦非知丧。自全也，自亡也，自丧也。

[注释]

①佹（guì）佹：几乎，将要，接近。②俏：通"肖"，相似，好像。③初非败：本来就没有失败。④际：时候，时刻。昧然：昏暗，光线不好。此处指模糊不清，无法辨认。⑤二心：两种不同的想法。这里特指与忠心不同的心。⑥拚（yǎn）：同"掩"。⑦阪：斜坡。隍（huáng）：护城壕或护城河。⑧在：处于，存在于。戚：悲痛，忧愁。⑨其：假使，倘若。量：估算，估量。⑩知全：认识到保全的必要性。知，同"智"。

[译文]

看上去将要成功了，似乎成功了，却原来还没有成功；看上去是失败了，好像是失败了，实际上还没有失败。因此，在似乎成功，似乎失败的情况下，人们常常因为弄不清楚好像和真实的界限而产生迷惑。然而，在同样的情况下也有不迷惑的，这种人对于外面突如其来的灾祸就不会惊骇，而是从容应对；对于外面突如其来的福分也不会格外高兴，而是处之以平常之心。因为他能够做到随时势而行动，随时势而停止。凭智力是不能做出正确的判断的。相信天命的人，对于出现的无论是外祸还是内福，都不会产生不同的感情！对于外祸和内福有不同心情的人倒不如蒙住眼睛，塞上耳朵，即使背向斜坡，面对壕沟，也不会栽倒下去。所以说，死生来自命运，贫富由于机会。抱怨夭折的人，乃是不知命运；抱怨贫穷的人，乃是不知机会。面对死亡则不恐惧，身处贫困而不悲戚，乃是知命安时。如果使足智多谋的人去估量利害，忖度虚实，猜测人情，那么结果会是正确的为一半，错误的也是一半。那些缺智少谋的人不估量利害，不忖度虚实，不猜测人情，那么结果也将是正确的为一半，错误的为一半。估量与不估量，忖度与不忖度，猜测与不猜测，两者之间有什么差别呢？唯独没有什么估量的，也没有什么不估量的才能保全本性而无所丧失。所以，保全本性不能依靠智力，丧失本性也不是因为智力。保全是自然保全的，消亡是自然消亡的，丧失是自然丧失的。

齐景公游于牛山①，北临其国城而流涕曰："美哉，国乎！郁郁芊芊②，若何滴滴③去此国而死乎？使古无死者，寡人将去斯而之何？"史孔、梁丘据④皆从而泣曰："臣赖君之赐，疏食恶肉可得而食，驽马稜车⑤，可得而乘也，且犹不欲死，而况吾君乎？"晏子独笑于旁。公雪涕⑥而顾晏子曰："寡人今日之游悲，孔与据皆从寡人而泣，子之独笑，何也？"

晏子对曰："使贤者常守之，则太公⑦、桓公将常守之矣；使有勇者而⑧常守之，则庄公、灵公将常守之矣⑨。数君者将守之，吾君方将被蓑笠而立乎畎⑩亩之中，唯事之恤⑪，行假念死乎？则吾君又安得此位而立焉？以其迭⑫处之，迭去之，至于君也，而独为之流涕，是不仁也。见不仁之君，见谄谀⑬之臣；臣见此二者，臣之所为独窃笑也。"景公惭焉，举觞⑭自罚；罚二臣者，各二觞焉。

[注释]

①齐景公：齐国国君，名杵臼。齐庄公的异母弟。公元前548年至前490年在位。牛山：在山东省临淄南。②郁郁芊芊：草木茂盛的样子。③滴滴：为"滂滂"之误。《晏子春秋》亦有这段文字。滂滂为大水涌流貌，用以说明时光如流水，人的生命像江河一样，不停地流逝。"子在川上曰，逝者如斯夫。"所说的正是此意。④史孔：一作艾孔。梁丘据：复姓梁丘。以上二人皆为齐景公大臣。⑤驽(nú)马：即劣质的马，跑不快的马。此处比喻人没有能力。稜车：当为"栈车"之误。栈车，用竹木做成的简陋车子。一般的士人乘坐。⑥雪涕：即揩去眼泪。⑦太公：即姜子牙。周代齐国的开国始祖。姜姓，吕氏，名望。俗称姜太公。⑧而：这里不做转折连词或一般连词用，而做副词用，意为能、能够。⑨庄公：即齐庄公。灵公：即齐灵公。皆齐国国君。⑩畎(quǎn)：田间小沟。⑪恤：忧虑。⑫迭：更迭，轮换。⑬谄谀：为了讨好，卑贱地奉承。⑭觞：古称酒杯。

[译文]

齐景公登上临淄南面的牛山，面向北方，眺望着京城无限感慨地含着眼泪说:"辽阔啊,齐国的国土!草木茂盛,一望无际。郁郁葱葱,令人遐想无限。人为什么会像江河流逝那样一代接着一代去死呢?如果自古没有死,寡人还会离开这个国家而到什么地方去呢?"侍臣史孔和梁丘据声泪俱下地附和说:"小臣依靠君王的恩赐,尚能吃到粗米劣肉,有驽马栈车可坐,还不愿意去死,更何况是我们君王呢?"晏子一声不吭,站在一旁暗笑。看到晏子这种表现,景公擦去眼泪,质问说:"寡人今日游览,心中难受,史孔和梁丘据都随着寡人哭泣,你却站在一旁独笑,这是什么意思?"

晏子回答说:"如果让贤明的君主永远掌管这个国家,那么太公、桓公就不会离去;如果让勇武的君主永远掌管这个国家,那么庄公和灵公也不会离去。如果这几位君主都永远掌管这个国家,那您大概只能做一个农夫,披着蓑衣,戴着竹笠,站在田野中,一天到晚忙活自己的事,还有什么闲工夫去考虑死的事情呢?您又怎么能当上国君呢?正是因为历代君王一个接着一个地登位,又一个接着一个地死去,到了现在,才轮换到了您呀!不停地生,不停地死,不断地轮换,这是天道运行的规律。现在您却因为人会死亡而痛哭流涕,这是不合乎仁德的表现。看到不仁的君王,看到阿谀献媚的臣子,我在同一时间看到了两种人,这便是我独自好笑的原因呀。"景公十分惭愧,便举杯自罚两杯,同时又罚那两位侍臣每人各饮两杯。

魏人有东门吴①者,其子死而不忧。其相室②曰:"公之爱子,天下无有。今子死不忧,何也?"东门吴曰:"吾常③无子,无子之时不忧。今子死,乃与向④无子同,臣奚忧焉?"

[注释]

①东门吴:人名,东门复姓。②相室:亦称"家相",即管家。③常:通"尝",曾经。④向:以前,从前,表示过往的时间或事情。

[译文]

魏国有一个名叫东门吴的人,儿子死了,他像个没事的人似的,一点悲痛的感情也没有。他的管家问他:"您对儿子的喜爱,天下人没有能比得上的。而现在儿子死了,您却毫不悲伤,这是什么道理呢?"东门吴回答说:"我以前是没有儿子的,那个时候也不觉得悲痛。现在儿子死了,就同过去没有儿子时候一样,我有什么值得悲痛的呢?"

农赴时①,商趣利②,工追术③,仕逐势④,势使然也。然农有水旱,商有得失,工有成败,仕有遇否⑤,命使然也。

[注释]

①赴时:赶上节令。赴,到……去。②趣利:追求利润。③追术:追求工艺,技巧。④仕逐势:从政的人追逐的是时势,抓紧的是机遇。势,时势,时代发展的总趋向,不以人的主观努力而改变。⑤遇:机遇,机会。否(pǐ):不通,阻滞。

[译文]

种田的要赶农时,经商的追求利润,当工匠的追求技艺,做官的要追赶时势,这是不以人力为转移的时势决定的。然而务农有丰歉,经商有赚赔,工匠有成败,当官有顺逆,这一切都是命运的安排。

卷 七

杨朱第七①

杨朱游于鲁，舍于孟氏。孟氏问曰："人而已矣，奚以名为？"曰："以名者为富。""既富矣，奚不已焉？"曰："为贵。""既贵矣，奚不已焉？"曰："为死。""既死矣，奚为焉？"曰："为子孙。""名奚益于子孙？"曰："名乃苦其身，燋②其心。乘其名者，泽及宗族，利兼乡党③，况子孙乎？""凡为名者必廉，廉斯贫；为名者必让，让斯贱。"曰："管仲之相齐④也，君淫亦淫，君奢亦奢，志合言从，道行国霸。死之后，管氏而已。田氏⑤之相齐也，君盈⑥则己降，君敛则己施，民皆归之，因有齐国。子孙享之，至今不绝。""若实名贫，伪名富。"曰："实无名，名无实⑦；名者，伪而已矣。昔者尧、舜伪以天下让许由⑧、善卷⑨，而不失天下，享祚⑩百年。伯夷、叔齐实以孤竹君⑪让而终亡其国，饿死于首阳之山，实伪之辩⑫，如此其省⑬也。"

[注释]

①杨朱的学说在战国时代独树一帜。他指出：生和死乃是一种自然现象，它是一气之暂聚，一物之暂灵。生不能因爱之而永生，死不能因恶之而不死。两者相比，生之不易，应该倍加珍惜。这种贵己乐生、全性保真的思想，在视个人生命如草芥、禁欲主义横行的时代，这种以生命，尤其以个人生命为贵的呼唤有着巨大的历史意义。既不要以穷损生，也不要以富累生，一切顺应自然之性，物既养生自当用之。而用有个限度，不能贪得无厌，不羡名，不羡利，不羡位，不羡财。物质方面只要有"丰屋美服，厚味姣色"，满足生命的需要也就可以了。有人把这种合理的生命需要一概诬之为享乐主义、纵欲主义是不公正的。从孟子开始攻击杨朱是"损一毫利天下而不为"的极端的利己主义的同时，却忽略了他"悉天下奉一身而不取"的不计较名利的一面。可贵的是《列子》八篇中保留了《杨朱》这一篇，从而为研究杨朱贵己、珍惜生命的思想提供了可以借鉴的资料。②燋：通"焦"，焦灼，烦躁。③乡党：周朝规定一万二千五百家为乡，五百家为党。古代基层组织的名称，同乡里、乡间近似或相同。④相齐：即做齐国宰相。相，作动词用。⑤田氏：指田乞。其先田完原为陈（陈、田二字在春秋战国时通用）厉公之子，因国难出奔，仕于齐。传至田乞，其收赋税，以小斗受之粟，予民以大斗，行阴德民。田氏因此得齐众心，宗族益强，民思田氏。至田常曾孙田和，灭掉姜姓齐国，建立田姓齐国。⑥盈：满。这里指奢侈、骄横。⑦实无名：真实的没有名声。名无实：有名声的则失去真实。⑧许由：传说尧要把江山让给他，他逃到箕山下自耕而食。尧又请他做九州长官，他到颍水河边洗耳朵，表示不愿听。⑨善卷："卷"亦作"绻"（quǎn），尧时有道之士。《庄子·让王》："舜以天下让善卷，善卷曰：'余立于宇宙之中，冬日衣皮毛，夏日衣葛絺。春耕种，形足以劳动；秋收敛，身足以休食。日出而作，日入而息，逍遥于天地之间，而心意自得。吾何以天下为哉？悲夫！子之不知余也。'遂不受。"⑩祚（zuò）：福。⑪孤竹君：孤竹国的君王。其国在今河北卢龙南。⑫辩：通"辨"，辨别。⑬省：明白。

[译文]

杨朱在鲁国旅游，住在朋友孟氏家里。孟氏问他："能托生成一个人就可以了,还要那些名声干什么呢?"杨朱回答:"名声的用处很多,比如可以借助它去发家致富呀!"孟氏又问:"已经富有了,为什么还不停止追求呢?"杨朱答:"只是富有不行,还要显贵的地位呢!"孟氏再问:"已经显贵了,为什么还不停止追求呢?"杨朱答:"富有、富贵还不能满足,还要追求身死之后的荣耀呀!"孟氏又问:"人都已经死了,还要名声干什么呢?"杨朱答:"为了子孙。"孟氏又问:"名声对子孙有什么用处呢?"杨朱说:"名声是依靠肉体劳累和心神焦虑才获得的。人们千辛万苦得来的名声能让恩泽遍及宗族,利益施及乡里,更何况是自己的子孙呢?"孟氏说:"大凡为了名声的人,一定廉洁,廉洁的结果必然贫困;为了名声的人一定谦让,谦让的人地位一定很低。"杨朱说:"管仲担任齐国宰相时候,始终和国君保持一致,君王淫逸他也淫逸,君王奢侈他也奢侈,顺应君王的意愿,言听计从,因此政策得以推行,使齐桓公称霸诸侯。但是管仲死了以后,他的家族也就很快衰落下去。田成子担任齐国的宰相,君王专横,他就谦虚;君王聚敛,他就施舍。久而久之,民心全都归服田氏。田氏由于民众的支持,便夺取了齐国的政权,子孙继续享用,至今不曾中断。"孟氏说:"照这样说来,真名声使人贫贱,而假名声却使人富贵。"杨朱说:"干真事的没有名,求名声的没有实。所谓名声,都是虚假的东西。从前,尧、舜假装把江山让给许由、善卷,因而不失天下,并且长久占据国君地位。伯夷、叔齐真的让出了孤竹国国君的位置,因而不仅导致国家灭亡,而且他俩连自己也饿死在首阳山上。实实在在和弄虚作假的区别,不是明摆着的吗?"

杨朱曰:"百年,寿之大齐①。得百年者千无一焉。设有一者,孩抱以逮昏老②,几居其半矣。夜眠之所弭,昼觉之所遗,又几居其半矣。痛疾哀苦,亡失③忧惧,又几居其半矣。量十数年之中④,逌然而自得,亡介焉之虑者,亦亡一时之中尔。

"则人之生也奚为哉？奚乐哉？为美厚⑤尔，为声色⑥尔。而美厚复不可常厌足，声色不可常玩闻。乃复为刑赏之所禁劝，名法之所进退⑦；遑遑尔竞一时之虚誉，规⑧死后之余荣；偊偊⑨尔顺耳目之观听，惜身意之是非。徒失当年之至乐，不能自肆于一时。重囚累梏，何以异哉？

"太古之人知生之暂来，知死之暂往；故从心而动，不违自然所好，当身之娱非所去也，故不为名所劝。从⑩性而游，不逆万物所好，死后之名非所取也，故不为刑所及。名誉先后，年命多少，非所量也。"

[注释]

①大齐：最大的限制范围，即大限、定限。②孩抱：刚生下的婴儿。昏老：衰老的晚年。③亡失：失意，不得志。④中：掌握中庸，做到恰到好处。⑤美厚：生活幸福殷实。⑥声色：指歌舞和美女。声，动听的音声。色，美好的颜色。⑦名法：等级名分和礼法规矩。进退：约束。⑧规：谋划，打算。⑨偊偊：同"踽踽"，独行的样子。⑩从：同"纵"，放任。

[译文]

杨朱说："人活一百岁，乃是个体生命的最高定限。一千个人之中，能活到一百岁的恐怕连一个也找不到。假设有一个真的活到了一百年，那么除去幼年和老年占去一半，那么就剩五十年。再加上夜晚睡眠的消耗，白天觉醒时的遗误，恐怕又占去一半，那么还有二十五年。至于疾病折磨，亡失忧惧，几乎又占据了剩下的一半时间，算算只有十几年的光景了。一个人一生中，能够舒适得意、无牵无挂的快乐日子恐怕连一天也是没有的啊！

"那么人的一生究竟为了什么？有什么快乐呢？就是为了锦衣美食以及动听的歌声和美妙的舞姿呀！然而锦衣美食并不能常常满足，歌声和舞姿也不能天天听，时时看，动辄还要遭到刑罚的禁阻，奖赏的鼓励，名分礼法约束；在有限的时间里，还要匆匆忙忙地竞争一时的虚名，谋划死后的虚荣；小心谨慎地分析所接触事情的对错，注意思想行为的是非。这样做，白白丢掉了有生之年应该享有的快乐，一时一刻不敢放纵自己的身心。如此这般地生活，同戴着刑具，关进牢狱的囚犯有什么不同呢？

"远古时代的人们懂得生命不过是暂时来到世上，死亡不过是暂时离去，因此随着心意去行动，不违反自己的本性，并不抛弃自身的欢乐是无可非议的。一个人应该不为名利所诱惑。按着本性去行动，不违背万物的规律，不去追求死后的名声，更不能为此去触犯刑律。至于名誉的大小，寿命的长短都不是人们自己应该考虑的。"

杨朱曰："万物所异者生也，所同者死也。生则有贤愚、贵贱，是所异也；死则有臭腐、消灭，是所同也。虽然，贤愚、贵贱，非所能①也，臭腐、消灭，亦非所能也。故生非所生②，死非所死，贤非所贤，愚非所愚，贵非所贵，贱非所贱。

"然而万物齐生齐③死，齐贤齐愚，齐贵齐贱。十年亦死，百年亦死，仁圣亦死，凶愚亦死。生则尧舜，死则腐骨；生则桀纣，死则腐骨。腐骨一矣，孰知其异？且趣当生④，奚遑⑤死后？"

[注释]

①非所能：不是自己所能办到的，指生死、贤愚、贵贱、臭腐、消灭都不是凭自己的主观努力而能办到的。②非所生：疑"所"字之后缺一"能"字。即"非所能生"。生非所能生，意为生命的获得不是获得生命者个人能够做主的。下文的"非所死""非所贤""非所愚"皆为相同句式，均应如此解。③齐：相等，相同。④趣：趋向，往。当生：活着的时候。⑤遑（huáng）：闲暇。

[译文]

杨朱说："万物的差异在于生存的状况，人死之后这些差异就随之消失，一切变成相同。活人可分成贤愚、贵贱，这就是差异；死后便同归臭腐、消灭，这就是相同。即使这样，造成一个人的贤愚贵贱不是个人所能决定的；归于臭腐、消灭，也不是个人所能决定的。所以不是想生存就能生存，想死亡就能死亡，自己想要贤明就能贤明，自己想要愚笨就能愚笨，自己想要显贵就能显贵，自己想要卑贱就能卑贱的。

"因此，对于万物来说，生与死是齐等的，贤与愚是齐等的，贵和贱也是齐等的。活了十年是死，活了一百年也是死。仁人圣贤要死，恶棍傻瓜也要死。活着像尧、舜一样贤明，死后却是一堆枯骨；活着像桀、纣一样残暴，死了也是一堆枯骨。枯骨都是一样的，谁还能知道他们之间的差别呢？姑且追求今生的快乐吧，哪有工夫考虑死后的事情呢？"

杨朱曰："伯夷非亡欲①，矜清之邮②，以放③饿死。展季④非亡情，矜贞之邮，以放寡宗⑤。清贞之误善之若此⑥。"

杨朱曰："原宪窭于鲁⑦，子贡殖⑧于卫。原宪之窭损生，子贡之殖累身。""然则窭亦不可，殖亦不可，其可焉在？"曰："可在乐生⑨，可在逸身。故善乐生者不窭，善逸身者不殖。"

[注释]

①欲：欲望，包括生理和精神两个方面。②矜：矜持、自重、慎重。清：清白。邮：通"尤"，过分。③放：至。④展季：展禽，即柳下惠，以女子坐怀而不乱、坚守礼仪而著称。⑤寡宗：没有后代。⑥误：弊端，害处。善：轻易。⑦原宪：孔子的学生，字子思，鲁人，一说宋人。孔子死，原宪隐居于卫。窭（jù）：贫寒。⑧殖：经商，积聚财富。⑨乐生：乐，在此作动词用。乐生，即使生活或生命的生存感到快乐和高兴。

[译文]

杨朱说："伯夷是一个著名的廉士，但决不是一个没有个人欲望的人，而是清高得太过分了，以至于在首阳山中活活饿死。柳下惠不是没有感情,而是坚贞得太过分了,拘泥于礼制太不近人情了,以至于缺少后嗣。追求清高和坚贞的过失和危害竟是这样的巨大和严重啊!"

杨朱说:"原宪在鲁国隐居,生活贫困,挨饿受冻;子贡在卫国经商发财,家累万金。原宪的贫寒损害生命,子贡的富有劳累身心。"有人问道:"这么说来,贫寒无益于生,富有亦无益于生,那么怎样做才算有益于生呢?"杨朱回答说:"在于使生命感到快乐高兴,在于使身体感到安逸舒适。所以,善于一生快乐的人不要因贫穷而去损害生命,善于使身体舒适的人决不要为致富而拖累身体。"

杨朱曰:"古语有之:'生相怜,死相捐。'此语至矣。相怜之道,非唯情也;勤能使逸,饥能使饱,寒能使温,穷能使达也。相捐之道,非不相哀也;不含珠玉①,不服文锦,不陈牺牲,不设明器②也。

"晏平仲问养生于管夷吾③。管夷吾曰:'肆④之而已,勿壅勿阏⑤。'晏平仲曰:'其目⑥奈何?'夷吾曰:'恣⑦耳之所欲听,恣目之所欲视,恣鼻之所欲向,恣口之所欲言,恣体之所欲安,恣意之所欲行。夫耳之所欲闻者音声,而不得听,谓之阏聪;目之所欲见者美色,而不得视,谓之阏明;鼻之所欲向者椒兰,而不得嗅,谓之阏颤⑧;口之所欲道者是非,而不得言,谓之阏智;体之所欲安者美厚,而不得从,谓之阏适;意之所欲为者放逸,而不得行,谓之阏恈⑨。凡此诸阏,废虐⑩之主。去废虐之主,熙熙然以俟死⑪。一日、一月、一年、十年,吾所谓养⑫。拘此废虐之主,录⑬而不舍,戚戚然⑭以至久生,百年、千年、万年,非吾所谓养。'

"管夷吾曰:'吾既告子养生矣,送死奈何?'晏平仲曰:'送死略矣,将何以告焉?'管夷吾曰:'吾固欲闻之。'平仲曰:

'既死，岂在我哉？焚之亦可，沉之亦可，瘗⑮之亦可，露之亦可，衣薪而弃诸沟壑亦可，衮衣⑯绣裳而纳诸石椁亦可，唯所遇焉。'管夷吾顾谓鲍叔、黄子⑰曰：'生死之道，吾二人进之矣。'"

[注释]

①不含珠玉：古时人死入殓，以珠、玉、贝、米等物放在死者口中，因死者身份不同而有区别。现以相捐之道，故不在死者口中置放珠玉之类的珍贵东西。②明器：即冥器，殉葬之物。一般用陶或木、石做成。③晏平仲：春秋时齐国卿相，即晏婴。谥平，字仲。养生：即保养生命、身体。管夷吾与晏婴生不同时，作者所以这么写是一种假托，以寓言形式出现是允许的。④肆：放纵，无拘无束。⑤壅（yōng）：堵塞。阏（è）：同"遏"，阻制。⑥目：细目，具体事项。⑦恣：放纵。⑧颤：鼻子通气。⑨往：应作"性"，天性。⑩废虐：摧残。⑪熙熙然：欢乐貌。俟：等待。⑫养：养生。⑬录：检束，禁止。⑭戚戚然：忧愁的样子。⑮瘗（yì）：用土埋葬。⑯衮（gǔn）衣：卷龙衣，古代天子的礼服。⑰鲍叔、黄子：与管仲同时的齐国二位大夫名，即鲍叔牙和黄子。

[译文]

杨朱说："古代有句话：'活着相互疼爱，死后相互捐弃。'这句话说得非常好。疼爱的途径，不仅仅是依靠相互之间的感情来维系，而且能使劳苦的得到安逸，饥饿的能够吃饱，寒冷的得到温暖，穷困的变成富有。所谓捐弃，并不是说对死者不表示悲哀，而只是不再在他的口里放珠玉，不再给他穿锦衣，祭祀时不再给他供牺牲，不再给他坟墓里葬入冥器。

"晏婴向管仲请教养生的知识。管仲回答说：'养生的关键是随心所欲，自由自在而已。即身体上不受损害，欲望能够满足；精神上不受压抑，想心之所欲想。'晏婴又问：'到底包括哪些细目事项呢？'管仲回答说：'放任耳朵所想听，放任眼睛之想视，放任鼻子所想闻，放任嘴里所想说，放任身体所想处，放任心里所想干。耳朵所想的是声音，然而却不让听，这叫做阻塞听觉的灵敏；眼睛所想看的是美色，然而却不让看，这叫做阻塞视觉的明亮；鼻子所想闻的是香气，然而却不得闻，这叫做阻塞嗅觉的通畅；嘴巴所想说的是是非，但是却不让说，这叫做阻塞头脑的智慧；身体所想处的是舒适，但不得处，这叫做阻塞人身的欢乐；意愿想干的是放逸，但不得干，这叫做扼杀天生的本性。凡此种种阻塞，都是残害身心的原因。摒弃和清除这些残害身心的因素，和和乐乐以待命终。即使能活上一天、一月、一年、十年，也算是我所说的养生之道。如果这些残害身心的因素不能彻底清除，甚至还要受它们的约束，那么即使能悲悲戚戚地活上很多年，以至长寿，即便是能活上百年、千年、万年，同我所说的养生之道也是违背的。'

"管仲又反问晏婴说：'我已经把养生的道理讲给你听了，那么给死人送葬又该怎么做呢？'晏婴回答说：'送葬的事情就简单多了。我将怎样对你说呢？'管仲说：'你就按照事物原有的样子去说。'晏婴回答说：'人已经死了，难道还由得自己吗？把尸体放火烧了可以，沉到水里可以，用土埋了可以，扔到野外也可以，拿柴遮住扔进沟壑也可以，穿着礼服锦衣装进玉石棺材里也可以。总之，碰上什么风俗，就按什么风俗办好了。'管仲回头对鲍叔牙和黄子说：'生死的道理我和晏平仲已经完全领悟，彻底明白了。'"

子产相郑，专国之政①三年，善者服其化②，恶者畏其禁③，郑国以治，诸侯惮之。

而有兄曰公孙朝，有弟曰公孙穆。朝好酒，穆好色。朝之室也聚酒千钟④，积麹⑤成封，望门百步，糟浆之气逆于人鼻。方其荒⑥于酒也，不知世道之安危，人理之悔吝，室内⑦之有亡，九族之亲疏，存亡之哀乐也。虽水火兵刃交于前弗知也。穆之后庭比房数十，皆择稚齿⑧婑媠⑨者以盈之。方其耽于色也，屏亲昵，绝交游，逃于后庭，以昼足夜。三月一出，意犹未惬。乡有处子之娥姣⑩者，必贿⑪而招之，媒而挑之，弗获而后已⑫。子产日夜以为戚，密造邓析而谋之，曰："侨闻治身以及家⑬，治家以及国，此言自于近至于远也。侨为国则治矣，而家则乱矣。其道逆邪？将奚方⑭以救二子？子其诏⑮之。"邓析曰："吾怪之久矣！未敢先言。子奚不时其治⑯也，喻以性命之重，诱以礼义之尊乎？"

子产用邓析之言，因间⑰以谒其兄弟，而告之曰："人之所以贵于禽兽者，智虑。智虑之所将者，礼义。礼义成，则名位至矣。若触情而动，耽于嗜欲，则性命危矣。子纳侨之言，则朝自悔而夕食禄矣。"朝、穆曰："吾知之久矣，择之亦久矣，岂待若言而后识之哉？凡生之难遇而死之易及；以难遇之生，俟易及之死，可孰念哉？而欲尊礼义以夸人，矫情性以招名，吾以此为弗若死矣。为欲尽一生之欢，穷当年之乐，唯患腹溢而不得恣口之饮，力惫而不得肆情于色，不遑忧名声之丑，性命之危也。且若以治国之能夸物，欲以说⑱辞乱我之心，荣禄⑲喜我之意，不亦鄙⑳而可怜哉！我又欲与若别之，夫善治外者，物未必治，而身交苦；善治内者，物未必乱，而性交逸。以若之治外，其法可暂行于一国，未合于人心；以我之治内，可推之于天下，君臣之道息矣。吾常欲以此术㉑而喻之，若反以彼术而教我哉？"子产忙然㉒无以应之。他日以告邓析。邓析曰："子与真人㉓居而不知也，孰谓子智者乎？郑国之治偶耳，非子之功也。"

[注释]

①专国之政：执掌国家大权。②善者：良民，心眼好的百姓。化：教化。③恶者：触科犯律的刁民。禁：刑律禁令。④钟：古代量器名，一钟为六斛四斗。⑤麹：同"曲"，做酒、醋的发酵剂。⑥荒：沉迷。⑦室内：家里、屋里，引申为家业。⑧稚齿：指年龄小。⑨婐婑（wǒ tuò）：美好，漂亮。⑩娥

姣：美好，娇艳。⑪赇：用钱财买通。⑫弗：此处为衍文，去掉后"获而后已"可通。如为"必"之误，"必获而后已"亦通。⑬侨：指子产。治身：治理自身，自我修养。⑭奚方：什么方法。⑮诏（zhào）：告诉、告诫。⑯时其治：及时进行整治、纠正。⑰间间：趁着空闲时间。⑱说（shuì）：劝说。⑲荣禄：即荣誉和禄位。⑳鄙：低下而粗俗。㉑此术：指公孙朝所说的一套肆情、纵欲、享乐的言论。㉒忙然：即茫然。㉓真人：真正的看透了世人、理解人生的人。

[译文]

　　子产做了郑国宰相，独揽朝政，经过三年时间，善良的百姓受到教化，作恶的坏人由于害怕也不违犯刑律。郑国因此大治。其它诸侯国也因郑国的日益强大而感到恐惧。

　　子产有一个哥哥叫公孙朝，有位弟弟叫公孙穆。公孙朝好酒，公孙穆好色。公孙朝家里藏有上千坛的好酒，陈曲堆集得像是一个个小土丘，离大门百步之远就能闻到糟浆的气味。当沉湎于酒的时候，根本不顾江山的安危，人事的纷争，家业的有无，九族的远近，存亡的哀乐，即使大火烧于面前，洪水冲毁房舍，刀枪对准胸口也茫然无知。公孙穆后庭有数十间密室，里面住的全是年轻美丽的女子，当他寻欢作乐的时候，屏退亲友，拒绝交游，无休无止，日以继夜。三个月出来一次，尚未感到满足。乡间凡姿色姣好的女子，他必定要用财物招引，派媒人诱惑，不弄到手就不肯罢休。子产为此事大伤脑筋，便秘密造访邓析。他对邓析说："我听别人说，修养好自身就推及全家，治理一个家就能推及全国。这是说做事要由近及远。对于国家我已经治理得差不多了，但自己的家庭却是如此混乱，这不是把由近及远的次序弄颠倒了吗？该用什么方法来拯救我哥哥和兄弟呢？请你给我想个办法或出个主意吧！"邓析回答说："你说的事，我也奇怪很久了！但不敢说。你为什么不及时管治，进行教育呢？向他们晓以性命的重要性，以及礼义的尊严呀！"

　　子产采纳了邓析的意见，找机会见到了自己的哥哥和弟弟，对他们说:"人比禽兽高贵的地方,在于理智。理智所承认的就是礼义。礼义完备,就能得到名誉地位。如果一味放纵自己,耽于嗜欲,那么就会影响自己的性命。你们如果听我的话,早晨知道悔改,晚上就可以得到俸禄和官位。"公孙朝和公孙穆回答说:"你说的道理,我们早就明白,而且也思考了很久,难道我们只是在听到你的教训后才知道的吗?生命是非常珍贵而且难得的,而得到死亡倒是很容易的。用极难得到的生命去等待极易得到的死亡,这不是傻子才会干的事情吗?如果想借重礼义来夸耀于人,用扭曲自己的性情来沽名钓誉,我们以为这样的活着还不如死了的好。人活着就应该享受一下活着的欢娱,穷尽当年的快乐怕的就是肚子太小而不能开怀畅饮,怕的就是力气疲惫而不能放纵情欲;根本没有时间去担忧名声的丑恶、性命的危险。而你却以治国的才能对人炫耀,想用说客之辞来扰乱我们的心性,用富贵利禄来动摇我们的意志,岂不是太浅薄而又太可怜了吗?我们为了你再把道理分析一下。善于治理外物的,外物不一定能够治理好,而自己的身心却为之受尽拖累;善于治理内心的,外物未必因此混乱,而自己却与之一起安逸。就你治理外物而言,这种方法可以暂时在一国推行,但不一定符合人们的心意。而我们只治理自己的内心,可以在普天之下推行,君臣之道可以束之高阁。我们曾想用这种方法来开导你,没有想到你反而会用你那一套来教训我们。"子产听后,茫茫然不知所对。一天,他把他与哥哥和弟弟的谈话告诉邓析,邓析说:"你同真人相处却一点也没有察觉,怎么能算得上是一个智慧的人呢?郑国之所以得到治理,恐怕是偶然性因素所致,哪能算是你的功劳呢?"

卫端木叔①者,子贡之世也。藉其先赀②,家累万金。不治世故③,放意所好。其生民④之所欲为,人意之所欲玩者,无不为也,无不玩也。墙屋台榭,园囿⑤池沼,饮食车服,声乐嫔御⑥，拟齐、楚之君焉。至其情所欲好，耳所欲听，目所欲视，口所欲尝，虽殊方偏国，非齐土之所产育者⑦，无不必致之，犹藩墙⑧之物也。及其游也，虽山川阻险，途径修远，无不必之，犹人之行咫⑨步也。

宾客在庭者日百住⑩，庖厨之下不绝烟火，堂庑⑪之上不绝声乐。奉养之余，先散之宗族；宗族之余，次散之邑里；邑里之余，乃散之一国。行年六十，气干⑫将衰，弃其家事，都散其库藏、珍宝、车服、妾媵⑬。一年之中尽焉，不为子孙留财。及其病也，无药石⑭之储；及其死也，无瘗埋之资。一国之人受其施者，相与赋而藏之⑮，反其子孙之财焉。禽滑釐闻之，曰："端木叔，狂人也，辱其祖矣。"段干生⑯闻之，曰："端木叔，达人也，德过其祖矣。其所行也，其所为也，众意所惊，而诚理所取。卫之君子多以礼教自持⑰，固未足以得此人之心也。"

[注释]

①端木叔：指孔子弟子子贡的后裔。②藉：凭借。赀（zī）：同"资"。先赀，即先人遗留下来的财产。③世故：社会上的事物。④生民：一般民众。⑤园圃：养殖花木、饲养动物的地方。⑥嫔御：美女和马夫。⑦殊方：异域。偏国：边远而偏僻的国家。齐土：中土。⑧藩墙：围墙。⑨咫：周代八寸为一咫。⑩百住：即百数。张湛注曰："住，当为数，是其正矣。"百数，以百计数。⑪庑（wǔ）：正房对面或两侧的小屋。⑫气干：血气、躯干。⑬妾媵（yìng）：侍妾。媵，古代诸侯贵族女子出嫁时，从嫁的妹妹或侄女。⑭药石：药材和针石。⑮赋：按人口出钱。藏：同"葬"。⑯段干生：应为段干木，战国初魏人。原为晋国的市侩，求学于子夏，魏文侯给他官做，他不受。文王乘车过他的住所，必伏轼致敬。⑰自持：自我控制，自我衡量。

[译文]

卫国的端木叔是子贡的后裔，依仗着他祖先遗留下来的财产，家中富有，竟有万金之多。他不干社会上的事，一味随顺心意所向，想干什么就干什么。只要是人想做的，想玩的，他就无不做，无不玩。家里的墙屋台榭、园囿池沼、饮食车服、声乐嫔御等应有尽有，同齐、楚两国的国君相比，也没有相差多少。至于他性情所喜好，耳朵所想听，眼睛所想看，嘴巴所想尝，即使这些东西出自偏远小国，并非中原所有，也没有弄不到的，如同拿围墙内的东西一样。说到他外出旅游，虽然山重水复，路途遥远，也没有不到达的，犹如走了咫尺一样。

家里宾客很多，每天住宿的数以百计。厨房烟火不绝，厅堂里歌声琴声不断。对于家产，除了自己生活必需的，多余的，则散发给宗族本家；散发给宗族后还有多余的则散发给邻里乡亲；散发给邻里乡亲后还有多余的，就散发给一个国家的民众。他活到六十岁时候，身体和血气逐渐衰弱，干脆抛弃家室，把家中所藏财物全部散发干净，珍珠、宝石、车马服饰、妾媵、女仆一点也不留。等他生病的时候，家里没有分文，一点药物也没有。等他死的时候，买不起棺材，一点埋葬费也没有。凡是接受过他施舍的人，自动组织商量按人口捐助一些钱，作为他的丧葬费用，并返还给他的子孙应该收回的财产。禽滑釐听说端木叔的事情后说：“端木叔是一个不会过日子的狂荡人，辱没了他的先人！”段干木听说端木叔的事情后则说：“端木叔是个通达的人，他的道德水平比他的先人还高。他所行的，他所做的，人们心中感到惊奇，然而是情理所要求这样做的。卫国人多以礼教来约束自己，并以此矜夸于世，而今为什么对端木叔的用心不能彻底地理解呢？”

孟孙阳①问杨子曰："有人于此，贵生爱身，以蕲不死②，可乎？"曰："理无不死。""以蕲久生，可乎？"曰："理无久生。生非贵之所能存，身非爱之所能厚。且久生奚为？五情好恶，古犹今也；四体安危，古犹今也；世事苦乐，古犹今也；变易治乱，古犹今也。既闻之矣，既见之矣，既更③之矣，百年犹厌其多，况久生之苦也乎？"孟孙阳曰："若然，速亡愈于久生；则践锋刃，入汤火，得所志矣。"杨子曰："不然。既生则废④而任之，究其所欲，以俟于此。将死则废而任之，究其所之，以放于尽。无不废，无不任，何遽⑤迟速于其间乎？"

[注释]

①孟孙阳：杨朱的弟子。②蕲（qí）：通"祈"，祈求，请求。③更：经历。④废：废弃，弃之不顾，此处亦有放任之意。⑤遽（jù）：惶恐，窘迫。

[译文]

孟孙阳问杨朱说："假如有人因为珍视生命，爱护身体，请求永远不死能办到吗？"杨朱回答说："这是谁也不能改变的规律，人没有不会死的道理。"孟孙阳又问："不死不可能，那么请求长久地活着能办到吗？"杨朱回答说："人没有长久活着的道理。生命不是因为珍视就能长久，身体不是因为爱惜就能健康的。再说，人要长生、有什么好处呢？人的情感和好恶，古今是一样的；四肢和躯体的安危，古今是一样的；世上人间的苦乐，古今是一样的；社会的变动和治乱，古今也是一样的。这人世上的方方面面都已经听说过了，看见过了，经历过了，活上百年也就够多了，何况长生不死还要经过更多的不平和痛苦呢？"孟孙阳说："照你这样说，早一点死比晚一点死要强，那么这不是很容易就能做到的吗？比如践踏刀锋，跳入火海、汤锅，不就可以如愿以偿了吗？"杨朱回答说："不是像你说的那样。人既然已经得到了生命，就应该好好地活着，听之任之，生活所需的尽量能够给以满足。能活多长时间就活多长时间。将要死亡的时候，也不要管那么多，顺其自然，直至命终。人世上没有什么不可弃置值得留恋的东西，没有什么不可以自由放任的东西，为什么还要以生命的长短而惶恐不安呢？"

杨朱曰："伯成子高①不以一毫利物，舍国而隐耕②。大禹不以一身自利③，一体④偏枯。古之人，损一毫利天下不与也，悉天下奉一身不取也。人人不损一毫，人人不利天下，天下治矣。"禽子⑤问杨朱曰："去子体之一毛，以济一世⑥，汝为之乎？"杨子曰："世固非一毛之所济。"禽子曰："假⑦济，为之乎？"杨子弗应。禽子出语孟孙阳。孟孙阳曰："子不达⑧夫子之心，吾请言之。有侵⑨若肌肤获万金者，若为之乎？"曰："为之。"孟孙阳曰："有断若一节得一国⑩，子为之乎？"禽子默然有间。

孟孙阳曰："一毛微于肌肤，肌肤微于一节，省⑪矣。然则积一毛以成肌肤，积肌肤以成一节。一毛固一体万分中之一物，奈何轻之乎？"禽子曰："吾不能所以答子。然则以子之言问老聃、关尹，则子言当矣；以吾言问大禹、墨翟，则吾言当矣。"孟孙阳因顾与其徒说他事。

[注释]

①伯成子高：周代隐士。②舍国：舍弃国家。隐耕：隐居躬耕。③大禹：舜帝大臣，治水有功，三过家门而不入，不以一身自利。④一体：全身。⑤禽子：禽滑釐。⑥去：本义为去掉、拔去，引申为取。济：接济，拯救。一世：整个世界。⑦假：假设，假如。⑧达：通达，理解。⑨侵：触犯。⑩断：砍断，折断。一节：身体的一部分。⑪省（xǐng）：省察，明白。

[译文]

杨朱说："伯成子高不愿以一毛而利于天下，抛弃自己的国家，去过隐居躬耕、自食其力的生活。大禹不把自己的身体据为己有，以至为天下操劳而患上重病。古代的人损失一根毫毛有利于天下都不愿意去做，让整个天下都归他所有也不要。每个人都不愿损失一根毫毛，每个人都不去做有利于天下的事，天下就会大治了。"禽子回答杨朱说："取出你身上的一根毫毛，就可接济整个社会，你会不会去做呢?"杨朱答道:"社会本来就不是一根毫毛所能接济得了的。"禽子说:"假如可以,你是否去做呢?"杨子没有回答。禽滑釐退出后告诉孟孙阳。孟孙阳说:"你没有领悟先生的心意,我和你谈谈吧!有人损害你的肌肤,给你万斤黄金,你愿意干吗?"禽滑釐回答:"愿意!"孟孙阳又问:"有人想砍断你的一节肢体,给你一个国家,你愿去做吗?"禽滑釐默默地呆在那里有一阵子。

孟孙阳接着说:"一根毫毛轻于肌肤,肌肤又轻于一段肢体,这是很明白的。但肌肤是由一根根毫毛组成的,肢体又是由一块块肌肤组成的,一根毫毛固然只是身体的万分之一,但难道可以轻视它吗?"禽滑釐说:"我没有什么话可以回答你。但是若是拿你说的这些话去问老聃、关尹,那么你的话就是正确的;拿我说的这些话去问大禹、墨翟,那么我的话就是正确的。"孟孙阳听罢,就回过头去和他的徒弟们谈论其他事情去了。

杨朱曰:"天下之美归之舜、禹、周①、孔,天下之恶②归之桀、纣。然而舜耕于河阳,陶③以雷泽,四体不得暂安,口腹不得美厚;父母之所不爱,弟妹之所不亲。行年三十,不告④而娶。乃受尧之禅⑤,年已长,智已衰。商钧⑥不才,禅位于禹,戚戚然以至于死。此天人之穷毒者也⑦。

"鲧⑧治水土,绩用不就,殛⑨诸羽山。禹纂业事雠⑩,惟荒土功⑪,子产不字⑫,过门不入;身体偏枯,手足胼胝⑬。及受舜禅,卑宫室,美绂冕⑭,戚戚然以至于死,此天人之忧苦者也。

"武王⑮既终,成王⑯幼弱,周公摄天子之政。邵公⑰不悦,四国⑱流言。居东三年,诛兄放弟⑲。仅免其身,戚戚然以至于死,此天人之危惧者也。

"孔子明帝王之道,应时君之聘,伐树于宋,削迹于卫,穷于商、周,围于陈、蔡,受屈于季氏,见辱于阳虎⑳,戚戚然以至于死，此天民之遑遽者也。

"凡彼四圣者，生无一日之欢，死有万世之名。名者，固非实之所取也。虽称之弗知，虽赏之不知，与株块㉑无以异矣。

"桀藉累世之资，居南面之尊，智足以距㉒群下，威足以震海内，恣耳目之所娱，穷意虑之所为，熙熙然㉓以至于死，此天民之逸荡㉔者也。

"纣亦藉累世之资，居南面之尊；威无不行，志无不从；肆情于倾宫，纵欲于长夜；不以礼义自苦，熙熙然以至于诛，此天民之放纵者也。

"彼二凶也，生有纵欲之欢，死被愚暴之名。实者，固非名之所与也，虽毁之弗知，虽称㉕之弗知，此与株块奚以异矣。彼四圣虽美之所归，苦以至终，同归于死矣。彼二凶虽恶之所归，乐以至终，亦同归于死矣。"

[注释]

①周：周公，姓姬，名旦。因封地在周（今陕西岐山北），故称周公。曾助武王灭商，武王死，成王年幼，周公摄政。传他制礼乐，制封建，建立典章制度，被视为圣人。②恶：坏，坏事。这里指坏名声。③陶：制陶器。④不告：不告诉。在古代，不得到父母允许，儿女们不准自己决定婚姻大事。舜不告而娶同样被视为不道德。⑤禅（shàn）：把权力传让给别人。⑥商钧：亦写作商均，舜的儿子。⑦天人：天下之人。穷毒：极为孤独。穷，穷极。毒，同"独"。⑧鲧（gǔn）：为"鲧"的异体字。传为禹的父亲。奉尧之命治水，九年未成，被舜杀于羽山。⑨殛（jí）：杀死。⑩纂业：继承事业。事雠：指禹事奉杀死自己父亲的仇人舜。雠，"仇"的异体字。⑪土功：治理水土的功业。⑫不字：不抚养照管。大禹的儿子启出生以后，他以治水的事业为重，三过家门而不入，不能对儿子进行抚养和照管。⑬胼胝（pián zhī）：手上脚上因长时间劳动或走路而磨出的老皮或茧子。⑭绂（fú）冕：朝冠。⑮武王：姓姬名发，西周王朝的建立者。⑯成王：姓姬名诵，周武王的儿子。⑰邵公：即召公，姓姬名奭（shì），与周公共同辅佐成王。⑱四国：指管国、蔡国、商国、

奄国。⑲诛兄放弟：周公东征四国，灭除叛乱者，杀死管叔，流放蔡叔。管叔为周公之兄，蔡叔为周公之弟。⑳应时君之聘：孔子曾受鲁定公、卫灵公、楚昭王等的聘用，路上遇到不少麻烦。伐树于宋：孔子到宋国，与弟子习礼于大树下，桓魋欲杀孔子，伐其树。削迹于卫：孔子在卫国，怕卫灵公加害于他，便躲起来，后来悄然离卫。穷于商、周：鲁国的阳虎跋扈，孔子与之容貌相似，人们抓住孔子误为阳虎，关押了几天。围于陈、蔡：孔子之楚，被陈、蔡之兵围困在陈、蔡之间的野地里。受屈于季氏：孔子曾经担任季氏手下管理牲畜的小官，因此说是受屈。见辱于阳虎：阳虎，又名阳货，鲁国季孙氏的家臣。他要挟季氏，掌握国政，权势很大。季氏曾经设宴招待鲁国士人，孔子前去，被阳虎挡驾，说："季氏飨士，非敢飨子也。"所以说孔子见辱于阳虎。㉑株块：树木土块，泛指土木。㉒距：同"拒"。㉓熙熙然：和乐的样子。㉔逸荡：安逸放荡。㉕称：应为"罚"字之误。

[译文]

杨朱说："天下的美誉都归于虞舜、大禹、周公、孔子，天下的坏名声都归于夏桀、殷纣。然而虞舜在河阳耕田、在雷泽制作陶器的时候，身体得不到片刻休息，口腹吃不到美味的食物，父母不爱他，弟弟妹妹不喜欢他。活到三十岁，不经父母同意就娶了妻子。等到唐尧把帝位禅让给他时，年纪已经衰老，智力即将枯竭。他的儿子商钧又无什么才能，因此只得把帝位禅让给大禹，忧心忡忡地活着，直到老死。这才是天下人中受苦受难最多的一位穷困潦倒的人啊！

"鲧治理水土，毫无功绩，被舜杀死在羽山。大禹继承父业，服侍仇人，一心平治水土。生了孩子他也不管不看，从门口路过也不进去。最后累成半身不遂，手足胼胝。待到接到虞舜的禅让后，为了节约，住低矮的客室；为祭神鬼，却制出华美的冠服。心事重重地活着，直到老死。这真是天下人中忧愁痛苦最多的一个人啊！

"周武王死后，成王年幼，周公旦代掌国政。召公怀疑周公可能篡权而心怀不满，四处散布流言飞语，为此周公避居洛阳三年。后来诛杀了发动叛乱的哥哥，流放了谋反的弟弟，才得以保全自身。忧愁惶恐地活着，直到老死。这真是天下人中最担惊受怕的一个人啊！

"孔子深通帝王治理之术，接受诸侯国君的聘请，在宋国大树下习礼，大树旋即被砍伐，其人也险些被杀；在卫国为免遭灾祸，隐姓埋名而脱逃；在商周地方被囚禁；在陈、蔡两国交界处被围困；在鲁国受季氏的贬抑以及阳虎的侮辱，悲悲戚戚地活着，直至老死。这真是天下人中最凄惶窘迫的一个人啊！

"上面四位圣人，活着的时候没有享受一天欢乐，死了之后却有万世美名。人们把一切赞颂的语言和词汇都加在他们的名字之上，然而这有什么用呢？所谓名声本来就不是客观实在所固有的，现在不管怎样赞扬、褒赏，他们什么也不会知道，同木桩、土块有什么两样呢？

"夏桀凭借历代祖宗的基业，高居君王的帝位，智谋足以和满朝文武大臣抗衡，威力足以使海内震慑、畏惧。他不惜一切代价来满足耳目的需要，为所欲为。活一天快乐一天，直至到死。这真是天下之人中最荒淫放荡的人啊！

"殷纣也凭借祖宗给他留下的基业，高居君王之位；他说的话没有人敢不听，他的意志谁也不敢违抗；在宏大的宫殿里纵情欢乐，纸醉金迷无忧无虑地活着，直至到死。这真是天下之人中最荒淫、最任性、最暴戾的人啊！

"上面这两个最凶狠、残暴、专横、独裁的家伙，活着时罪恶多端，死后背上愚蠢残暴的骂名。所谓实在的东西，本来就是名声所能赋予的，就是诋毁他，他也不知道，就是惩罚他，他也不知道。这同木桩、土块有什么两样？那四位圣人虽然天下人人赞颂，辛苦一生直到终老，最后都归于死亡。桀和纣虽然天下人人痛骂，却欢乐地活了一辈子，最后也同样归于死亡而已！"

杨朱见梁王[①]，言治天下如运诸掌。梁王曰："先生有一妻一妾而不能治，三亩之园而不能芸，而言治天下运乎掌，何也？"对曰："君见其牧羊者乎？百羊而群，使五尺童子荷箠②而随之，欲东而东，欲西而西。使尧牵一羊，舜荷箠而随之，则不能前矣。且臣闻之：吞舟之鱼，不游支流；鸿鹄高飞，不集洿池③。何则？其极远也④。黄钟大吕⑤，不可从烦奏之舞⑥，何则？其音疏也。将治大者不治细，成大功者不成小，此之谓矣。"

[注释]

①梁王：战国时期梁国国君梁惠王。②箠：鞭子。③洿（wū）：低洼积水的地方。④其极远也：志向高远。⑤黄钟大吕：十二律中的第一、第二律，音频很低而发声缓慢。⑥烦奏之舞：用繁杂的音乐伴奏的舞蹈。

[译文]

杨朱拜见梁惠王，说自己善于掌管政事，治理一个国家就像用手把东西握在掌中随便翻转那么容易。梁惠王说："你连家里的一妻一妾都管理不好，三亩菜园都锄不过来，却说治理天下像在手掌中玩弄东西那么容易，这是什么道理？"杨朱回答说："大王见过牧羊人是怎么牧羊的吗？上百头的大羊群，有一个五尺高的孩童拿着鞭子跟在后面，让羊群向东，它就向东；让羊群向西，它就向西。如果让尧牵一头羊走在前面，让舜拿着鞭子跟在后边，那么即使向前走上一步也是非常艰难的，更别想能走得更远了。我还听说能吞下舟船的大鱼，决不到小河中去漫游；高飞长空的大雁，决不到污水塘边停落，为什么？因为它们有极其远大的志向。黄钟大吕不能为节奏繁杂的舞蹈伴奏，为什么？因为它们音频低，发声缓慢。将要治理大事的人不去过问小事，将要成就大功业的人不去计较小功，就是这个道理啊！"

杨朱曰："太古①之事灭矣，孰志之哉？三皇之事若存若亡，五帝之事若觉若梦，三王之事或隐或显，亿不识一。当身之事，或闻或见，万不识一。目前之事或存或废，千不识一。太古至于今日，年数固不可胜记，但伏羲已来三十余万岁，贤愚、好丑、成败、是非无不消灭②，但迟速之间耳。矜③一时之毁誉，以焦苦④其神形，要死后数百年中余名，岂足润枯骨？何生之乐哉？"

[注释]

①太古：远古、上古。《礼记·郊特牲》"太古冠布"注曰："唐虞以上曰太古也。"②消灭：灭失，消失，泯灭。③矜：顾惜，保持，拘谨。④焦苦：皆作使动词用。使个人的神形焦苦，即受到损害和摧残。

[译文]

杨朱说："太古时代离我们太远了，那时人类历史上发生的事情已经湮灭了，记得起来的还有谁呢？三皇时候的事情至今也恍恍惚惚，好像有，又好像没有。五帝时代的事情至今也似幻如梦，模模糊糊。三王时代的事情，有的已经隐去，人们再也无法知道，有的有文字记载，还很清楚。但这些很少很少，恐怕不到原有史料的亿分之一。人们亲身经历，亲自耳闻目见的，恐怕不到万分之一。目前的事情或存或废，人们知道的不到千分之一。从太古至于今日，究竟有多少年，恐怕是难以说出的。自伏羲以来就已经有三十多万年。其中的贤愚、好丑、成败、是非无不归于湮灭，只是有早有晚罢了。顾惜一时的荣誉，使身心焦苦以追求死后数百年的名声，这没有什么实际意义！难道名声可以滋润死人的枯骨吗？如果活人整天只想如何滋润自己的枯骨，那么活着的人又有什么快乐呢？"

杨朱曰："人肖①天地之类，怀五常之性②，有生之最灵者也③。人者，爪牙不足以供守卫，肌肤不足以自捍御，趋走不足以逃利害，无毛羽以御寒暑，必将资物④以为养，性任智而不恃力。故智之所贵，存我为贵；力之所贱，侵物为贱。然身非我有也，既生不得不全之；物非我有也，既有，不得而去之。身固生之主，物以养之主。虽全生身，不可有其身；虽不去物，不可有其物。有其物，有其身，是横私⑤天下之身，横私天下之物。不横私天下之身，不横私天下之物者，其唯圣人乎！公⑥天下之身，公天下之物，其唯至人⑦矣！此之谓至至者⑧也。"

[注释]

①肖：相似，类似。②五常：指金、木、水、火、土五行。人随自然界的五行而产生五种情性，即喜、怒、哀、乐、怨。③有生：即世界上所有的生灵，亦指凡是有生命的东西。最灵者：最灵敏的，最有灵性的。④资物：借助和利用外物。⑤横私：蛮横地私自占有。⑥公：共用。⑦至人：思想品德才智达到最高境界的人。⑧至至者：达到至人境界的人。或者解释为至人中间又相对杰出的人，至上之人。

[译文]

杨朱说："人类同大自然的天地相似，禀受万物五行之性，是生物中最有灵性的。人的牙齿和指甲不能防卫自己，肌肉皮肤不能抵御外敌，疾行快跑不足以趋利避害，身上没有毛羽来防寒防热，要想生存下去就必须依靠智慧而不是气力。我们之所以说智慧可贵，首先就在于它能保护人类自身的存在；气力之所以低贱，重要的原因就在于它对他物的侵害。身体虽不属于个人所有，既然活着，就得设法保全它；他物也并不是属个人所有，既然已经使用了，就不必将它舍弃。自身固然是生命的主体，他物则是供养生命的主体。虽然保全了生命，但不能把生命以及生命的载体身体据为己有；虽然不必舍去他物，但不可据有他物。据有他物，据有身体，便是将属于天下的身体以及外物不合理地占为己有。不无理地占有属于天下的身体，不无理地占有属于天下的事物，只有圣人才能做到吧！把属于天下的身体化为公有，把属于天下的事物化为公有，只有道德完善的人才能做到！这大概就是道德境界最高最完美的人了！"

杨朱曰："生民之不得休息为四事故①：一为寿②，二为名，三为位，四为货。有此四者，畏鬼，畏人，畏威，畏刑，此谓之遁人③也。可杀可活，制命在外④。不逆命，何羡寿？不矜贵，何羡名？不要势，何羡位？不贪富，何羡货？此之谓顺民⑤也。天下无对，制命在内⑥。故语有之曰：'人不婚宦⑦，情欲失半；人不衣食，君臣道息。'周谚曰：'田父可坐杀⑧。'晨出夜入，自以性之恒；啜菽茹藿⑨，自以味之极；肌肉粗厚，筋节峑急⑩，一朝处以柔毛绨幕⑪，荐以粱肉兰橘，心痟⑫体烦，内热⑬生病矣！商鲁之君与田父侔地⑭，则亦不盈一时⑮而愈矣。故野人之所安，野人之所美，谓天下无过者。昔者宋国有田夫，常衣缊黂⑯，仅以过冬。暨春东作⑰，自曝于日，不知天下之有广厦隩室⑱，绵纩狐狢⑲。顾谓其妻曰：'负日之暄⑳，人莫知者，以献吾君，将有重赏。'里之富室告之曰：'昔人有美戎菽㉑，甘枲茎芹萍子者㉒，对乡豪称之。乡豪取而尝之，蜇于口，惨于腹，众哂而怨之㉓，其人大惭。子，此类也。'"

[注释]

①事故：事情的原因或缘故。②寿：寿命。寿命有长短，此处指长寿。③遁人：逃遁之人，此处有躲藏之义。④制：牵制，控制。在外：在于外物。⑤顺民：顺应自然本性的人。⑥内：内在，自我。⑦婚宦：结婚、当官。⑧坐杀：即坐以待毙。⑨啜：吃、饮。菽（shū）：豆类。茹（rú）：吃。藿（huò）：豆叶。⑩峑："膪"字之讹，膪（kuì），紧张。⑪绨（tì）：较为粗糙的丝棉织品。绨幕：用绨布做成的床帐。⑫痟（yuān）：忧虑，发愁。⑬内热：发烧。⑭商：此指春秋时的宋国。侔（móu）：相等，相同。⑮不盈一时：不大一会儿。⑯黂（fén）：乱麻。缊黂，用麻代棉絮做成的衣服。⑰暨春：到了春天。东作：开始劳动。⑱隩（ào）室：指温暖的房子。隩，通"燠"，热。⑲绵纩（kuàng）：统指丝织品。纩，丝棉。⑳负日：背对太阳晒。暄：暖和。㉑戎菽：大豆。㉒枲（xǐ）：麻。萍：蒿类植物，又作"苹"，可

食。㉓哂笑：小声地笑。

[译文]

　　杨朱说："一般的人不能好好休息的原因大致有四个：一是为了长寿，二是为了名声，三是为了地位，四是为了财富。他们为了这四件事，怕鬼、怕人、怕威势、怕刑罚，这样的人可以叫做是违背自然本性的人。对于这种人可以让他死去，也可以让他活着，因为他的生命完全受外在事物的支配。不违背天命，为什么要羡慕长寿呢？不贪图高位，不想升官发财，为什么会追逐名声呢？不要求有权有势，为什么要羡慕地位呢？不贪求富有，为什么会追求财货呢？这种人就叫做顺应自然本性的人。这种人掌握生活的主动权，是生命的强者，支配权完全掌握在自己手里。所以俗话说：'人不娶妻当官，欲望少了大半；人不穿衣吃饭，君臣之道完蛋。'周地的谚语说：'老农累不死，却可以让他闲死。'因为他们早出晚归，自己已经成了习惯；吃豆子豆叶，自以为是最好的美味。他们的皮肤粗糙，筋骨结实粗壮，一旦改变他们的生活习惯，让他们睡到软绵绵的绸帐里，吃上精肉香果，一时心里反而觉得不舒服，甚至会烦躁、生病。宋国和鲁国的君主如果同老农一起种田，恐怕用不了多长时间就疲惫不堪了！因此，农民都很喜欢自己的生活环境及其习俗，并能感到其中有无限的美，无人能比。从前宋国有个农民，时常穿着麻絮衣服过冬。春天的时候，在田间劳作，自己被太阳晒着，觉得暖和极了，根本不知道世界上还有高楼大厦、温室暖舍，不知道除了麻絮还有丝棉和狐裘。回头对自己的妻子说：'晒着太阳，身上暖和，世界上还没有人知道这种取暖的方法吧？咱们把它献给国君，说不定还会得到重赏呢！'乡邻中有一个富裕的人告诉他：'从前有个人认为甘美的食物是豆类、枲麻、蒿苗，对乡里的富人赞不绝口。乡里富人拿过这些东西一尝，口中像被虫子咬了一样，肚子也疼了起来。众人都嘲笑他，埋怨他，他感到非常惭愧。你呀，就是这样的人。'"

杨朱曰："丰屋①美服，厚味②姣色，有此四者，何求于外？有此而求外者，无厌之性。无厌之性，阴阳之蠹也③。忠不足以安君，适足以危身；义不足以利物，适足以害生。安上④不由于忠，而忠名灭焉；利物不由于义，而义名绝焉。君臣皆安，物我兼利，古之道也。鬻子曰：'去名者无忧。'老子曰：'名者实之宾⑤。'而悠悠者⑥趋名不已。名固不可去，名固不可宾邪？今有名则尊荣，亡名则卑辱；尊荣则逸乐，卑辱则忧苦。忧苦，犯性者也；逸乐，顺性者也，斯实之所系矣。名胡可去？名胡可宾？但恶夫守名而累实⑦。守名而累实，将恤⑧危亡之不救，岂徒逸乐忧苦之间哉？"

[注释]

①丰屋：大屋，宽敞明亮的房子。②厚味：味道甘美的食物。③阴阳：天地。蠹（dù）：害虫。④安上：使君上安宁。⑤名者实之宾：《老子》一书无此语。该句讲名实的关系，即名为宾，为附从。在名与实的关系中，实为主，是第一性的，名附从实，实支配名。⑥悠悠者：不少人。⑦恶夫：厌恶那个……。累实：牵累实体。⑧恤：顾虑，忧虑，悯念。

[译文]

杨朱说："高大的住宅，华贵的衣服，甘美的食物，漂亮的女子，有了这四样东西，还要向外追求些什么呢？有这四样东西以后继续向外追求则是贪得无厌的表现。这种表现是天地间的蠹虫。忠诚不足以使君王安宁，反而会危及自身；正义不足以让事物受益，反而会危及事物的生存。让君王安安宁宁不是出于忠诚，可以让'忠诚'这个词在人类语言词汇中消失。有益于事物而不是出于正义，'义'这个词也可以让他废弃。君王臣子全都安宁，外物自我互相受益，这是自古以来为人处世的原则。鬻子说：'抛弃名声的人没有任何忧虑。'老子说：'名声是实体的附从。'然而许许多多的人追求名声的活动从来没有停止过。难道名声本来就不可抛弃，名声本来就不可附从吗？有了名声就立即尊贵荣誉，没有名声就立即卑下屈辱；尊贵荣耀的就安逸快乐，卑下屈辱的就忧愁痛苦。忧愁痛苦是违反人的天性的，安逸快乐是顺应人的天性的。可见，名声确实是实体所维系着的。名声怎么能够抛弃呢？名声怎么能够附从呢？只不过应该厌恶那些死抱着名声不放而损害实体的做法和行为。死抱着名声不放而损害实体，顾虑事物危险败亡而得不到拯救，难道这种顾虑仅仅是在安逸快乐与忧愁痛苦之间吗？"

卷 八

说符第八^①

子列子学于壶丘子林。壶丘子林曰："子知持后^②，则可言持身^③矣。"列子曰："愿闻持后。"曰："顾若影，则知之。"列子顾而观影。形枉^④则影曲，形直则影正。然则枉直随形而不在影，屈申任物而不在我^⑤，此之谓持后而处先。

[注释]

①这是《列子》一书的最后一篇，它同第一篇"天瑞"终始相应。"天瑞"讲天道，"说符"讲人道。人是自然界的一个组成部分。人道亦是天道的一个组成部分。天道主宰人道，天道无所不在，存在于万事万物之中，也存在于人道之中。说，即论说，符，即符合、验证。所谓"说符"就是对事物进行事实上和逻辑上的验证。验证什么？即验证人道，也就是一个具体人或一个团体，他和他们的思想、行为是否符合天道自然的客观规律。因为违背客观规律的行为，其结果都是要失败的。桀如此，纣如此，历史暴君均难逃脱国灭身死的下场。说符，就是专门论述人的主观意志应该符合客观规律这个问题的。"心合于道"是本篇的中心思想，也是全书的主题。②持后：保持居后的状态，意为谦虚、谨慎，遇到有利的事情，即做到先人后己。③持身：保持身体

的端正状态。意为内心纯正,不为外物干扰。④枉:曲折。⑤屈:弯曲。申:同"伸",伸直。

[译文]

列子跟着壶丘子林学习,壶丘子林说:"等你明白谦恭退让先人后己的道理后,就可以探讨如何立身处世的问题了。"列子说:"请老师讲讲持后的道理。"壶丘子林说:"只要回头看一下自己的身影就知道了。"列子回头观察自己的身影。身体弯曲,影子也跟着弯曲;身体挺直,影子也跟着挺直。由此可知:影子的曲直变化是随着身体的变化而变化的,由不得影子;处世的窘困或顺利听凭于客观规律的主宰和支配,而不在于个人的主观意志。这就是做到持后,保持谦让,最后使自己处于领先地位的道理。

关尹谓子列子曰:"言美则响美①,言恶则响恶;身长则影长,身短则影短。名也者,响也;身也者,影也。故曰:慎尔言,将有和之;慎尔行,将有随之。是故圣人见出以知入,观往以知来,此其所以先知之理也。度在身②,稽③在人。人爱我,我必爱之;人恶我,我必恶之。汤、武爱天下,故王;桀、纣恶天下,故亡,此所稽也。稽度皆明而不道也,譬之出不由门,行不从径也。以是求利,不亦难乎?尝观之神农、有炎之德,稽之虞、夏、商、周之书,度④诸法士贤人之言,所以存亡废兴而非由此道者,未之有也。"

[注释]

①言美:语言很美,声音动听,内容感人。响:回音,回响。②度在身:标准尺度在于自身。度,尺度。③稽:考查、验证。④度(duó):测量。

[译文]

关尹对列子说:"说话的声音动听、言辞美好,那么回音也就一定动听、美好;说话的声音、言辞丑恶,那么回音也就一定丑恶。身材高的,影子也就修长;身材矮的,影子也就短小。个人的名声就等于回音;一生的报应就等于身影。因此,一个人必须说话谨慎小心,因语言一经说出,就有回音随之而来;一个人必须行动慎重,行为一经做出,就有影子立即而至。因此圣人只要一听这个人说话,就可以知道他是一个什么样的人,以及别人究竟会怎么对待他。只要观察一下他的过去,就可以预测他未来向什么方向发展。这就是人们听说的先知先觉的道理。掌握衡量人的标准尺度在于自身。对人们言行的考察在于别人。谁喜爱我,我就必然喜爱他;谁憎恶我,我就必然憎恶他。商汤、武王热爱天下百姓,所以成为国君;夏桀、商纣厌恶天下百姓,所以把国家弄到败亡的地步!这是历史验证过的事实。验证以及行为的标准都明白无误,却又并不说出来,并不去实施,就好像出去不由门径,行走不经过道路一样,用这种方法去追求利益,岂不是特别困难吗?我曾考察过神农、炎帝的德操,验证过虞、夏、商、周的典籍,世界上之所以有存亡兴废都是由这条规律造成的,例外的情况,从来没有发现。"

严恢①曰:"所谓问道者为富,今得珠亦富矣,安用道?"子列子曰:"桀、纣唯重利而轻道,是以亡。幸哉,余未汝语也。人而②无义,唯食而已,是鸡狗也。强食靡角③,胜者为制④,是禽兽也。为鸡狗禽兽矣,而欲人之尊己,不可得也。人不尊己,则危辱⑤及之矣!"

[注释]

①严恢:提出问题者的名字,事迹不详。②而:表示假设,如果。③强:强力、强行。靡:此处应为"摩"字之误。摩角,即角斗、角逐,指有角的动物抵架。④为制:占据支配地位。⑤危辱:危险和屈辱,灾祸。

[译文]

严恢问:"人们之所以要学习道,其中最重要的原因就是为了追求生活富裕。假如我今天得到一颗宝珠，生活已经富裕起来，那么我还学道干什么呢？"列子回答说："夏桀和殷纣这两个残暴君王，就是只知追求金银财宝奢侈淫乐，轻视道义而国灭身死的。幸好，有些事情还没有告诉你，一个人如果不懂得道义，只知道填饱肚子不饥，那么他就纯粹是一只鸡子或一条狗罢了。像羊和牛一样，抵架争强，谁力气大，谁控制局势，这只能算作禽兽罢了。本性已经是鸡狗禽兽了，还想要别人尊重自己，则是根本不可能的。一个人只要沦落到这种地步，当别人都不把自己当做一个人看的时候，紧跟着的危险屈辱以及意想不到的灾难就会降临。"

列子学射，中①矣，请②于关尹子。尹子③曰："子知子之所以中者乎？"对曰："弗知也。"关尹子曰："未可。"退而习之。三年，又以报关尹子。尹子曰："子知子之所以中乎？"列子曰："知之矣。"关尹子曰："可矣。守而勿失④也。非独射也，为国与身，亦皆如之。故圣人不察存亡⑤，而察其所以然。"

[注释]

①中（zhòng）：射中了目标。②请：此处意为带着敬意，告诉别人。③尹子：疑缺一"关"字。"关尹"应为以职务代人名，"子"为尊称。④守而勿失：坚持而不要丧失。⑤存亡：这里指国与身的或存或亡。

[译文]

列子学习射箭，一次偶然射中了靶的，高兴地告诉自己的老师关尹子。关尹子说："你知道之所以射中的原因是什么吗？"列子回答说："不知道。"关尹子说："不行，还得继续苦练！"列子回去练习，反复体验，反复总结。三年之后，又向关尹子汇报自己的情况。关尹子又问："你弄清楚你之所以射中的原因是什么吗？"列子回答说："弄清楚了！"关尹子说："这就行了！保持这种技艺，千万不要丧失或者倒退。不仅射箭应该这样，治国、修身也应该如此！圣人一般都不去考察客观事物的存在或是消亡，而是着重考察这些客观事物之所以存在或者消亡的原因。"

列子曰："色盛①者骄，力盛者奋②，未可以语道③也。故不班白④语道失，而况行⑤之乎？故自奋则人莫之告⑥。人莫之告，则孤而无辅矣。贤者任人，故年老而不衰，智尽而不乱。故治国之难，在于知贤，而不在自贤⑦。"

[注释]

①色盛：面色血气旺盛。色，面色，气色。②奋：逞强，好斗。③语道：谈论道、议论道这个玄妙的道理。④班白：头发斑白。班，同"斑"。⑤行：行动，实践。⑥莫之告：即莫告之。⑦知贤：知道天下贤人在什么地方，并能及时任用。自贤：自己以为自己是贤才，并漠视天下贤才的存在。

[译文]

列子说："盛气凌人的人必然骄纵，力气过大的人爱好逞强。对于这些人是不可以谈论道的问题的。所以不到头发斑白时谈论道，不出差错是很少有的，更谈不到在实际行动中付诸实践了。因此，别人很少能把逞强好胜的人的缺点告诉他本人。没有人把他的缺点、错误告诉他，那么他就会陷入孤独而没有人帮助的境地。贤能的治理者能恰当任用别人，因此年纪老了，而精神仍然没有衰弱，智力竭尽了，而思维仍然没有昏乱。所以，治理国家的最大难点在于治理者如何了解天下的众多贤才，并且及时任用，仅仅自己认为自己是贤才没有多大意义。"

宋人有为其君以玉为楮①叶者，三年而成。锋杀茎柯②，毫芒繁泽③，乱之楮叶中，而不可别也。此人遂以巧食宋国。子列子闻之曰："使天地之生物，三年而成一叶，则物之有叶者寡矣。故圣人恃道化而不恃智巧。"

[注释]

①以玉为楮（chǔ）叶：用玉石雕刻成一片楮叶。楮，亦称构树。叶子卵形，叶上有毛，落叶乔木。②锋：此处应为"丰"，肥大。杀：瘦小。柯：草木的枝、茎，这里指叶柄。③毫芒（wáng）：构树叶上的细毛。繁泽：繁多而润泽。

[译文]

宋国有个人用玉石为国君雕刻一片构树叶用了整整三年时间才刻成，无论是茎脉、叶柄的肥瘦大小，还是叶毛、柄刺的多少和光洁，相混在真的构树叶之中，没有人能够辨认出来。这个匠人就凭他这个手艺，在宋国吃穿不愁。列子听说这件事情以后，说："如果让天地生育万物，三年才长成一片叶子，那么万物之中有叶子的树木恐怕就会太少太少了。因此，世界上万事万物的形成，圣人依赖天道的自然化育，并不仰仗个人的技巧和智慧。"

子列子穷，容貌有饥色。客有言之郑子阳①者，曰："列御寇盖有道之士也，居君之国而穷，君无乃②为不好士乎？"郑子阳即令官遗③之粟。子列子出，见使者，再拜而辞。使者去，子列子入，其妻望之而拊心④，曰："妾闻为有道者之妻子，皆得佚⑤乐。今有饥色，君遇⑥而遗先生食，先生不受，岂不命也哉？"子列子笑谓之曰："君非自知⑦我也，以人之言而遗我粟，至其罪我⑧也，又且以人之言，此吾所以不受也。"其卒，民果作难⑨，而杀子阳。

[注释]

①郑子阳：子阳，姓驷，即驷子阳，乃郑国执政，郑缥公国相。②无乃：表示测度语气，也许、大概。③遗（wèi）：赠送。④望：带有责备性的看视。拊（fǔ）心：即拍着胸口。⑤佚：同"逸"。⑥遇：恩遇。指登门赐粮。⑦自知：自己知道，自己认识到。⑧罪我：加罪于我。⑨作难：即作乱。不过这次作乱不是民众发动，而是郑国王室的一次内讧。公元前398年，公孙申把持朝

说符第八 205

政，嫉恨驷子阳，利用驷子阳的卫士杀了驷子阳。太宰欣为替驷子阳报仇，率领驷子阳党人攻入宫中杀掉公孙申及背叛驷子阳的卫士，忙乱中又把郑缥公杀死。列子去世不久，即公元前375年，韩国攻下新郑，郑国灭亡。

[译文]

列子的生活非常艰难，面带饥色，又黄又瘦。有人对郑国宰相驷子阳说："列御寇是一个有道之士，居住在您的国家贫困不堪，甚至连饭都吃不上，也许您是不喜欢有才能的、有知识的人吧！"子阳听后，立即派官员给列御寇送粮食吃。列子见到使者后，再三拜谢，推辞不受。使者离开后，列子回到里屋。他的妻子非常生气，用责备的眼光看着他，并且拍着心口说："我听说作为有道之士的妻子，生活应该富裕而且快乐。现在我饿得面黄肌瘦，国相赠送粮食，你却拒绝不受，难道我命里就该如此吗？"列子笑着对妻子说："国相不是自己赏识我，现在他是听别人的话才送来粮食，将来他还会听信别人的话加罪于我。这就是我拒绝接受粮食的原因。"过了一段时间，郑国果然发生内乱，混乱中驷子阳被杀死。

鲁施氏①有二子，其一好学②，其一好兵③。好学者以术干齐侯。齐侯纳之为诸公子之傅④。好兵者之楚，以法干楚王⑤。王悦之，以为军正⑥。禄富其家，爵荣其亲。施氏之邻人孟氏，同有二子，所业亦同，而窘于贫。羡施氏之有，因从请进趋之方。二子以实告孟氏。孟氏之一子之秦，以术干秦王。秦王曰："当今诸侯力争，所务兵食而已。若用仁义治吾国，是灭亡之道。"遂宫⑦而放之。其一子之卫，以法干卫侯。卫侯曰："吾弱国也，而摄乎大国之间。大国吾事之，小国吾抚之，是求安之道。若赖兵权，灭亡可待矣。若全而归之，适于他国，为吾之患不轻矣。"遂刖⑧之而还诸鲁。既反，孟氏之父子叩胸而让⑨施氏。施氏曰："凡得时者昌，失时者亡。子道与吾同，而功与吾异，失时者也，非行之谬也。且天下理无常是，事无常非。先日所用，今或弃之；今之所弃，后或用之。此用与不用，无定是非也。投隙抵时⑩，应事无方属乎智。智苟不足，使若博如孔丘，术如吕尚⑪，焉往而不穷哉？"孟氏父子舍然无愠容⑫，曰："吾知之矣，子勿重⑬言！"

[注释]

①鲁：国名。施氏：即姓施的。②学：这里指学问、学术。③兵：军事，战争。④傅：老师。⑤之：到。法：兵法。干：干请。⑥军正：管理军事事务的官。⑦宫：宫刑，古代的一种酷刑。⑧刖（yuè）：古代酷刑的一种，砍断腿和足。⑨让：责难，责备。⑩投隙：乘着机会，投机取巧，抓住机遇。抵时：不要错过机遇或时间。⑪吕尚：即姜子牙。⑫舍（shì）：同"释"。愠：恼怒。⑬重（chóng）：再次，反复。

[译文]

鲁国姓施的一家有两个儿子。一个喜文，一个爱武。喜文的以学术干请齐侯任用，齐侯请他作诸公子的老师。喜武的以兵法干请楚国国君，楚国国君让他做了楚国军队的军官。两个儿子的俸禄使家庭富有，官爵让亲属感到荣耀。施家有个邻居姓孟，也有两个儿子，所学同施家的两个儿子一样，却陷于贫困之中。十分羡慕施家的荣耀和富有，便去请教谋取功名的方法。施家二子将情况如实地讲给他们听。孟氏的两个儿子。一个去到秦国，以仁义之说请求任用，秦王说："当今诸侯均用武力争夺天下，眼前最重要的事情是扩充军队，如用仁义治理国家，那是一条自取灭亡的道路。"于是，对他施行了宫刑以后才给予释放。另一个儿子去到卫国，以兵法向卫侯谋求官职，卫侯说："卫国是弱国，位置夹在强国之间。我们的政策是，对大国我们将采取事奉的态度，对小国则采取安抚政策，这才是求得安全的办法。如果采用武力，那么我们很快就会灭亡。假如放你健健康康地回去，你再到别的国家去出谋划策，肯定会给我们的国家带来祸害。"于是砍断他的双脚，然后放他回到自己的国家里。回鲁国后，孟家父子捶胸顿足地责怪施家。施氏说："凡是能抓住时机，或遇上好时机的就昌盛；否则，抓不住时机或遇不到好时机的就会死亡。你们谋求官位的方法同我们的一样，但效果同我们的不同，最重要的原因是错过了好时机，并不是你们的做法有什么不对。再说世界上根本就没有不变的道理，也没有什么永远不变的是非。过去所使用的，现在也许被抛弃；现在被抛弃的，将来也许还要使用。这里或使用或不用是不存在固定的是与非的。抓住机会，行动及时，应付事变，没有固定的方法，这种能力属于智谋。智谋如果不足，即使你像孔夫子那样博学多才，像姜子牙那样善用兵法，也是会处处碰壁的。"孟家父子听了，满脸怒气顿时消失，说："我们明白了，不要再说了！"

晋文公①出，会欲伐卫，公子锄②仰天而笑。公问何笑。曰："臣笑邻之人有送其妻适私家③者，道见桑妇，悦而与言。然顾视其妻，亦有招④之者矣。臣窃笑此也。"公寤⑤其言，乃止。引师而还，未至，而有伐其北鄙者矣。

[注释]

①晋文公：即姬重耳（前697—前628），晋国国君，春秋五霸之一。②公子锄：晋文公之子，名锄。③私家：已嫁之姐妹之家。④招：招手，此有调情之意。⑤寤：即"悟"，觉醒，醒悟。

[译文]

晋文公重耳出师，会盟诸侯，准备讨伐卫国。文公之子姬锄听说此事仰天大笑。文公问他笑什么，他回答说："我笑邻居送他老婆到姐夫家去，路上遇见采桑的漂亮女人，为了表示好感，便同人家聊了起来。回头一看自己的老婆，也有年轻男人向她调情招手。这件事，我越想越觉得好笑。"晋文公从公子锄的话里很快醒悟过来，便将伐卫的事情作罢。当他带领着军队回国，还没有到达屯驻的营地，就有消息传了过来，说有人进攻晋国北部边境了。

晋国苦盗①。有郄雍②者，能视盗之貌，察其眉睫之间而得其情。晋侯使视盗③，千百无遗一焉。晋侯大喜，告赵文子④曰："吾得一人，而一国盗为尽矣，奚用多为？"文子曰："吾君恃伺察而得盗，盗不尽矣，且郄雍必不得其死焉。"俄而，群盗谋曰："吾所穷者，郄雍也。"遂共盗而残之⑤。晋侯闻而大骇，立召文子而告之曰："果如子言，郄雍死矣！然取盗何方？"文子曰："周谚有言：'察见渊鱼者不祥，智料隐匿者有殃。'君欲无盗，莫若举贤而任之。使教明于上，化行于下⑥，民有耻心，则何盗之为？"于是用随会知政⑦，而群盗奔秦焉。

[注释]

①苦盗：苦，作动词用。苦盗，即以盗为苦，苦于盗患。②郄(xì)：当作"郤"。原为晋大夫叔虎的封邑。以邑名为姓氏。郄雍：人名，善于侦破盗贼作案的人。③视盗：侦破盗贼。④文子：姓辛，名钘。赵国人，老子弟子，生活年代大约与孔子同时。⑤共盗而残之：即晋国的盗贼们串连一块儿，抓住郄雍，把他除掉。共盗，盗贼们联合起来。⑥教、化：国家对百姓所进行教化，从而建立文明的社会秩序和风俗习惯。⑦随会：人名，随姓，其名为会。晋国宰相。

[译文]

晋国苦于盗患。有个名叫郄雍的人擅长识别盗贼相貌，只要一见，就能断定这个人是不是盗贼。晋国国君派他去侦察，一千个盗贼中漏掉的一个也没有。晋国国君非常高兴，告诉侨居在晋国的赵文子说："我得到一个有特殊侦察本领的人，把一国的盗贼都快抓完了。像郄雍这样的人一个就够了，找那么多有什么用呢？"文子曰："君王依靠伺察来捕捉盗贼，恐怕盗贼是抓不完的。而且郄雍也不会再活多少日子了。"过了不久，盗贼们聚在一起商议说："把我们逼得走投无路的就是郄雍。"于是，他们设法把郄雍抓住了，并把他残忍地杀死。晋君听说这个消息，大为惊骇，立刻召见赵文子，并且对他说："果然像你所说的那样，邻雍已经死了。以后用什么方法抓捕强盗呢？"文子说："周地的谚语说：'能够看见深渊中游动的鱼的人最不吉祥，以智巧推测出隐藏者的人必定有大的灾殃。'君王想要彻底清除盗贼之患，不如选拔有才能的人并加以任用，使政教昌明于上，良好风气形成于下，百姓有了羞耻之心，谁还会去做盗贼呢？"晋侯觉得赵文子的话很有道理，于是选派随会出任宰相，主持政务，盗贼们很快成群地逃到秦国去了。

孔子自卫反鲁，息驾乎河梁①而观焉。有悬水三十仞②，圜流③九十里，鱼鳖弗能游，鼋鼍弗能居，有一丈夫方将厉④之。孔子使人并涯止之⑤。曰："此悬水三十仞，圜流九十里，鱼鳖不能游，鼋鼍弗能居也，意者难可以济乎？⑥"丈夫不以错意⑦，遂度⑧而出。孔子问之曰："巧乎？有道术乎？所以能入而出者，何也？"丈夫对曰："始吾之入也，先以忠信；及吾之出也，又从以忠信。忠信错吾躯于波流，而吾不敢用私，所以能入而复出者，以此也。"孔子谓弟子曰："二三子识之！水且犹可以忠信诚身亲之，而况人乎？"

[注释]

①河梁：同《黄帝》篇中的"吕梁"为同一地。②悬水：瀑布。仞：古代八尺为一仞。③圜（huán）流：有旋涡的流水。④厉：涉。⑤并涯：顺水崖而行。涯，同"崖"。此处的"涯"有堤岸之意，即在水流的堤岸上同水中的游者并排行走。⑥意者：意，有"我想"，"想来"之义。者为凑足音节的虚词，无意义。济：渡。⑦不以错意：并不放在心上。错，同"措"。⑧度：同"渡"。

[译文]

孔子从卫国返回鲁国，让车马停留在河桥上歇息。这里有条瀑布高达三十丈，漩涡直达九十里，鱼鳖不能在这里游动，鼋鼍不能在这里生存。有一个男子却偏偏要从这里游过去。孔子便叫人沿着河岸去劝阻他。说:"这条瀑布高三十丈,水流湍急,漩涡直达九十里,鱼鳖难以在这里游动,鼋鼍不能在这里生存。我想你是很难游过去的。"男子不以为然,继续在水中游动,一会儿安全上了岸。孔子问他说:"你游水的技术非常高,一定有什么道术吧?你之所以能够入于水,出于水,靠的是什么本领呢?"男子回答说:"我刚才下到水里,抱着诚意;等到我走上河岸,还是抱着诚意。诚意把我的身躯措置漩涡湍流之中,我却不敢怀有任何私心杂念,之所以能入于激流,出于激流,就是这样的原因呀!"孔子对自己的学生说:"你们几个可要牢牢记住,水尚且能够以诚意亲近,何况是人呢?"

　　白公①问孔子曰:"人可与微言②乎?"孔子不应。白公问曰:"若以石投水何如?"孔子曰:"吴之善没者③能取之。"曰:"若以水投水何如?"孔子曰:"淄、渑之合,易牙尝而知之④。"白公曰:"人故不可与微言乎?"孔子曰:"何为不可?唯知言之谓者乎!夫知言之谓者,不以言言⑤也。争鱼者濡⑥,逐兽者趋,非乐之也。故至言去言⑦,至为无为⑧。夫浅知之所争者,末矣。"白公不得已,遂死于浴室⑨。

[注释]

　　①白公:姓白,名胜,春秋时楚国大夫,楚平王的孙子,亦称王孙胜,号白公。楚惠王十年(前479年)发动叛乱,杀掉令尹子西、司马子期,控制楚都,后被打败,自缢身亡。②微言:幽微之言,秘密之言。亦指密谋。③没者:潜水之人。④淄:源出淄博市东北。渑(shéng)河,又写作绳河。易牙:又称狄牙,名巫。擅长调味。相传曾烹其子做成羹汤以献给桓公,成为春秋时齐桓公的著名宠臣。⑤言言:转达给别人的话。⑥濡(rú):沾湿。⑦至言去言:最美最好的话语不必用具体的言词去表达。⑧至为无为:最美最好的行为不必用具体的动作去表示。⑨遂死于浴室:白公胜发动叛乱后,曾控制楚都,楚惠王被推翻。《史记·楚世家》记载,月余之后,楚惠王又得到叶公

子高的援助,打败白公胜,楚惠王复位,白公胜于浴室自缢。

[译文]

白公胜问孔子:"可以与别人一起策划密谋吗?"孔子一时没有回答。白公胜再问:"如果把石块扔在水里会怎么样呢?"孔子回答说:"吴国擅长潜水的人会把它从水底捞出来。"白公胜继续问:"如果把水倒进水里会怎样呢?"孔子回答:"淄水和渑水混合在一起,易牙一尝就能分辨出哪是淄水,哪是渑水的味道。"白公胜说:"那么,一个人是绝对不能与别人密谋的了?"孔子说:"怎么会不可以呢?只要心领神会不是就可以了吗?所谓心领神会就是不通过语言这种声音的渠道来表达心意。如捕鱼的人常把衣服弄湿,打猎的人要追赶野兽,追赶野兽的人经常需要快跑,这是事物的规律和趋势造成的,人们喜欢不喜欢都得这样做。因此,最高明的言论不用言辞表达,最崇高的行为无所动作。那些知识浅薄的人所争论的只是事物的细枝末节,总是抓不住问题的关键和实质。"白公胜没有全部听懂孔子谈话的意思,仍然密谋叛乱,最后失败,被迫吊死在浴室里。

赵襄子使新稚穆子攻翟①,胜之,取左人、中人②,使遽人③来谒之。襄子方食而有忧色。左右曰:"一朝而两城下,此人之所喜也,今君有忧色,何也?"襄子曰:"夫江河④之大也,不过三日;飘风⑤暴雨不终朝,日中不须臾。今赵氏之德行无所施于积⑥,一朝而两城下,亡其及我哉!"孔子闻之曰:"赵氏其昌乎!夫忧者所以为昌也,喜者所以为亡也。胜非其难者也,持之,其难者也。贤主以此持胜,故其福及后世。齐、楚、吴、越皆尝胜矣,然卒取亡焉,不达乎持胜也。唯有道之主为能持胜。"孔子之劲能拓⑦国门之关,而不肯以力闻。墨子为守攻,公输般服,而不肯以兵知⑧。故善持胜者以强为弱。

[注释]

①赵襄子：即赵无恤，春秋末年晋国大夫赵鞅之子。新稚穆子：亦名新稚狗，赵襄子的家臣。翟（dí）：同"狄"，古代少数民族名。②左人、中人：两古邑名，皆在今河北省境内。③遽（jù）人：传递公文、信件的人。④江河：这里指与海相通的大江、大河。随着海潮的变化而河水涨落。⑤飘风：旋风、暴风。⑥无所施于积：没有施惠于人的善行的积累。⑦拓：举，举起。⑧以兵知：因为懂得军事而知名。

[译文]

赵襄子派新稚穆子攻打狄族所居住的地方，取得了很大胜利，占领左人和中人两座城池。新稚穆子马上派传送公文的人向赵襄子报捷。赵襄子接到这个消息时正在吃饭，不仅没有喜色，而且满脸都是忧虑的神色。近侍不解地问："一个上午拿下两个城池，这是人人都会高兴的消息，现在你却忧虑起来，请问这是什么原因呢？"赵襄子说："江河潮水虽然很大，可是不过三天就会消退；暴风骤雨不可能持续一个早上；中午的太阳也不过是转瞬即逝。目前赵家的德行积累太少，无法让人受益。尽管一个上午占领两座城池，败亡恐怕很快就要来到的。"孔子听了这话以后说："赵氏以后肯定会兴旺起来的！知道忧虑未来就是今后兴旺的前提，有点胜利就盲目高兴则是败亡的征兆！取得胜利并不是很难，难的是巩固胜利、保持胜利。贤明的君王用忧患意识保持胜利、巩固胜利，就能将幸福传至后代。齐、楚、吴、越这些国家都曾获得过巨大的胜利，但终归都灭亡了，就是因为这些国家的国君不能及时领悟巩固胜利的方法和道理。只有贤明的君王才能巩固胜利。"孔子的力量能够举起国都城门的门闸，但从来不用力量大来显示自己；墨子精通攻防之策，能使为楚国造攻城云梯的公输般屈服，但从来不用通晓兵法来显示自己。所以善于保持胜利、巩固胜利的人，其有一个共同的特点就是将自己的强大当做弱小对待。

宋人有好行仁义者，三世①不懈。家无故黑牛生白犊，以问孔子。孔子曰："此吉祥也，以荐②上帝。"居一年，其父无故而盲，其牛又复生白犊。其父又复令其子问孔子。其子曰："前问之而失明，又何问乎？"父曰："圣人之言先迕后合③。其事未究④，姑复问之。"其子又复问孔子。孔子曰："吉祥也。"复教以祭。其子归致命⑤。其父曰："行孔子之言也。"居一年，其子又无故而盲。其后楚攻宋⑥，围其城，民易子⑦而食之，析骸⑧而炊之；丁壮者皆乘城⑨而战，死者大半。此人以父子有疾皆免。及围解而疾俱复。

[注释]

①三世：三代。②荐：进献祭品。③迕（wǔ）：违背。合：符合，应验。④究：尽，终结。⑤致命：传达孔子的意见。⑥楚攻宋：此事发生在楚庄王二十年即公元前594年。许慎注《淮南子》云：楚庄王时，围宋九月。这里所说当指此事。⑦易子：交换子女。⑧析骸：分解尸骨。《左传·宣公十四年》有这样的记载：攻邑易子而食，析骸以爨。⑨乘城：登上城墙。

[译文]

宋国有一家人喜欢仁义，三代施惠于人，从不懈怠。有一年不知什么缘故，家里一头黑牛生出一头白色的牛犊。于是去请教孔子。孔子说："这是吉祥的表现，你就用它去祭祀上帝好了！"过了一年，不知什么原因，他的父亲的眼睛瞎了，而这头黑牛又生了一头白色牛犊，父亲又叫儿子去请教孔子。儿子说："上次请教的结果，你的眼睛瞎了。还有什么必要再去请教呢？"父亲说："圣人所说的话，开始不一定应验，然而到了最后，总会应验的！这件事情的最终结果还没有出来，姑且再去问一下吧！"儿子又去请教孔子。孔子说："这一次也是吉祥的表现。"并且又嘱咐他杀掉白犊去作祭品。儿子回到家里，转述了孔子的话。父亲说："照着孔子说的去做好了。"又过了一年，儿子的眼睛也无缘无故地瞎了。不久，楚国攻打宋国，把京城重重包围起来。京城内的民众困苦不堪,不得已只得交换孩子吃,分解尸骨,用以烧火做饭。年轻强壮的都上城作战,死伤的超过半数。这家人因为父子有疾,免于派到城上作战。等到解围以后,父子两人的眼病全都好了,并且很快恢复了视力。

宋有兰子①者,以技干宋元②。宋元召而使见③其技,以双枝④长倍其身,属其踁⑤,并趋并驰,弄七剑,迭而跃之,五剑常在空中。元君大惊,立赐金帛。又有兰子又能燕戏⑥者,闻之,复以干元君。元君大怒,曰:"昔有异技干寡人者,技无庸⑦,适值寡人有欢心,故赐金帛。彼必闻此而进,复望吾赏。"拘而拟戮⑧之,经月乃放。

[注释]

①兰子:指妄游江湖的人。②宋元:即下文的"元君",即宋元君,或宋元王。③见:同"现"。④双枝:两根木杆。⑤踁:同"胫",小腿。⑥燕戏:古代戏技。因动作轻疾如燕,故名。⑦庸:同"用"。⑧戮:此处有羞辱之意。

[译文]

宋国有一个走江湖玩杂耍的人,以他的技艺求见宋元君。宋元君召见了他并让他表演技艺。这人的技艺是用一对树干,比身体长一倍,把树干和小腿捆在一起,脚与树干同时奔跑;又舞弄七把短剑,不断地抛向空中,总有五把短剑在空中闪耀。宋元君非常惊奇,立即赏赐金帛。又有一个玩江湖杂耍的人,有着燕子飞翔般的轻功,要求亲见宋元君。宋元君勃然大怒说:"上次有人用奇异的技艺要求我接见,其实那技艺没有什么用处。然而,恰逢我心里高兴,所以赏赐了金帛。现在来的那个人,一定是听说有赏赐才来要求进见的,目的是想得到我的赏赐。"宋元君下令把他拘捕起来,准备加以羞辱后再处以刑罚,经过一个多月后才给予释放。

秦穆公谓伯乐曰①："子之年长矣，子姓②有可使求马者乎？"伯乐对曰："良马，可形容③筋骨相也。天下之马④者，若灭若没，若亡若失⑤，若此者绝尘弭辙⑥。臣之子皆下才也，可告以良马，不可告以天下之马也。臣有所与共担缠薪菜⑦者，有九方皋⑧，此其于马，非臣之下也。请见之。"穆公见之，使行求马。三月而反，报曰："已得之矣，在沙丘⑨。"穆公曰："何马也？"对曰："牝⑩而黄。"使人往取之，牡而骊⑪。穆公不说⑫，召伯乐而谓之曰："败矣，子所使求马者！色物⑬、牝牡尚弗能知，又何马之能知也？"伯乐喟然太息⑭曰："一至于此⑮乎！是乃其所以千万臣⑯而无数者也。若皋之所观，天机也，得其精而忘其粗，在其内而忘其外；见其所见，不见其所不见；视其所视，而遗其所不视。若皋之相马，乃有贵乎马者也。"马至，果天下之马也。

[注释]

①秦穆公：即嬴任好。春秋时期秦国国君，前659年至前621年在位。伯乐：春秋时期相马专家。一作孙阳。又作王良。②子姓：你的后代，众儿孙。③形容：体形，外貌。④天下之马：指天下最好的马。⑤若灭若没，若亡若失：灭没、绝迹，亡失、逃匿。⑥绝尘：不沾尘土。辙：同"辙"。弭：消除。⑦担缠（mò）薪菜：应为挑担拾柴。缠，亦作"缰"，意为绳索。菜，与"采"通用。⑧九方皋：九方乃复姓，名皋，相传为古代善于相马的人。⑨沙丘：地名，在今河北省。⑩牝：雌性。⑪牡：雄性。骊（lí）：纯黑色的马。⑫说：同"悦"。⑬色物：色指毛，物指颜色（杂色）。⑭喟：叹息。⑮一至于此：同"以至于此"，竟然到了这种地步。⑯千万臣：超过我千万倍。

[译文]

秦穆公对伯乐说："你的年纪已经这么大了，子孙中还有没有像你那样的能够派出去挑选良马的人吗？"伯乐回答说："良马能够从它的体态、外表、筋骨看得出来，至于天下最好的千里马好像绝迹了，又好像逃匿了，找起来是很难的。这种千里马奔跑起来，似乎离开了地面,四蹄不着尘土。我的儿孙,才能低下,只能派他们出去挑选良马,至于千里马,他们是识别不了的。我有一个曾同我一块儿挑担卖柴的朋友,名叫九方皋。这个人相马的本事不在我之下,请您亲自接见他一下。"穆公接见了九方皋,并派他出去寻找。出去了三个月,回来向穆公报告说:"我找到了,在沙丘那个地方。"穆公又问:"什么样的马呀?"九方皋回答说:"母马,毛色纯黄。"穆公派人把马牵回。穆公一看是公马,毛色纯黑;心里很不高兴,叫伯乐进来,说:"坏事了!你给我推荐的挑选千里马的人竟然连马的毛色是什么,是公是母都分辨不清,又哪里能识别出是不是千里马呢?"伯乐长叹一声,说:"九方皋相马的本事已经达到了如此高的境界了啊!这正是他相马的能力超过我千万倍甚至难以计数的地方呀!九方皋所看见的是一般人看不到的天机妙处,掌握的是一般人掌握不了的内质之精,忽略的只是外表之粗。九方皋看到的只是马的内在素质,至于它的毛色是黄是黑,性别是公是母,是完全可以不予考虑的东西。所谓洞察实质、忽略外表就是九方皋高出于所有相马人的关键之处。他只看应该看的东西,不看他不应该看的东西;只注意他应该注意的内容,而不去注意他不应该注意的内容。像九方皋这样相马,如能认真体味,恐怕会悟出比相马更为宝贵的意义。"马到了之后,经鉴定,确实是一匹无与伦比的千里马。

楚庄王问詹何曰①:"治国奈何?"詹何对曰:"臣明于治身而不明于治国也。"楚庄王曰:"寡人得奉宗庙社稷,愿学所以守之。"詹何对曰:"臣未尝闻身治而国乱者也,又未尝闻身乱而国治者也。故本在身,不敢对以末②。"楚王曰:"善。"

[注释]

①楚庄王:即芈(mǐ)旅,楚国国君。前613年至前591年在位。即位后平定若敖氏之乱,重用孙叔敖,改革内政,兴修水利,北伐陆浑,陈兵周

郊。后又大败晋军,迫使郑、宋归附,成为代晋而起的诸侯霸主。詹何:战国时期的哲学家。②末:末节,次要的事情。

[译文]

楚庄王问詹何说:"对国家应该怎样进行治理?"詹何回答说:"我只懂得修养自身的道理,不明白治理国家的事情。"楚庄王说:"我现在能够祭祀宗庙,能够拥有国家,很想学会并掌握如何保住宗庙、如何巩固国家的本领。"詹何回答说:"我还没有听说过身心修养好了反而使国家混乱的,也没有听说过身心修养不好反而使国家得到治理的。因此,根本在于修养身心,我就不敢对你说那些无关紧要的话。"楚庄王说:"你讲得很有道理呀!"

狐丘丈人谓孙叔敖曰①:"人有三怨,子知之乎?"孙叔敖曰:"何谓也?"对曰:"爵高者,人妒之;官大者,主恶之②;禄厚者,怨逮③之。"孙叔敖曰:"吾爵益高,吾志愈下④;吾官益大,吾心益小⑤;吾禄益厚,吾施益博⑥。以是免于三怨,可乎?"

[注释]

①狐丘:邑名。丈人:老人。孙叔敖:又名蒍叔,春秋时楚国令尹。②主:主人,这里指国君。③逮:及,到。④下:谦恭,卑下。⑤小:谨慎,小心。⑥施益博:施舍的面更广泛,受惠的人更多。

[译文]

狐丘丈人对孙叔敖说:"一个有才能的人常常遭到人们的三种埋怨,你知道这三种埋怨都是什么吗?"孙叔敖问:"是哪三种呢?"狐丘丈人回答说:"爵位太高,受人忌妒;当官太大,君王厌恶;俸禄太多,怨则临身。"孙叔敖说:"地位越高,越是谦恭卑下;官越是大,越是谨慎小心;俸禄越多,施舍的面越是广泛。用这些办法免除'三怨',大概可以了吧?"

孙叔敖疾，将死，戒其子曰："王亟封①我矣，吾不受也。为②我死，王则封汝。汝必勿受利地③！楚、越之间有寝丘④者，此地不利而名甚恶。楚人鬼而越人机⑤，可长有者唯此也。"孙叔敖死，王果以美地封其子。子辞而不受，请寝丘。与之，至今不失。

[注释]

①亟封：数次封赏。亟，数。②为：此处表示假设，与"如"通。③利地：土地肥沃、交通方便、水利条件较好的地方。④寝丘：地名，在今河南省境内，条件极差的地方。寝：丑陋，恶劣。⑤楚人鬼：楚国人信奉鬼神。越人机：即越国人祈祷吉祥。机，吉祥。

[译文]

孙叔敖病危，快死的时候，告诫他的儿子说："楚王有好几次要封赏土地给我，我都表示不愿接受。如果我死了，楚王就会把土地封赏给你。你要记住，千万不能要那些条件好的地域。楚国和越国的交界处有寝丘这个地方，条件恶劣，名字又很难听，当地的楚人相信鬼神，而当地的越人则习惯祈祷吉祥，可以长期占有而不变的，只有这里了。"孙叔敖死了以后，楚王果然要封赐孙叔敖儿子土地，而且是条件很好的利地。孙叔敖的儿子坚决不接受，请求把寝丘封给他。楚王答应了他，直到今天，孙叔敖的后代还拥有这块土地。

牛缺①者，上地②之大儒也，下之邯郸③，遇盗于耦沙④之中。尽取其衣装车，牛步而去。视之欢然无忧吝⑤之色，盗追而问其故。曰："君子不以所养害其所养⑥。"盗曰："嘻！贤矣夫！"既而相谓曰："以彼之贤，往见赵君。使以我为⑦，必困我。不如杀之。"乃相与追而杀之。燕人闻之，聚族相戒，曰："遇盗莫如上地之牛缺也。"皆受教⑧。俄而其弟适秦，至关⑨下，果遇盗。忆其兄之戒，因与盗力争；既而不如，又追而以卑辞请物⑩。盗怒曰："吾活汝弘⑪矣，而追不已，迹⑫将著焉。既为盗矣，仁将焉在？"遂杀之，又傍害其党四五人焉。

[注释]

①牛缺：姓牛，名缺，秦国人。②上地：地名，地在今河北省境内。③邯郸：赵国国都，即今河北省南部的邯郸市。因秦在西方，故称下。④耦沙：河流名，又称耦水。⑤吝（lìn）：同"吝"。⑥不以所养：指用来养身的物资。害其所养：指不要因用以养身的物资来损害所保养的身心。旧注以为"不以所养"应为"不以所以养"。⑦使以我为："为"后少一"事"字。应为"使以我为事"。⑧受教：接受教训。⑨关：函谷关，在今河南省三门峡市西。⑩卑辞：低声下气。请物：请求归还财物。⑪弘：通"宏"。⑫迹：踪迹。

[译文]

牛缺是上地一个很有学问的人，有一次在去往邯郸的路上，在耦沙境内遇到了强盗，把他的衣服车马全都抢走了，牛缺便步行而去。看牛缺被抢后欢欢喜喜，没有丝毫可惜的神色，强盗追上前去问是什么原因。牛缺回答说："有知识的人不因滋养身体的东西来损害自己的身心。"强盗说："嘻，他这个人还真懂事哩！"接着又相互商量说："用他这种贤明去晋见赵国国君，赵君可能派他来与我们周旋，一有机会就把我们一网打尽。不如趁早杀了他。"于是一起追赶上去，把牛缺杀死了。燕国人听说这件事，立即聚集家族的人互相告诫，说："今后遇到强盗，可不能像上地牛缺那样了。"族人全都接受了这种告诫。不久，燕人的兄弟到秦国去，走到函谷关下，果然遇上了强盗。他想起行前兄长的告诫，便同强盗用力争斗。不久，就抵挡不住，又追赶上去低声下气地请求归还他的东西。强盗们愤怒地说："我们没有杀你，就够宽宏大量的了，你还要不停地追赶我们，我们的踪迹就将被人发现了。既然做了强盗，还有什么仁义道德可讲呀！"于是动手杀了那个燕人。燕人的四五个同伴也被杀死。

虞氏①者，梁②之富人也，家充③殷盛，钱帛无量，财货无訾④。登高楼，临大路，设乐陈酒，击博⑤楼上。侠客⑥相随而行，楼上⑦博者射，明琼⑧张中，反两擒⑨鱼而笑。飞鸢⑩适坠其腐鼠而中之。侠客相与言曰："虞氏富乐之日久矣，而常有轻易⑪人之志。吾不侵犯之，而乃辱我以腐鼠。此而不报，无以立㦀⑫于天下。请与若等戮力一志⑬，率徒属⑭，必灭其家为等伦⑮。"皆许诺。至期日之夜，聚众积兵，以攻虞氏，大灭其家。

[注释]

①虞氏：寓言中虚拟人物。②梁：国名，在今河南开封一带。③充：充盈。家充，家境充盈富足。④訾：估量，限量。⑤击博：击为博技，博为赌博。博技，即双陆棋。⑥侠客：精通武功，爱打抱不平的人。⑦楼上：上应为下。否则句意不通，情理不符。⑧明琼：游戏或赌博的工具。⑨擒（tā）：比目鱼。⑩鸢：鹰。⑪轻易：轻视，轻蔑。⑫㦀（qín）：勇气。⑬戮力一志：即同心同德，共同奋斗。戮力，共同努力。一志，一心。⑭徒属：同伙。⑮等伦：等辈之人。

[译文]

虞氏，是梁国的富人，家境充盈，金钱布帛、粮食、珠宝多得无法计量。登上高楼，俯瞰大路，张乐设酒，游览的人络绎不绝。楼上的人们下棋掷骰；楼下的人们张弓射靶，赌博的高叫中彩，热闹非常，尽情欢乐。此时人们进进出出，其中亦有侠客相互跟随着来到楼下。恰好有一老鹰将自己嘴里所叼的腐鼠掉在一个侠客的脸上，侠客们以为受了侮辱，聚在一起议论说："虞氏家富裕欢乐的日子太久了，常有着看不起别人的心。我们不侵犯他，他现在却用腐鼠来向我们挑衅。此仇不报，天下英雄会笑话我们是懦夫，从而无法立身。我请求戮力同心，率领同伙，一起灭除他全家所有的人。"其他人也同意这个侠客的意见。到了约定日子的夜晚，集合同伙，汇集武器，向虞氏发动攻击，很快就把虞氏消灭了。

东方有人焉，曰爰旌目①，将有适也，而饿于道。狐父②之盗曰丘，见而下壶餐以铺之③。爰旌目三铺而后能视，曰："子何为者也。"曰："我狐父之人丘也。"爰旌目曰："譆！汝非盗邪？胡为而食我？吾义不食子之食也。"两手据地而欧④之，不出，喀喀然⑤遂伏而死。狐父之人则盗矣，而食非盗也。以人之盗，因谓食为盗而不敢食，是失名实者也。

[注释]

①爰旌目：人名，亦有写作"爰精瞀"的。②狐父：地名，在今安徽省境内。③壶餐：用水泡饭。铺（bū）之：以食与人，让别人吃东西。④欧：呕，吐。⑤喀喀然：形容呕吐不出的痛苦样子。

[译文]

东方有个人叫爰旌目，将要到一个地方去，却饿倒在半路上。狐父地方的一个强盗名叫丘的看见了，就用壶中的水泡饭给他吃。爰旌目吃了三口之后，眼睛可以睁开看视，于是问："你是干什么的？"强盗回答："我是狐丘地方的人，名叫丘。"爰旌目说："你难道不是强盗吗？为什么给我东西吃？我是有节操的君子，强盗的食物我是决不吃的。"说罢，用手撑地，喀喀呕吐，呕吐不出，终于趴在地上死去。狐父的这个人是强盗，但强盗所带的食物并不是强盗，因为人是强盗，就认为食物也是强盗而不敢吃，这是没有正确弄清名称和实际的关系而造成的。

柱厉叔事莒敖公①，自为不知己者②，去，居海上。夏日则食菱芰③，冬日则食橡栗。莒敖公有难，柱厉叔辞其友而往死之④。其友曰："子自以为不知己，故去。今往死之，是知与不知无辨也。"柱厉叔曰："不然，自以为不知⑤，故去；今死⑥，是果不知我也。吾将死之，以丑⑦后世之人主不知其臣者也。"凡知则死之，不知则弗死⑧，此直道而行者也⑨。柱厉叔可谓怼⑩

以忘其身者也。

[注释]

①柱厉叔：又叫朱厉附，为莒穆公之相。莒：国名，在今山东省境内。敖公：莒国君王。亦称穆公。②自为：自己以为……。不知己：不了解自己。③菱芰（líng jì）：即菱角。④死之：为他而死。⑤自以为不知："知"下脱一"己"字。⑥今死：现在为他去死。⑦且：出丑，有羞辱的意思。⑧弗死：不为他而死。⑨直道：指以德报德，以怨报怨的直截了当行为。⑩怼（duì）：怨恨。

[译文]

柱厉叔当莒国国相，直接侍奉国君莒敖公，自己以为敖公不了解自己，因此，离开朝廷，到海边隐居。夏天吃菱角，冬天食橡栗，生活非常艰苦。后来，莒敖公遇到危险，柱厉叔就辞别朋友，前去为他拼死作战。他的朋友说："你自己以为莒敖公不是知己才离开的，现在又要为他去死，这样，莒敖公是你的知己或不是你的知己，也就无法区别了。"柱厉叔说："不是这样。正因为莒敖公当初不信任我，我才离开他。现在为莒敖公战死，这便能证明他是确实不了解我的！我将为他而死，以此羞辱后世那些不了解自己臣下的君主。"凡是知己就为他去死，不是知己就不为他而死，这才是循直道而行的人。柱厉叔可以说是因为怨恨不顾自己性命的人了。

杨朱曰："利出者实及①，怨往者害来。发于此而应于外者唯请②，是故，贤者慎所出。"

[注释]

①及：得到。②请：通"情"，情实，情感。

[译文]

杨朱说："带给别人利益，实惠跟着就会到来；给别人留下怨恨，跟着到来的就是祸害。从这里发出而在外面得到反应的唯有内心的情感。为了这个缘故，有道德有才能的人对自己的一言一行都十分谨慎小心。"

杨子之邻人亡羊,既率其党,又请杨子之竖①追之。杨子曰:"嘻!亡一羊何追者之众?"邻人曰:"多歧路。"既反,问:"获羊乎?"曰:"亡之矣。"曰:"奚亡之?"曰:"歧路之中,又有歧路。吾不知所之②,所以反也。"杨子戚然③变容,不言者移时④,不笑者竟日⑤。门人怪之,请曰:"羊,贱畜,又非夫子之有,而损言笑⑥者何哉?"杨子不答。门人不获所命⑦。弟子孟孙阳出以告心都子⑧。心都子他日与孟孙阳偕入,而问曰:"昔有昆弟三人,游齐、鲁⑨之间,同师而学,进仁义之道而归。其父曰:'仁义之道若何?'伯曰:'仁义使我爱身而后名。'仲曰:'仁义使我杀身以成名。'叔曰:'仁义使我身名并全。'⑩彼三术相反,而同出于儒。孰是孰非邪?"杨子曰:"人有滨河而居者,习于水,勇于泅⑪,操舟鬻渡⑫,利供百口。裹粮就学者成徒,而溺死者几半。本学泅不学溺,而利害如此。若以为孰是孰非?"心都子嘿然⑬而出。孟孙阳让⑭之曰:"何吾子问之迂,夫子答之僻?吾惑愈甚。"心都子曰:"大道以多歧亡羊,学者以多方丧生。学非本不同,非本不一,而末异若是。唯归同反一⑮,为亡得丧。子长先生之门,习先生之道,而不达先生之况⑯也,哀哉!"

[注释]

①竖:年轻的童仆。②所之:所走,所去。③戚然:不高兴的样子。④移时:过了一段时间。⑤竟日:全天,整日。⑥损言笑:不说话,不言笑。⑦不获所命:得不到希望得到的指示。⑧心都子:同孟孙阳都是杨朱的学生。⑨齐、鲁:古国名。⑩伯、仲、叔:古代弟兄排序,老大称伯,老二称仲,老三称叔。⑪泅:主要指潜泳,即潜入水底游。同浮在水面游有所不同。⑫鬻渡:以摆渡谋生。⑬嘿:同"默"。嘿然,一声不吭的样子。⑭让:责备。⑮归同反一:回到根本观点上来,回到同一条道路、同一个观点上来。⑯况:比喻。杨朱针对心都子关于三兄弟同学于儒,而对身名的观点各不相同的疑问,

针锋相对用摆渡这则寓言作了回答。寓言的手法就是比况,用具体生动的故事,说明深刻的道理。"而不达先生之况"正是批评孟孙阳没有听懂杨朱寓言的深刻用意。

[译文]

　　杨朱的邻居丢失一只羊,便带着一伙人去寻找,又请了杨朱的年轻仆人也去追赶。杨朱问:"嘻!丢失一只羊为什么要这么多人去追赶?"邻居回答说:"岔路太多了。"追赶羊的人回来了,杨朱又问:"寻找到了吗?"邻居回答说:"丢失了!"杨朱又问:"怎么又丢失了呢?"邻居回答说:"岔路之中又有岔路,我们不知道该从哪条路追寻,所以也就回来了。"杨子听后,脸色发生了变化,满脸愁容,很久不说话,整天不带笑容。杨朱的学生不理解,就向他请教说:"羊本来就是低贱的畜生,而且又不是先生的,先生您却长时间不说不笑,满脸愁容,这是什么原因呢?"杨朱不予回答,学生们得不到先生的指教。有个叫孟孙阳的学生把这事告诉了心都子。过了几天,心都子同孟孙阳一起请教杨朱说:"过去有一家三兄弟都在齐、鲁之间游学,拜的同一个老师。修习学问之后都回家来了,他们的父亲问:'儒家仁义之道都有些什么内容?'大儿子说:'仁义教我爱惜身体,把名声放在身体之后考虑。'二儿子说:'仁义教我杀身成仁,含生取义,即用牺牲性命的办法成就名声。'三儿子说:'仁义教我既保护自己的身体又成就自己的名声。'这三个人的观点完全相反,但却都出于儒家学说,你说哪个正确,哪个不正确呢?"杨朱说:"有个人住在河岸边,长于水性,敢于游水,以撑船摆渡为业,营利可以维持百人生计。日子长了,跟他当徒弟的人越来越多。走了一批,又来一批,其中淹死的约有一半。本来是要学游泳的,并不是学淹死的,而最后获利的和受害的竟是这样不同的结局。你们说这是谁的对,谁的错呢?"心都子一言不发地走了出去。孟孙阳责备他说:"为什么如此拐弯抹角地向先生发问呢?而先生又回答得这么怪僻呢?我更疑惑，更加莫名其妙了。"心都子说："大路上因为有许多岔路，羊就这样遗失了。学生因为治学的途径太多，也就消耗了生命。各种学说并非在根本上不同，并非根本观点不一致，其结论相差得如此之大。唯有回归到相同的路径上来，返回到一致的根本观点上来，才能做到不无谓地去消耗生命。你是先生的得意门生，熟悉先生的思想，却不懂先生的寓言比况手法，可悲呀，可悲！"

杨朱之弟曰布，衣素①衣而出。天雨，解素衣、衣缁②衣而反。其狗不知，迎而吠③之。杨布怒，将扑④之。杨朱曰："子勿扑矣！子亦犹是也。向者使汝狗白而往，黑而来⑤，岂能无怪哉？"

[注释]

①素：白色。②缁：黑色。③吠：狗叫。④扑：打。⑤向：以前。狗白而往：狗出去时是白色。黑而来：回来时候是黑色。这里的白与黑均为动词。

[译文]

杨朱的弟弟杨布，出去时候穿白色衣裳，正好碰上天下雨，脱下白衣服，换上黑色的雨衣回来。他家的狗认不出来，迎着杨布乱叫。杨布有些生气，拿起棍子就要扑打。杨朱说："你不要扑打它了，它是没有错误的。如果换成你，你也会这样。试想，你的狗出去时是白色，回来时变成黑色，难道你不感到奇怪吗？"

杨朱曰："行善不以为名，而名从之；名不与利期①，而利归之；利不与争期，而争及之②。故君子必慎为善。"

[注释]

①期：期待，希望，相约。②争：争执，纷争，纠纷。及之：来到，临头。

[译文]

杨朱说："做好事的人不是为了求得一个什么名声，但名声紧跟着就会到来；名声并不希望获得什么个人私利，但私利也就会跟着到来；私利并没有同纷争相约，而纷争却往往自己降临。因此，君子在做每一件好事之前，必须慎重考虑。"

昔人言有①知不死之道者，燕君使人受之②，不捷③，而言者死④。燕君甚怒其使者，将加诛焉。幸臣⑤谏曰："人所忧者莫急乎死，己所重者莫过乎生。彼自丧其生，安能令君不死也？"乃不诛。有齐子⑥亦欲学其道，闻言者之死，乃抚膺⑦而恨。富子⑧闻而笑之曰："夫所欲学不死，其人已死，而犹恨之，是不知所以为学。"胡子⑨曰："富子之言非也。凡人有术不能行者有矣，能行而无其术者亦有矣。卫人有善数⑩者，临死以诀⑪喻其子。其子志其言⑫而不能行也。他人问之，以其父所言告之。问者用其言而行其术，与其父无差焉。若然⑬，死者奚为不能言生术哉？"

[注释]

①言有：二字误倒，应为"有言"。②燕君：燕国国君。受之：接受。③不捷：做不到，没有达到目的。④言者死：说自己会不死之术的人死去。⑤幸臣：又称宠臣，指君王最信任最贴近的臣僚。⑥齐子：人名。⑦膺：胸部。⑧富子：人名。⑨胡子：人名。⑩数：术数，命数。⑪诀：口诀，诀窍。⑫志其言：记住这些话。⑬若然：像这个样子。

[译文]

以前有人说自己懂得让人不死的道术，燕国国君派人请他来传授，事情很不顺利，目标没有实现，说那话的人就死了。燕王很生气，那被派去联络的人将被处死。他宠幸的臣子劝说道："人们所担心的没有比死更急迫的了，个人所重视的莫过于自己的生命了。他自己就不能不死，还怎么能让君王不死呢？"燕王一听，觉得很有道理，于是撤除了处死使者的命令。有个叫齐子的也想学习不死的道术，听说那个会不死之术的人死了，就拍着胸脯表示遗憾。有个叫富子的人听说这件事，便嘲笑说："你想学不死的道术，那人已经死了，还有什么可遗憾的呢？真是不懂自己学习的目的是什么。"有个叫胡子的人接着说："富子讲的是错误的，有的人掌握道术不能实践，有的能实践却不掌握道术，这两种情况，实际都是存在的。卫国有人对术数很有研究，临死前，以口诀的形式告诉他的儿子。他的儿子记住了口诀，却不能实行。别人问他，他把他父亲讲给他的口诀告诉给别人，别人就拿他父亲的口诀去实行，最后达到与他父亲不相上下的地步。倘若这是真实的，那么死者为什么不能知道不死的道术呢？"

邯郸之民，以正月之旦献鸠于简子①，简子大悦，厚赏之。客问其故，简子曰："正旦放生②，示有恩也。"客曰："民知君之欲放之，故竞而捕之，死者众矣。君如欲生之③，不若禁民勿捕。捕而放之，恩过不相补矣④。"简子曰："然。"

[注释]

①正月之旦：正月初一。鸠：斑鸠。赵简子：即赵鞅，春秋末年晋国正卿。②放生：把鸟儿、鱼儿等小动物放还它们的生活环境中，让它们重新活下去，以表示慈善和对生命的珍爱。③生之：生，使动用法，使它（斑鸠）活下去。④恩过：恩德和过失。补：补偿。

[译文]

邯郸的民众在正月初一那天向赵简子敬献斑鸠。简子非常高兴，全部给予重赏。有客人问他为什么这样做，简子回答说："正月初一放生，表示对生命的爱护。"客人说："民众知道您要放掉这些小生命，也就会竞相去捕捉，这样死去的斑鸠也就太多了。您如果想让它们都活着，倒不如禁止民众向您敬献，不让民众捕捉。捕捉了再放回去的作法是错误的。因为这种作法给鸟儿带来的恩惠补偿不了您的过失。"简子说："确实像您说的一样。"

齐田氏祖①于庭，食客千人。中坐有献鱼雁者②，田氏视之，乃叹曰："天之于民厚矣！殖五谷，生鱼鸟，以为之用③。"众客和之如响。鲍氏之子年十二，预于次④。进曰："不如君言。天地万物与我并生，类也。类无贵贱⑤，徒以小大智力而相制⑥，迭相食⑦，非相为而生之。人取可食者而食之，岂天本为人生之？且蚊蚋噆肤⑧，虎狼食肉，非天本为蚊蚋生人、虎狼生肉者哉？"

[注释]

①祖：古人祭祀祖先或出远门时祭祀路神为祖。引申为送行，又称祖饯。②中坐：意为在座的人之中。雁：指鹅。③用：指用作食物。④预：参与。于次：不是主宾座位。⑤类：类别。此处指物类，即自然界和社会中的各种物的种类。类无贵贱：各种类别之间没有贵贱之分，它们之间的关系是平等的。⑥制：制服、限制之类。⑦迭相食：你吃我，我吃你，互相不断吃。⑧蚋：极小的昆虫。噆（zǎn）：叮，咬。

[译文]

齐国国相在自家的客厅里举行盛大的祖饯宴会，参加的有一千多人。酒宴中有人献上鱼鹅作为礼物，田氏心里非常高兴，感慨地说："上天对人类可真是不薄啊！它繁殖出五谷瓜果，养育鸟兽虫鱼来供我们享用。"众位宾客听后，全像山谷中的回声一样附和，没有一个人提出异议。鲍家的孩子只有十二岁，也参加了酒宴。他在次宾位置站起来说："我不同意您的这种意见。天地万物和人共同生存，同属于生物一类，它们之间没有什么贵贱之分，只是根据体力大小和智力的不同相互制约，弱肉强食，一个不断地吃掉另一个，但这并不意味着被吃掉就是专门为吃掉它的另一个而生存的。人取可吃的东西吃，难道这些可吃的东西就是上天专门为人类而创造的吗？正如蚊虫吸人类的血，虎狼吃人的肉，肯定不是上天专门创造人类让蚊虫、虎狼来特意享受的吧！"

齐有贫者，常乞①于城市。城市患其亟②也，众莫之与③。遂适田氏之厩④，从马医作役而假食⑤。郭中人戏之曰："从马医而食，不以⑥辱乎？"乞儿曰："天下之辱，莫过于乞。乞犹不辱，岂辱马医哉？"

[注释]

①乞：乞讨，讨饭。②亟：数，屡次，数次。又作急迫。③之与：即"与之"的倒置。莫之与，即莫与之，意为人们不再打发他。④厩（jiù）：马圈。⑤假食：借食，混饭吃。⑥以：用作副词，表示程度，太、甚之类。

[译文]

齐国有个生活非常贫困的人，平时依靠在城市讨饭而维持生活。时间长了，市民厌恶一次又一次地打发他，于是约定都不再对他施舍。他找到齐国贵族田氏的马圈，跟从马医下苦力而挣口饭吃。城里人戏弄他说："你跟着马医做苦力混饭，岂不是太耻辱了吗？"那个讨饭的乞儿说："天下最耻辱的事莫过于讨饭。我讨饭还不认为是耻辱，难道跟着马医干活而成了耻辱吗？"

宋人有游于道①，得人遗契②者，归而藏之，密数其齿③。告邻人曰："吾富可待矣。"

[注释]

①游于道：在路上闲逛。②遗契：指别人已经扔掉的作废契约。③齿：为了验证契约的真伪，在双方所执的一份契合处各有标记，除了印章各为一半外，尚留有锯齿状的豁口，双方一对，即相吻合，凹凸相符，不留痕迹。

[译文]

宋国有一个穷人，一天在路上闲逛，拾到一份别人已经扔掉的作废契约。回到家里，便认真地收藏起来，悄悄地数着契约符合处的齿痕，对邻人说："我发财的机会已经指日可待了！"

人有枯梧桐①者,其邻父②言枯梧之树不祥。其邻人遽而伐之。邻人父因请以为薪③。其人乃不悦,曰:"邻人之父徒欲为薪,而教吾伐之也。与我邻若此,其险岂可哉?"

[注释]

①枯梧桐:即枯死的梧桐树。②邻父:邻居家的一位老人。③薪:柴火。

[译文]

有一家人家,院里的梧桐树枯死了,邻居家的老人说枯死的梧桐树长在院里不吉祥,于是这家的主人慌忙把这棵枯死的梧桐树砍倒。邻居老人以为放在那里没有用,请求主人送给他家当柴火烧。这个人听了很不高兴,说:"这位邻居老头只是想要柴火烧才让我把枯树砍掉的。与我家做邻居,其用心却如此险恶,难道能容忍吗?"

人有亡铁①者,意②其邻之子,视其行步③,窃铁也;颜色④,窃铁也;言语,窃铁也;作动⑤态度,无为而不窃铁也。俄而,扣⑥其谷而得其铁。他日复见其邻人之子,动作态度,无似窃铁者。

[注释]

①铁(fū):同"斧"。②意:猜想,怀疑,主观揣测。③行步:走路的步子。④颜色:脸色。⑤作动:一举一动。⑥扣(jué):通"掘"。

[译文]

有个人的斧子丢失了,总怀疑是邻居家的孩子偷的。看他走路的姿势,像是他偷的;看他脸上的表情,像是他偷的;听他说话的声音,像是他偷的;总之,这个孩子的一举一动,在这个丢斧子人的眼里,没有一处不像偷斧子的。不久,这个人去自己的田里挖土的时候找到了自己的斧子。再看邻人的那个儿子,他的行步、脸色、说话、一举一动,没有一处像是偷斧的样子。

白公胜虑乱①,罢朝而立,倒杖策②,錣上贯颐③,血流至地而弗知也。郑人闻之曰："颐之忘,将何不忘哉?"意之所属著④,其行足踬株埳⑤,头抵植木⑥,而不自知也。

[注释]

①虑乱:考虑发动叛乱的事情。②杖策:古代鞭马的杖,杖头带有尖刺,人称马棰。③锤(zhuì):马棰下端的尖刺。颐:腮,颊。此处指下巴。④属著:注意力高度集中。属,专注。⑤踬(zhì):被绊倒。株:露出地面的树桩。埳:同"坎"。⑥植木:树干。

[译文]

楚国大夫白公胜整天考虑叛乱的事情,朝会结束,大臣都走散了,他一个人站在那里一动不动,倒拿着马棰,棰端的铁针刺破了他的下巴,鲜血一直流到地上,他还一点儿没有察觉。郑国民众听说这件事以后,说:"连自己的下巴都忘记了,还有什么不会忘记呢?"的确,白公胜由于注意力高度集中到谋划政变这件事情上,走路时脚绊到树桩上,有时掉在土坑里,甚至头撞在直立的树干上,他也丝毫不知。

昔齐人有欲金者,清旦衣冠①而之市,适②鬻金者之所,因攫③其金而去。吏捕得之,问曰:"人皆在焉,子攫人之金何?"对曰:"取金之时,不见人,徒④见金。"

[注释]

①衣冠:衣裳和帽子。此处用作动词,即穿好衣裳、戴好帽子。②适:此处用作动词,到、至、去等。③攫(jué):抢夺,抓取,拿起。④徒:只,唯,仅。

[译文]

从前,齐国有个想得到金子的人,一大清早,就穿好衣服、戴好帽子来到集市上。当他转到卖金子的地方时,拿起人家的金子就跑。管理集市的官吏把他抓捕之后问他说:"集市上卖金子的地方那么多人,你怎么敢拿起别人的金子就跑了呢?"他回答说:"拿金子的时候,看不见人,只看见金子。"

图书在版编目(CIP)数据

列子/张长法注译. —郑州:中州古籍出版社,2010.5
(2014.12 重印)
(国学经典)
ISBN 978-7-5348-3339-7

Ⅰ.①列… Ⅱ.①张… Ⅲ.①道家②列子-注释③列子-译文 Ⅳ.①B223.2

中国版本图书馆 CIP 数据核字(2010)第 059964 号

出版社:中州古籍出版社
  (地址:郑州市经五路66号 邮政编码:450002)
发行单位:新华书店
承印单位:郑州市毛庄印刷厂
开本:640mm×960mm 1/16   印张:15
字数:180 千字   印数:10 001－15 000 册
版次:2010 年 5 月第 1 版   印次:2014 年 12 月第 3 次印刷

定价:20.00 元
本书如有印装质量问题,由承印厂负责调换。